ニュートン新書

サイエンス

科学的根拠が信頼で

クト

ガレス・レン
ロードリ・レン＝著
塚本浩司＝監訳
多田桃子＝訳

THE MATTER OF FACTS
By Gareth Leng and Rhodri Ivor Leng

Japanese translation published by arrangement with The MIT Press
through The English Agency (Japan) Ltd.

目次

まえがき

ロードリ：

この本は、「科学とはどういうものなのか」、「科学のどこがそんなに特別なのか」、「科学における問題はどうやって生じるのか」といったことに関する父との会話から生まれた。

2016年、私と父は互いのキャリアで初めて同じ大学で働くことになった。父は実験生理学の分野で長く活躍してきて、そろそろ引退を迎えるころ。一方私は、科学界におけるエビデンスの広がり方に興味をもち、社会科学者としてのキャリアをスタートさせたばかりだった。父子でバックグラウンドは異なっていたけれども、共通の関心を抱いていた。科学はどのように発展していくのか。エビデンスはどうやって生まれ、利用されているのか。エビデンスの評価方法について、大学ではどのように教えているのか。

これらの疑問について考えた結果がこの本だ。科学社会学、科学哲学、科学史の体系的な入門書ではなく、私たちが考察する必要があると感じた特定の問題について述べたものだ。科学的プロセスに対する称賛を伝えようと試みると同時に、現在生じているさまざまな問題に直面したときの、科学の複雑さやもろさを理解しようと努めた。調査した問題に対する答えを示してはいないが、これらの問題を理解するための手がかりは提供している。この本は科学を単純化したり、特定の見方を提示したりするものではない。あなたがたの科学に対する関心を喚起するためのものだ。

この本が役に立って、学生たちが知識の論争的な性質を理解し、方法論や経験的知見や論理、そして、〈彼らが自覚すべき科学の重大な欠陥〉に真剣に取り組むための助けになることを期待している。また私自身のように、アカデミックなキャリアをスタートさせたばかりの人に対しては、学究生活の難しさやプレッシャーに押しつぶされずにうまくやっていくために役立つことを期待している。私自身、これまでバイアスや稚拙な研究デザインの蔓延に悩まされてきた。しかし同時に、〈各分野の頑迷な定説に立ち向かい、斬新な研究を立ち上げようとする科学者たち〉から刺激を受け、「科学には重要な点で欠陥があるにしても、やはり追究するに値する学問だ」と気持ちを新たにしてきた。科学は人間による営みであり、すべての人間がもっている欠陥に悩まされると同時に、美徳も備わっている。

まず誰よりも先に、私のパートナーであるヘイリー・アーカートに感謝したい。「博士号の取得と同時に本も書く」という私に対して我慢も限界だったろうに、常に変わらず支えてくれた。

そして、エディンバラ大学で教えてきた学生全員にお礼を述べたい。データや理論に疑問をもち、丹念に調査をして、自信に満ちた立派な研究者に成長していくきみたちの姿を見てきたからこそ、批判的な議論と学識の大切さを身に染みて実感できた。私に教職に就く機会を与え、貴重な手助けをしてくださったダニエル・ケーリー、リンジー・パターソン、リチャード・ブロディ、ミゲル・ガルシア＝サンチョにも感謝申し上げる。ネットワーク解析の基本を教えてくれたギル・ヴィリーにもお礼を言わなくてはいけない。最後に、何年も私を支え、理解してくださった指導教官のスティーヴ・スターディーとヴァレリア・スカフィーダに謝意を述べる。また、先進定量的手法奨学金制度を通して、博士号取得のための資金を提供してくれた経済社会研究会議にも感謝している。

ガレス：　ロードリが述べているように、この本は父と子、社会学者と科学者、教師と学生との会話から生まれた。私はどちらかというと学生であり、息子のロードリのほうが多くの場面で科学者だった。

ジオフレイ・ハリスについて正しく教えてくれたジョージ・フィンク、逸話を提供してくれたアンソニー・トレワヴァス、スティーヴ・ヒラーに感謝する。また草稿を丹念に読みこんでくれた、もう一人の息子であるトリスタンにもお礼を述べたい。トリスタンはネットワーク科学者であると同時に、哲学者、数学者でもある。そしてナンシー・サバティエにも感謝しなければならない。彼女がその鋭い観察眼によっていくつかの恥ずかしい誤りを見抜き、終始サポートしてくれたことは、何物にも代えがたい。

私の父でロードリの祖父アイヴァー・ジョン・レンも社会学者で、定量的手法の先駆者であり、『図書館の子どもたち』(*Children in the Library*, University of Wales Press, 1968)の著者でもある。私はその父から、「学者になるとはどういうことか」を教わった。この本も結局は、そういうことについて書かれたものとなった。だからこの本は、私の父であり息子の祖父であるアイヴァー・ジョン・レンに捧げる。

ロードリ・レン、ガレス・レン

２０１９年６月

序　文：源　流

フランスのアルデーシュ県にあるハリエニシダに覆われた岩山、ジェルビエ・ド・ジョン山のふもとに建つ古い石造りの納屋の壁から、清澄な水がほとばしっている。納屋の外の標識には、"ici FERME de la LOIRE—SOURCE GEOGRAPHIC de la LOIRE（ロワール川ここより始まる——ロワール川の地理的源流）と書かれている。どうやら、ここがフランス最長のロワール川の源流のようだ。モネやシスレーも描いた美しい川、バイキングたちがトゥールの街を襲うために上ってきた川、百年戦争のときには英国による占領の境界線となっていた川の源流。

でも、このちょろちょろ流れている水がロワール川の源であるとは、どういうことだろう？　ここに栓をしたら、トゥールの子どもたちが飲む水が涸れてしまうのだろうか？　道路の向こうには、標識がもう一枚あって、シンプルにこう書かれている。La Loire（ロワール川）——では、こっちのほうがLa Source Authentique（本物の源流）なのか。こちらの湧水は、地下水の水位によって、毎日流れたり流れなかったりするらしい。そして１㎞南には、La Source Véritable（真の源流）もある。ここの標識には、手書きでici commence ma longue course vers l'Océan（海に至る長い流れはここから始まる）と記されている。だけど、ここの湧水はマス池に流れているようだ。近くは沼地で、見えないところにある湧水が木々に覆われた渓谷に流れこんでいる。渓谷を下っていくと、何本もの湧水の流れが一つになって小川となり、そうしてできた支流がいくつも合わさって、やがては雄大な川が村や町やブドウ園のあいだを縫って流れていく。鉄道が建設される以前の19世紀には、この川が幹線道となり、毎年何万人もの乗客が蒸気船でナントとオルレアンのあいだを行き来していた。

しかし、二つの水の流れが交わったとき、どちらが川の本流で、どちらが支流なのだろうか？　たいていは流量で決まるが、正確に測るのは難しい。どの流れも季節や降雨量によって変わるからだ。ロワール川最大の支流といわれるアリエ川はマシフ・サントラル山地を源とし、ヌヴェールのすぐ南でロワール川と合流する。その合流点においては、「アリエ川はロワール川より力強く流れている」という人もいる。この場合、たぶんロワール川よりも、アリエ渓谷のシャトーやブドウ園のほうが語られるべきであるからだろう。

現代のロワール川はアルデーシュから北へ流れ、西に曲がってサン゠ナゼールで大西洋にぶつかる。だが、更新世の**古代ロワール川**はひたすら北へ流れてセーヌ川に合流していた。一方、現代のロワール川下流にあたる川はオルレアン近くを源流とし、現代の流れに沿って西へ流れていた。やがてパリ盆地が隆起した際、ロワール川下流と古代ロワール川が合わさって現代のロワール川となった。現代のロワール川と古代のロワール川も違っていたのだ。

どのガイドブックにも、ロワール川の全長は１０１２㎞と書いてある。どうやって測ったのだろう？　ロワール川が直線状に流れている場所などどこにもない。湾曲部すべてに沿って測ったのだろうか？　高低差も含まれている？　重要と思われること――流れる水の量――については何も書かれていない。そもそも、流れる水の量は測定する時期によっても、川のどこを、どうやって測るかによっても変わってくるだろう。

科学における事実や理論も、川のようなものだ。事実や理論の源流がどこにあるかも、深遠などうでもいいことの数々によって変わってくる。科学の事実や理論が、常に私たちに都合のよい方向へ進むとは限らない。それらの意味や重要性が、ある日がらりと変わってしまうこともある。事実とは教科書のなかだけに存在するもので、教科書は書かれたと思ったらすぐゴミ箱行きになってしまうことも多々ある。

こんなふうに、〈川に**一つの**源があると考えることのばからしさ〉を私たちは自覚しているのに、こういう考え方をやめない。なぜなら、そうした物語づくりには目的があるからだ。**事実**は、真実でなくてもよいが有益であるべきなのだ。話す側と聞く側が一定の前提を承認してさえいれば、コミュニケーションは可能だ。実際のところ、コミュニケーションは、互いに承認している前提の範囲内でのみ可能なのだ。〈前提を承認すること〉と、厳密な意味で〈事実を**真実**と承認すること〉とは、まったく違う。むしろそれは、「その叙述は都合よく印象的である」ということや、「明らかに間違っているところがあるが、それはさして問題ではない」ということを承認しているにすぎない場合もあるのだ。私たちはこのような叙述を実用性のために、説得力のある物語をつくるために**承認**している。

実用性については理解しやすいはずだ。「川の左岸に立っていたとしたらA国にいて、右岸に立っていたとしたらB国にいる」と知っていることは役立つだろう。もし私たちがバイキングだとして、「船をこいでトゥールに略奪しに行きたい」と考えたとき、「サンナゼールの河口から川を上っていけばいい」と知っていたら有益だろう。

物語の説得力は、「私たちがどのように物事を記憶し、どのように世界を理解するか」に関連している。人間は物語を語る動物だ。私たちが語り記憶する物語は、「ある出来事が起これば、その後に別のことが起こり、さらに別のことが起こる」という、単純な教訓をもった物語である。因果の連鎖を構築する物語だ。私たちは「理性によって世界を理解できる」、そして「出来事の因果連鎖を明らかにすることによって、それが可能になるはずだ」と考えがちである。科学は、そのような理解の物語を構築するための乗り物のように思われている。

続く本文では、「科学的事実がどのように構築されるか」、「それらの事実を使ってどのように物語がつくられるか」、「物語はどのように広がっていくか」について考える。

第1章

科学の規範と構造

科学者もほかの人たちと何も変わらない情熱をもった人間であり、個人的、社会的状況の網にからめとられている。こうした先入観の網を通して自然界の声を聞きとることはとても難しいが、科学の分野にはそれを可能にするための手順の規範がある。しかし、人は無意識に自分が聞きたいことを聞いてしまうものだ。だから科学者が自分の願望を理解して積極的に自らを省みることをしない限り、自然界から発せられる微弱で不完全なメッセージと、無意識に潜む願望の声とを区別できないだろう。

――スティーヴン・ジェイ・グールド[1]

もし科学者の誰かに、「科学者って、どんなことをしているのですか?」と尋ねたら、こう答えるかもしれない。「私たちは、世界に関する知識と理解を広げる仕事をしているのだ」と。「実験を計画して行い、結果を分析し、結論を導き出しているのだ」とも答えるかもしれない。さらに、「それらの結論から検証可能な予測が導き出されるのだ」とか、あるいは「合理的な科学の方法を用いて客観的な真理を探究しているのだ」と型通りに答えてくる場合もあるかもしれない。しかし現実はそう単純ではない。科学者なら、事情はもう少し複雑だと承知しているはずだ。

実験から得られた結果を、科学者たちは**エビデンス（科学的根拠）**と呼ぶ。科学者たちは自分たちが行った実験について、ほかの人たちがもう一度行えるよう、正確に報告しなければならない。もしその実験結果が再現されなかった場合、深刻な問題が起こりうる。（たいていは）実験方法が、（ときには）科学者の能力が、（まれに）科学者の誠実さが、疑問視される事態となってしまうのだ。したがって、エビデンス――**ファクト（事実）**と報告されたこと――の正当性を軽々しく疑うことはできない。とはいえファクト――観測可能でかつ再現可能な実験結果――は、解釈の過程においてのみ意味をもっている。科学者がどのような結論に至るかは、「科学者がエビデンスをどう解釈するか」によって決まるからだ。

同じエビデンスから異なった結論が生じる場合もある。関連するほかのエビデンスが明らかになることによって、文脈が変わってくるためだ。例として、１９９４年に発見が公表されたレプチンというホルモンがある。肥満の人は、このレプチンの値が高い。

ほかに一切情報がなければ、「高濃度のレプチンが肥満の危険因子らしい」と解釈されるだろう。しかし、レプチンの値が高くなるのは、実は肥満の結果だ。レプチンは体内の脂肪量が増えれば増えるほど多く産生される。これを知ったら、「じゃあ、レプチンは体重増加にはなんのかかわりもないじゃないか」と思うかもしれない。だが、この解釈もまた間違っている――レプチンは体重増加の際に強力な食欲抑制因子として働くのだ。ここまで知れば適切な結論は、「肥満はレプチンが高濃度であるにもかかわらず発症する」となるはずだ。[2]

科学者が出した結論は、説得の過程を経て受け入れられるようになる。科学者は〈自らが選んだ解釈の擁護者〉であり、それを擁護するにあたっては論理だけでなくレトリック（修辞法）も用いる。私たちが知識や理解と考えるものはコミュニケーションの産物だ。つまり着想（アイデア）が影響力をもつには、アイデアそのものが優れているだけでは足りず、説明力も必要である。説明力とは、現象を予測する能力であり、またそのアイデアの洗練度や簡潔さも重要な要素である。理解しがたいことで有名であるにもかかわらず、大きな影響力をもつようになった理論もあるにはある――しかし一般的には、最も大きな牽引力をもちうるのは、複雑な現象を簡単に説明してくれるアイデアなのだ。

とはいえ、ある一人の科学者にとっては簡単に思えるアイデアが、ほかのごく近い分野の科学者にさえ理解してもらえない場合がある。科学者は自分の発見を広めるために論文を書いたり、会議の場で講演を行ったりする。こうした論文を読んで講演を聞くのは、発見者と同じくらいの関心と知識をもち、研究分野を同じくしている少人数の人たちだ。このような少人数のコミュニティが、エビデンスの確かさや、提案された解釈のもっともらしさや、アイデアの重要性を判定している。こうしたコミュニティは、確立された専門領域や特定の学会と同一の場合もあるが、明らかな組織にはなっていない場合も多い。たいていは自己組織化、自己管理化されたコミュニティであり、絶えず変動している。

世界中で50人やそこらの科学者しかその研究に興味をもたず、彼らしかその研究に潜みうる欠陥に気づけず、正しく評価することもできないのであれば、国境というものはさして意味をなさない。その50人が10の異なる国に住んでいて、出身国も別の国であることも多いのだから。科学は、私たちがよく知る専門領域（discipline）の枠に収まりきらない場合がある。科学の最先端領域では、研究者たちは特定の根本的な問題に意識を集中させている。そこでは、生理学、薬理学、生化学といった分野（disciplines）において、**規律**（discipline）という意味はあてはまらなくなり、しばしば科学は枠にはまらなく（undiscipline）なるのだ。

このように〈非常に特殊なテーマにのみ集中する小規模なコミュニティ〉において、科学者は互いの論文や研究助成を評価し、会議やワークショップを企画し、情報や研究資料を交換し、学生に訓練やキャリア形成の機会を提供している。科学者の多くは〈部分的に分野が重なる複数のコミュニティ〉に属しており、そのためアイデアも複数のコミュニティに広がっていく。そのようなアイデアは、元の適用範囲を大きく超えて、ほかの分野に新たな解釈を示唆する可能性がある。そしてときには、〈最初にそのアイデアが生まれた分野〉とはまったく違う科学の領域に大きな影響を及ぼすこともある。しかし、ゆくゆくはどこへ広がっていくにしても、新しいアイデアはたいてい、とても小さなコミュニティのなかから生まれる。コミュニティがそこに属する科学者を精査しているおかげで、そこから生まれたアイデアへの信頼性が高まるのだ。[3]

マートンの規範

牧歌的な見地からすると、科学とは、〈客観的かつ偏見のない観察〉を蓄積した公平無私の活動である。科学者の国境を越えたネットワークでの献身的な協力によって、私たちは客観的な真理に近づいていくことができる。１９４２年、社会学者のロバート・マートンは、このような科学の精神には四つの**ノルム（規範）**と呼ばれる特徴があると述べた。[4]

公有主義（Communism）：科学者は研究の成果を共有し、協力しなければならない。つまり、研究の手法も、資料も、データも共有し、得られた研究結果はできるだけ早く公表しなくてはならない。

普遍主義（Universalism）：科学的成果の正当性は、その成果を出した科学者グループ内の権威が評価するのではなく、より規模の大きい科学者の集団が定めた客観的な基準に沿って評価しなくてはならない。

無私性（Disinterestedness）：科学者は個人的な利害にとらわれず、社会に役立つ科学的事業の公益のために活動しなくてはならない。

組織的懐疑主義（Organized skepticism）：あらゆる主張は批判的に精査されてから認められるべきであり、異議は公に行われることが望ましい。

マートンによれば、これらの規範は**科学の機関**（学術誌、助成金提供団体、大学、研究所）と、科学者が属す学会において進展した。つまり、科学者だけでなく、こうした研究機関や団体も道徳的な義務を課せられているのだ。1910年、カーネギー教育振興財団の理事長、ヘンリー・プリチェットは力強く述べた。「大学には、ただ学生数を増やし、完全な組織をつくりあげることよりも大きな使命がある。その使命とは、公共的な誠実さ、知的な実直さ、科学的な正確さといった道徳規範を忠実に守り抜くことだ」[5]

しかし、その教育機関が変わりつつある。1950年の英国では、〈中等学校を卒業した学生のうち高等教育機関に進学した学生〉は、わずか3・4%だった。そのうち1万7300人が初級学位を、2400人が上級学位を取得した。1970年には〈高等教育機関に進学する学生〉の割合は8・4%になり、2000年には33%まで増えた。2010年、英国の大学は33万1000人の学生に初級学位を、18万2600人に上級学位を授与している。[6] これだけ学生数が増加すると、大学の数も規模も大幅に拡大し、大学の経営やカルチャーに重大な影響が生じる。いまや大学は収益を集めるためのビジネスだ。それが大学の研究活動では第一の目的となって、そもそもなんのために利益を集めるのかはあまり考慮されず、ほとんど省みられることもなくなってしまった。

著者が働いているエディンバラ大学は、英語圏で6番目に古い大学だ。1970年代、この大学の科学者たちは大学の財源から研究資金を得ていた。しかし現在は、外部から助成金を調達しなければならない。そして多くの場合、資金調達を行い続けることができることが継続雇用の条件になっている。エディンバラ大学は、英国国内でベスト5に入るほど研究に力を入れている大学だ。そのため、研究委員会、民間産業、慈善団体、国際資金団体からの資金調達は非常にうまくいっている。それでも、かつては学部長や学科長を通して大学が研究を管理できていたのに対し、現在では〈複雑な資金提供をめぐる市場原理〉が研究をコントロールしている。いまや大学は、助成を受ける研究の価値を、その研究が未来にもたらす結果よりも、〈助成金の多い少ない〉で評価するようになってしまった。要するに、現実よりもそのときどきのイメージを重視しているのだ。だからこそ大学は絶えず再編を行い、ときに応じて受けがよさそうなイメージを外部に示そうとしている。

変動する機関

同じ期間に学会のカルチャーや役割もまた変化した。英国生理学会は1876年に設立されたが、これは生体解剖に反対する人たちからの圧力を受けて、実験への動物の使用を規制するためだった。当初の目的は、〈この問題に関する統一的かつ権威ある意見〉を政府に届けることだった。[7] 創設メンバー19人には、オックスフォード大学、ケンブリッジ大学、エディンバラ大学、ロンドン大学の最も著名な生理学教授たちが名を連ねていた。そして学究的世界（アカデミア）の**貴族階級**と呼ばれる人たちもいた。解剖学者のトマス・ハクスリー（**ダーウィンの番犬**）、チャールズ・ダーウィンの息子で植物学者のフランシス・ダーウィン、博学者のフランシス・ゴルトン、作家ジョージ・エリオットのパートナーで哲学者のジョージ・ヘンリー・ルイスだ。チャールズ・ダーウィンは最初の名誉会員二人のうちの一人だった。

初期の学会はビクトリア時代の**紳士クラブ**だった。会合は主に、シャフツベリー・アベニューのカフェ・モニコのようなロンドンのしゃれたレストランで開かれ、ディナーのあとに仕事の話もしていた。この学会は、王認学会（ロイヤル・ソサエティ）*1の研究助成委員会に〈**生理学の研究のうち、助成に値するもの**を推薦する〉という役割も担っていた。[8] １８７８年、学会のメンバーは『生理学雑誌』（*Journal of Physiology*）を創刊した。初めての英語で書かれた〈生理学を専門に扱う学会誌〉だ。１８８０年には、最初の会議も開かれた。こ

*1　Royal Society. 一般に「王立学会」または「王立協会」などと訳されることが多い。しかし実体は会員の会費で運営された民間団体であり、国王からは勅認状が交付されただけで資金提供もなかった。そのため、王認学会と訳すほうが適切である。板倉聖宣『科学と科学教育の源流』（仮説社 2000, 72-74）

の会議には外国からゲストも何人か招待され、実験の実演も行われた。**会議は内密に行われるべきとされた……未発表の研究に関する意見や批評を引き出すために。**[9]

１００年後の１９８０年代になると、この学会では年に6～10回の会議が、英国やアイルランド各地の大学で開かれるようになっていた。どの会議でも学会のメンバーは、最近の実験結果を承認してもらうために10分間の講演で発表したり、学会のメンバーではない人を紹介して同様の講演をさせたりすることができた。学会での実験結果に対する承認は形式的なものではなく、講演のあとに質疑応答と討論の時間があって、最後に「その講演の要約を『生理学雑誌』に載せるべきかどうか」が投票で決められていた。この過程で科学者はしばしば手厳しい批判にさらされ、活発な議論に発展する場合もあれば科学者の誇りに傷がつくこともあった。

１９８０年代、この学会に入会するには生理学の論文を何編か、できれば『生理学雑誌』に発表している必要があった。そして学会の会議にも出席し、その場で研究結果を発表しなければならなかった。大学または研究施設での終身在職権を有しているか、そうでない場合は生理学への貢献をほかの証拠で示さなければならなかった。また、別の機関に属す学会のメンバーに推薦人になってもらい、支援してもらう必要もあった。そうして入会申請が委員会によって認められたら、入会希望者の名前は候補者名簿に載せられ全メンバーの投票による選挙が実施される――反対票は賛成票より重視され、反対の票数だけ5倍にして集計された。当選すればその人は新たに投票権をもつメンバーとなり、会議で発表される研究の価値判断をする権利を得られた。

学会はメンバーのなかから選ばれた役員たちによって運営されていた。面倒な役回りだが「名誉の証である」とも考えられていたのだ。大学も学会を支援し、無料で会場を提供するほか職員に学会の活動に積極的にかかわるよう働きかけ、会議に出席できるよう財政面で手助けしていた。

このように生理学会だけでなく多くの学会が、それぞれの専門領域におけるアカデミックな権威として影響力をもっていたが、１９９０年代の終わりごろから状況が変わり始めた。科学がますます発展し国際化が進むにつれ、科学者の身分は安定的ではなくなり流動的になった。「まずさまざまな研究機関と数年ほどの短期契約を結んで研究を行い、それから落ち着き先を決める」というのがあたり前になったのだ。研究分野を変えたり、大学から民間企業へ研究の場を移したりすることも珍しくなくなった。

テクノロジーの進歩とともに実験技術も多様化し、それぞれの実験についての専門知識が必要になった。１９７０年代の学会においては、どんな実験方法が出てきてもメンバーのほぼ全員がその手法に精通しており、実験結果について議論できた。しかし、それはもはや過去の話になってしまった。昨今では、講演が優れた発見の宣伝の場と化しており、助言を募る場ではなくなっている。公の場で批評し合う伝統は、時代錯誤の力相撲のように見られて廃れてしまったのだ。

それに応じて、かつては相応の業績が認められなければメンバーとしての加入が許されなかった学会に誰もが参加できるようになった。生理学会もほかの多くの学会と同様、加入者を絞りこむのをやめ希望者を広く受け入れるようになった。そして経営のプロに学会運営を任せ、会議の回数を減らして規模を拡大した。すると大学は学会を支援しなくなり、学会の活動のサポートに時間を使いすぎる職員に対して冷ややかな目を向けるようになった。

こうしたエリート主義の衰退――階層的な権威の失墜――は、知識がつくられ広がっていく仕組みに避けられない影響をもたらしたが、変化は気づかれないまま進行していた。

科学の規範と矛盾する期待

マートンの四つのノルムは、しばしば破られる。

公有主義（Communism）は競争の原理と矛盾している。科学者は研究の成果を共有する一方で、不都合な結果は共有し忘れることがある。互いの利害が一致すれば協力するが、順位をめぐって競争しているときにそんなことはしない。研究資料も共有するものの、それは論文の発表後、自分が競争に勝ってからの話だ。研究の手法も詳細に公表するだろう。ただし場合によっては、優位な立場を守るためにある程度の情報は伏せておく。データも共有するのは一部だけで、信頼できる同僚だけに分け与える。その場合も、公表しなかったデータはたいてい自分だけのものとしてしまっておく。発表を急ぐケースもあるが、たいていは主流の学術誌に**売れるネタ**ができあがるまで様子を見る。

普遍主義（Universalism）では、「科学的成果は客観的な基準によって評価される」としている。しかし、客観的な基準などというものがありうるだろうか？　科学者は一人残らず、自分の発見とアイデアは重要だと考えているものだ。

無私性（Disinterestedness）では、「科学者は社会に役立つ科学的事業のために活動する」としている。でも、科学者は私的な目標の達成と、自分への称賛も欲している。科学者は聖人君子ではない。さまざまな偏見を常に隠しておくなんてできるわけがない。科学者だって金儲けはしたいだろうし、科学者のなかにも性差別や人種差別をする人はいる。

組織的懐疑主義（Organized skepticism）によれば、あらゆる主張は批判的に精査されなければならない。とはいえ、科学者には協力者が必須だ。助成委員会や編集委員会にも友人がいたほうがいい。こういう事情があると、まわりに対して懐疑的な態度はとりにくいのではないだろうか？　そもそも彼らが途中で考えを変えることがあるだろうか？

これはいまに始まった話ではない。科学の歴史が始まって以来、科学の規範はこのようにして破られ続けてきた。規範は理想として尊重されてはいたが、鉄則として厳守されていたわけではなかったのだ。

科学者も普通の人間であり、先入観や偏見をもちながら科学者としてのよい評判やキャリアを築いていこうと努力している。同時に、さまざまな外圧に悩まされてもいる。民間の資金提供者が求めているのは、よく売れる製品だ。慈善団体の資金提供者のなかには、自身の掲げる理想しか見ていなくて現実的な問題には関心が薄い人もいる。政治家は「できるだけ低コストで国民の期待に迅速に応えよう」とし、「あわよくば好感度まで上げよう」と考えている。政府資金の出資者は、「最も優れた科学に出資したい」と考えているのかもしれないが、結局は、国民感情を気にする政治家たちに支出報告をしなくてはいけないのだ。マスメディアがほしがっているのはトップニュースだ。圧力団体とロビイストは、とかく幹細胞研究やナノテクノロジーやバイオテクノロジーへの反対運動を扇動し、自分たちが個別の関心を抱く分野にもっと資金を回すよう求めて闘う。科学者どうしの相互評価（ピアレビュー）制度も、ねたみや競合する利害がある場合は正当に機能しなくなる恐れがあるし、そもそも「何を重要と考えるか」は主観的解釈に左右されるだろう。

しかし、科学者の多くはマートンの規範を支持している――たとえ常時実践はできなくても、原則として。科学者への圧力は一方向のものだけではないし、それらが矛盾することもよくある。それに科学者も、〈人生において多くの圧力に直面する普通の人たち〉と同じように、圧力を受けるだけではなくその圧力に抵抗もする。抵抗する力が及ばなければ、故意にせよ無意識にせよ、出資者の利益のために妥協し、科学的メッセージをねじ曲げてしまうこともある。それでも科学者の多くは、「自分の研究が損なわれるかもしれない」と思ったときは資金援助を断じて拒絶するはずだ。外部からの資金を個人的な報酬として受け取ることを一切拒否し、全額を研究に充てる科学者も多い。

科学的理解の構築

自分たちが行っている研究が重要であると信じているのはなぜか――その理由を、一般の人々に説明しようと努める科学者は多い。なかには特定の信条の熱烈な擁護者となる科学者もいる。また、〈ある問題への**一見わかりやすい**解決策がうまくいかない理由〉を説明することによって、一般の人々を**啓発**しようとする科学者もいる。しかし、これらはすべて、実際に科学者がやっていることの説明にはなっていない。**自分が何をしているのか**を真剣に説明しようとする科学者はほとんどいないのだ。科学者は必ずといっていいほど「**最先端**の科学にかかわっている」と主張するが、**最先端**の科学というのがいかなる領域であるのかはあいまいで、そこには疑念と失望と異常と矛盾が渦巻いている。進歩はしばしば誰の目にも見えないうちに、予想もしなかった方向から生じている。アーサー・ヒュー・クラフの詩「苦闘を無駄と呼んではならぬ」は、この感覚をよくとらえている。[10]

疲れたように岸にぶつかっては、むなしく砕け散る波も
苦労が報われず少しも前進していないように見える。
それでも、湾や入り江にじわじわと潮が満ちるのは、
黙々と流れこんでくる大海原が、はるか彼方にあるからなのだ。

とはいえ、公表された文献にこうしたもどかしさが反映されていることはほとんどない。何かを書くとき、科学者は自分の研究に関する自信と確実性を文章ににじませる。と同時に、言葉を慎重に選んだうえでライバルの信頼性をひそかに傷つける言い回しを使う。その力強い語り口の文章に、おどおどした感じや謙遜が入りこむ余地はない。控えめにしていたら、衝撃的なアイデアがもたらすせっかくの栄誉を無駄にしてしまう。ちなみに、たとえ科学者が自分の研究の限界を認めて控えめに振る舞っているように見えたとしても、それは多くの場合編集者や査読者にそう強いられているにすぎないのだ。

「〈世界がどのようにしてあるかについての絶対的な真理〉にアプローチしているのが

科学である」と考えている人がいる。「個々の科学的発見は頼りないものかもしれないけれども、**大海原**には、その真理に近いものがあるのだ」と。そのような考え方では、「画期的な進歩を遂げることによってある科学者が名を挙げることがあったとしても、そのような進歩は長い目で見れば必然的なものであった」とみなされる。したがって、「仮にその進歩がその科学者によって成し遂げられなかったとしても、いずれ他の科学者によって成し遂げられるのは時間の問題であった」ということになる。つまり、「科学的理解は世界の本質によって用意されており、発見されるために常にそこにある」というわけだ。

逆に、「科学者が私たちの理解を構築している」という考え方もある。この場合、〈私たちが世界を観察するために使用できる方法〉によって、また〈エビデンスを処理し解釈する人間の脳の限界〉によって、私たちの理解は制約を受ける。

この考え方によれば、私たちの理解は経路依存性をもつ。つまり、「私たちが世界をどのように理解するか」は、先人からの影響によって左右されるのだ。言い換えれば、**他者の**偏見や先入観や思いこみによって左右される。この先人から受け継いできた理解は、新たなエビデンスによって高めていける。だが、エビデンスを見つけるためには、私たちはまずそれを探さなければいけない――そして、「何を探そうとするか」は、そのときどきで、「私たちが何を知ることが最も重要だと考えているのか」、「探究のためにどんな方法を用いることができるのか」によって決まる。しばしば方法の進歩によって科学の方向性は変わる。それまでなおざりにされていた問題が、それを扱う方法が明らかになったとたん重要視される。光学顕微鏡の登場とともに世界への理解は変わったし、電子顕微鏡が発明されたときにもまた変わった。これらの方法によって、私たちが見ることのできる対象が変わり、重要視される問題も変わったのだ。

私たちは偏見や先入観によって曇ったレンズを通して、**暗いガラス越しに**世界を見ている。この不完全なレンズを通して科学者はどこを見るのか、それを左右するのは、科学コミュニティの内外からの圧力と、そのときどきの状況だ。こんな話がある。警官が夜道で一人の男と出会った。男はなくした鍵を街灯の光の下で探していた。警官は、どこで鍵を落としたのかを尋ねた。男は街灯の光が差さない暗闇を指した。「だったら、どうしてこんなところを探しているんだ？」――「だって、見えるのはここだけだから」

科学の構造

科学は複雑だ。科学者は〈研究を続けるための柔軟な構造〉をつくり維持しているが、この構造によって制限を課されてもいる。ある特定の問題に関してある特定の時期に、「科学者がどのように実験を計画すればよいか」を定義するのは、科学の構造だ。同時に、「どのように方法を検証するか」、「どのように結果を解釈するか」、「どのようにほかの人たちに研究を発表するか」、「どのようにアイデアが理解されるか」、「どのようにアイデアが広まるか」も、科学の構造が定義している。そして、これらの定義によって、「誰が成功し、誰の研究が世に知られぬまま消えていくか」が決まる。

哲学者たちは知識の論理的意味を重視することで、科学の合理性についての神話をつくりあげてきた。しかし、これまでに公表されてきた発見には、虚偽が多く見られる。まったくの詐欺行為はまれだが、〈詐欺ととられかねない疑わしい行為〉は珍しくない。[11]

基礎的統計の弱さは蔓延しているし、公表された結果は利害の対立によってゆがめられている。〈学術誌や引用にかかわる一般的な慣行〉は文献の公正性をむしばんでいる。こうした問題を理解するためには、社会的視点が欠かせない。もちろん知識の正当性を読みとるには、認識論的かつ科学的な洞察力が必要だ。〈合理的で先入観のない精神〉によって先人の英知を学び、〈批判的な論理的思考によって実験を計画すること〉によって私たちの知見が進歩しているのだとしたら、その理解は容易だ。だが現実には、〈たくさんの論理的思考の失敗〉や、〈科学者への無数の圧力〉があるにもかかわらず、進歩が生じているのだ。「それはいったいどうしてなのか」を理解するのが難しいのだ。

もしかすると、「科学の失敗を生じさせている力が、同時に成功をも生じさせているのではないか？」と考えたほうがいいのかもしれない。「自由な資本主義システムは、極端な不平等、不公平、環境悪化、人からの搾取を生んだが、それでもなお中央管理経済システムより効率的に全体の利益を向上させた」と多くの人たちが主張している。その人たちはさらにこうも述べている。「自由な資本主義システムは、ダーウィンの唱える生存競争を促進したため、生産性を右肩上がりにし、技術革新を促し、社会の豊かさをもたらしたのだ」と。経済の領域におけるこの主張の正当性をここで考えることはしないが、科学の領域においてはどうだろうか。

とりあえず、「科学の構造が私たちの理解の本質にどのような影響を与えるか」について考えてみなければならない。エビデンスを評価し、アイデアを広める役割を担う科学コミュニティや制度、そしてそのメカニズムの本質はどれも変動する。だからこそ、科学の信頼性に対する懸念が高まっているのだ。続く各章では、「科学が実際にどのような仕組みで動いているのか」について考える。まずは、科学者に最もよく知られている〈科学の進歩の仕方についての二つの哲学的観点〉を見てみよう。

第2章

ポパーとクーンが考える、科学とは何か

どの世代の科学者にも、これ以上の最善のアドバイスはできません。ある仮説が真であるとどれだけ強く確信していたとしても、それが真であるか否かにまったく関係ありません。あなたの確信が強ければ強いほど、仮説が厳しい批評に耐えうるかどうか確かめようとする動機もまた強くなるだけなのです。

——ピーター・メダワー[1]

政府が国民の生活に影響する決定を下すとき、「その決定は科学的エビデンスに基づいているべきだ」と私たちは期待する。エビデンスは科学文献から得られるが、それには解釈と評価が必要だ。こうした場合、文献の著者が自分の研究について述べていることを額面通りに受け取るわけにはいかない。なぜなら、科学者は自分の研究の正当性と重要性を、ことさら熱烈に擁護するからだ。

エビデンスが**おのずから何かを語る**ことはほとんどない。エビデンスは人によって語られるものなのだ。その情熱と明晰な思考と表現力を駆使して〈説得力のあるメッセージ〉を生み出す人、友人や弟子のような〈受容力のある聴衆〉に語りかける人、このような人たちが最も大きな影響力をもつ。科学を社会活動として考えなければ、科学を理解することはできない。別に科学を貶めようとしていっているのではなく、「科学者とは人々に影響を与える仕事をしている人たちなのだ」と認めているのだ。

人間は物語を語る動物だ。事実より物語のほうをよく記憶する傾向があり、好きな物語に沿うように事実を誤って記憶することもよくある。そのようにして記憶が予測のつかない変化を遂げた例は数多い。私たちは自分の期待や先入観に同調する事実に、そうでない事実よりも強い関心を向け、その事実を取捨選択し、かつ不完全な状態で思い出す。そして、どうしても不都合な事実を認めなければならないときには、どうにかして自分がもつ先見的概念（preconceptions）にあてはまるように事実を解釈しようとする。[2]

それぞれが抱いている世界への理解は、エビデンスに基づいている。それは聖書のなかにあるエビデンスかもしれないし、経験からくるエビデンス、ほかの人から聞いた話や、新聞で読んだ記事から得たエビデンスかもしれない。このようなエビデンスから、私たちは〈因果関係によって世界を理解するための物語〉を構築する。因果関係は、「なぜ物事がそのようにして起こったのか」を説明してくれる。しかし同時に私たちは、エビデンスを利用して物語を広めて、ほかの人たちに特定の行動をとらせようともする。たとえば、特定の候補者に投票させたり、特定の商品を買わせたり、特定の人々を特別扱いさせたりしているのだ。これらのケースにおいて、私たちはエビデンスを選択的に使用している。〈聞いてほしい物語を裏づける内容〉を選んで伝えている——エビデンスを選り好みし、ときにはゆがめてしまうこともあるのだ。

科学者も同様にエビデンスに基づいて物語を構築している。科学者が用いるエビデンスには**より確実な**エビデンスも含まれている。それは、規則によって管理されたプロセスを経て集められ、検査と確証の対象となったエビデンスだ。しかしそれでも、そこには常に主観性や偏見が紛れこんでいる。科学者が探し集めているのは、発見したいと期待しているエビデンス、自分の物語を裏づけるのに必要なエビデンスだ。ちなみに、自分の物語を科学者は理論と呼んでいる。どんなエビデンスを探すか、どのようにして探すか、見つかったエビデンスをどのように解釈するか、それらを左右するのも理論だ。したがって、堂々巡りなのだ。

科学者は理論を念入りに構築してテストする。その間ずっと、自分の物語の正当性と重要性をほかの人たちに認めてもらうべく、奮闘しているわけだ。奮闘のなかで、ライバルの物語の正当性と重要性を打ち落とそうとするときもあり、その際の攻撃材料としてもエビデンスを用いる。

ただし、科学者はエビデンスを利用するにあたって一定の責任を負っている。科学者は信頼されており、人々は尊敬の念をもって科学者のアドバイスを受け入れる。そうした信頼を「見当違いだ」と言うつもりはない。ある物事の成り立ちを知りたいとき、〈そのことについて長年研究し、相当な努力を注いできた人々〉から話を聞くのは、いかにも賢明に思えるし、多くの場合理にかなっているだろう。しかし、科学者はこのような責任を負っているからこそ、グールドの言葉通り、**積極的に自らを省みること**[3]をしなくてはいけない。なぜなら科学者もまた、すべての人間が犯しがちな失敗を犯さずにはいられないからだ。「科学者がどのようにエビデンスを集め、どのようにそれを用いるか」によって科学の進歩が左右されるならば、私たちはこれらの失敗にこそ細心の注意を向けなくてはならないだろう。

というのも、科学は困難な挑戦だからだ。一流の科学文献といえども、非の打ちどころのない真実のみの保存記録とはいえない。最も大きな影響力をもつ論文や学術誌の多くに、再現性のない発見の数々が記載されている。

カール・ポパー：健全な科学と不健全な科学

科学者はどのように物語を構築しているのか。まずはそこから見ていこう。哲学者は長年、「科学を特別なものにしているものがあるとすれば、それは何か」について解明しようと試みてきた。そうした哲学者のなかで最も影響力が大きい人、少なくとも科学者に大きな影響力を及ぼしたであろうと考えられているのは、『科学的発見の論理』（1971年、恒星社厚生閣）を著したカール・ポパー（1902〜1994）だ。[4]

ポパーはまず、〈科学と疑似科学との違い〉を解明しようとした。戦前ドイツで生まれ育ったポパーは、マルクス主義とファシズムに二極化するコミュニティで、〈イデオロギー信奉者たちが経験に無頓着なさま〉を見てきた。彼らはどんな経験であれ、すべて〈自分たちの世界観を強化するもの〉として解釈してしまっているように見えた。「こんなものは科学ではない」とポパーは考えた。[5]

ポパーが現れるまで、最も有力な哲学運動は論理実証主義――「経験的に確かめられる言明のみが意味をもつ」という考えだった。この考え方は、科学を〈事実から構築される進歩的な活動〉として描いている。事実から推論を導き出し、さらなる経験的研究によってそれらの推論を立証する。ポパーはこの体系を破壊した。

ポパーの攻撃は単刀直入で明白だった。**白いハクチョウをいくら観察しても、「すべてのハクチョウが白い」という結論は正当化されない。**[6] これによってポパーは、「自明ではない仮説の真実性は、それを裏づけるエビデンスをたくさん集めさえすれば立証できる」という論理実証主義の考えを退けた。この批判は、２００年前にデイヴィッド・ヒュームが帰納法の問題で提起した考えを再び述べたものだった。[7] だが、ポパーは解決策も提案した。「信頼できる知識へ至る〈唯一の論理的に有効な方法〉は反駁（はんばく）である」と主張したのだ――「黒いハクチョウが一例でも見つかれば、〈すべてのハクチョウが白いという仮説〉が誤りであると証明するには十分である」と。したがって、科学者は仮説の立証に努力するのではなく、仮説に反駁しようと努めるべきなのである。

ポパーは、「科学的言明は〈反駁可能である〉という点で、疑似科学的言明と異なっている」と結論を出した。**科学的言明が現実について話している限り、それは反証可能でなければならない。すなわち、反証可能でない限り、その言明は現実について語っていないのである。**[8] この考え方によれば、科学者はプロの懐疑論者であり、彼らの知識は永遠に疑われる運命だ。これこそが、ポパーによれば、科学者と〈信頼や信仰やイデオロギーや迷信といった信念にとらわれた科学者でない人たち〉とを分かつものであった。非科学者は見たものすべてから確信を導き出してしまうため、自分たちの信念が反駁されかねない事態を予測することなどできない。

しかし、「積み重ねた**事実**を一般化しても、ほとんど価値のある理解は得られない」としたら、科学はどうやって進歩するのだろうか？　この問いへの答えは、「科学者の想像力にある」と、ポパーは考えた。つまり、「直接観察できるものを超越して理論を考え出す科学者の能力に答えがある」と考えたのだ。理論は一時的に受け入れられた**事実**の上に構築される。**事実**は、これらの理論によって解釈された観察結果から成る。このような意味で、科学とは、いまにも壊れそうなほど不安定な自立式の構造なのだ。

科学は硬い岩盤の上にあるわけではない。科学の理論の大胆な構造は、いわば沼地の上に建てられているようなものだ。つまり〈沼地に杭を打ちこんで建てられた建物〉で、その杭はどんな自然の基盤にも、「既定の」基盤にも届いていない。私たちが杭を打ちこむのをやめたからといって、それは強固な地盤に届いたからというわけではない。ただ単に、さしあたってこの構造が倒れない程度には、杭がしっかり刺さっているという点で満足したにすぎないのだ。[9]

ポパーは、創造的な役割を喜んで受け入れる理由を科学者に与えた。[10] そして、〈科学と疑似科学を見分ける方法〉だけでなく、〈健全な科学と不健全な科学を見分ける方法〉も示した。不健全な科学は、〈私たちが真実であってほしいと考えているもの〉に経験的な裏づけを与えようとする。一方で健全な科学は、私たちの先入観にあえて立ち向かう。健全な科学は、〈理論に反駁できる大胆な予測〉を生じさせる。だからこそ、厳しいテストを突破した理論だけが重要なものとして認められてきたのだ。

トーマス・クーンと科学史

「科学者が実際にどこまでこの道に沿って歩んできたか」をテーマにしているのが、トーマス・クーンによる『科学革命の構造』（１９７１年、みすず書房）だ。[11] クーンの考える科学史は、単なる科学の逸話の保存記録ではなく、「なぜ科学がここまで成功しているのか」を理解するうえで根拠となりうるエビデンスを含んでいる。

クーンは時代の文脈を尊重して科学史を記述しようとした。つまり、〈私たちが今日真実とみなしている科学理論〉に基づいて、〈過去に廃棄されてきた科学的理論〉を評価することはしなかったのだ。たとえばアリストテレスの自然学は、「まったく科学ではない」、あるいは「ある程度は科学であるものの、明らかに間違っている」などと揶揄されてきた。一般に、アリストテレスがおかした誤謬の原因は、「世界を理性によってのみ理解しようとし、経験的証拠をなおざりにしたこと」に帰せられることが多い。

だが、これはまったく間違っている。

アリストテレスは、「**自然の法則**が世界を支配している」と提案した最初期の思想家の一人だ。アリストテレスの師であるプラトンにとって認識論とは、〈知識の本質および正当化された信念の本質の理解〉であり、〈万物の**形相**（けいそう）（またはイデア）の知識〉から始まり、〈論理的演繹によって特定の事例に関する知識に至るもの〉だった。しかし、アリストテレスは経験主義者であり、彼の認識論は〈世界の事物の研究〉に基づくものだった。アリストテレスの考えによれば、そのような研究から、今日いうところの**帰納法的推論**によって〈普遍原理の知識〉が導き出される。アリストテレスによる生物学や地質学の研究は、系統的な経験的観察から成る充実したものだった。アリストテレスは『動物誌』（２０１５年、岩波書店）において、鳥の生殖、卵の形成、卵のなかの胚の形成の観察について記述している。彼は発育中の生物が一連の段階を経て最終形態に至ることに気づいており、これを説明するために**生成の原理**を提案した。[12]

とはいえ、アリストテレスの運動の法則は、今日ではほとんど理解できないものに思える。彼の運動（あらゆる変化）の定義は、通常、**潜在的な可能性の現実化**と翻訳されるが、これはなんの意味もなしていないように思われる。[13] ところが13世紀の哲学者トマス・アクィナス（1225〜1274）は、アリストテレスの言葉は文字通りの意味をもっていて、「アリストテレスの書いたものを理解しようとする価値はある」と考えた。そこで、アリストテレスの概念に関する〈明確で一貫した注解〉を著した。[14] アリストテレスは、「植物と動物はどちらもその内に〈運動の原理〉——生来の変化への傾向——をもっている」と解釈した。胚をニワトリであると定義できるのは、〈現在の見せかけの特性〉のみによってではなく、〈ほかのものに変化する潜在的な可能性〉によって定義するからだ。アリストテレスが使用した**運動**という用語は、〈潜在的な可能性が現実化し移行する様式〉を指しているのだ。アリストテレスは、この考えをすべての**自然物**に拡大して適用した——恒星や惑星の動きは、それら〈生来の衝動〉や四元素（地・水・火・風）によるものとした。すべての自然物が〈生来の運動の原理〉をもっており、それぞれが異なる原理によって区別できると考えられた。火が上向きに動くのは、本来それが〈上方にある〉のが自然だからだ。一方、ベッドや服といった人工物は〈生来の運動の原理〉はもたないが、自然物からつくられている場合、その限りにおいて原理をもつ。たとえば、ナイフが〈下方への運動の原理〉をもつのは、それがナイフであるがためではなく、鉄からつくられているからなのだ。すべての運動に〈生来の原理〉がかかわっているわけではない——運動の原理が〈外部の作用因〉からくる場合もある。火や恒星のように〈自然に運動するもの〉には〈自発的な原理〉があるが、そうでないもの——質料——には受動的な原理があり、それらが運動するには〈動かす者〉がいる。アリストテレスは観察により、〈ある物体の大きさおよび重さ〉と〈その物体の速度〉との関係を、〈外力によって動かされた場合〉あるいは〈下方へ向かう生来の性質によって落下する場合〉のそれぞれについて推測した——この関係を、今日の私たちは〈アリストテレスの運動の法則〉と呼んでいる。

クーンは、アリストテレスの法則は〈彼が意図して観察した文脈〉においては筋が通っていることを示した。落下する石について考えるうえで、アリストテレスは状態の変化を見ていたのであって、瞬間ごとの過程を見ていたわけではなかった。落下する石の速度は、単純に移動した距離とかかった時間の関数——現在の私たちが平均速度と理解しているものだった。

物理学者カルロ・ロヴェッリもクーンの分析を支持し、こう論じている。**アリストテレスの自然学は、〈粗削りな直観的理解〉とはかけ離れており、〈経験に基づいた観察〉によるものである。ニュートン物理学が（それ自体の正当性の領域において）正しいのと同じ意味で、（アリストテレスの自然学それ自体の領域において）正しい。**[15] ニュートン物理学において、真空中（ニュートン物理学の領域）を落下する石は等加速度運動をする。一方、空気中または水中（アリストテレスの自然学の領域）を落下する石は、アリストテレスが観察したとおり、すぐに一定速度に達する。

　このような事例研究から、クーンは結論を出した。科学の進歩とは、「ある理論を、より新しいエビデンスに適合する別の理論に置き換える」といった単純なプロセスではない。理論は、それ自体の領域よりもずっと大きな理解の領域のなかにはめこまれて初めて、その意味が理解される。だからこそ、別の事柄について話している理論どうしを比較するのは難しい。たとえ同じ用語でも、異なる意味を付加されて使われているからだ。クーンによれば、このような問題は、それぞれ異なる時代に生まれた理論だけでなく、同時期に生じた、競合する理論にもあてはまる。

クーンは「科学がどのように進歩していくのか」について、〈科学的手法の洗練の結果として理解する従来の哲学的アプローチ〉ではなく、〈社会歴史的アプローチ〉によって理解しようとした。彼は「科学がすばらしい功績を築いてきたことは疑う余地がない」としている。科学は、科学者による活動の結果だ。したがって、「科学がどのように進歩してきたか」を理解するには、「科学者がどのようにエビデンスを得てそれを使ってきたか」、「科学者がどのような意味で私たちの知識を拡大してきたか」を研究しなければいけない。

私たちは個々の科学者は誤りを免れない人間であること、未知を探求する旅には誤った道や、行き止まりや、落とし穴がつきものであることを知っている。ここでは、こうしたことを問題にしてはいない。安全な道を見つけるには、まず境界線を明らかにし下草のなかに危険が潜んでいないか確かめなければならないだろう。それに、ほかの道も調べてみなくては最善の道は見つからない。むしろここで心配しなくてはいけないのは、「そうした誤った道や、行き止まりや、落とし穴のなかには、科学者自身がつくり出したもの――回避できる罠――も含まれているのではないか」という問題だ。

またこれを問題視するならば、以下の可能性についても考えてみなくてはならない。たとえ科学者のしていることがばかばかしく不合理で効率が悪いように見えたとしても、そうしたばかばかしさや不合理や効率の悪さのなかに、実は科学の進歩に貢献する要素があるのではないか。必ずしもそのとおりであるとは限らない――科学は、とんでもない欠陥の数々があってもそれらにかかわりなく進歩していくものなのかもしれない。しかしクーンは、「この問いについても考えてみなくてはならない」と気づいたのだ。

クーンによる科学の分析

クーンによれば、科学者はほとんどの時間、パラダイムのなかで研究を行っている。パラダイムというのはとらえにくい概念だ。クーンは、時と場合、文脈に応じて、それぞれ異なることを指してパラダイムという言葉を使っているが、それはそのほうが都合がいいからかもしれない。[*1] とはいえパラダイムは一般に、〈科学者の共同体としての活動から生じる枠組み〉という意味に解釈されている。そこには知識や理論の集まりも含まれる。「どのような問題が重要で、その問題の答えを出すにはどんな方法が適しているか」を決めるのがパラダイムだ。またパラダイムは、科学者や科学者の出した結果を評価するための基準――エビデンスの重要性の測り方――も決める。[16] このようなパラダイムのなかでの**通常**科学は、〈理論を構築し検証すること〉より**パズル解き**に近い。「理論の精緻化と予測能力の拡大のための小さな漸進的な進歩だ」とクーンは結論づけた。

クーンの歴史解釈によると通常、パラダイムは攻撃の対象とはならず、矛盾するエビデンスが現れてきても簡単に捨て去られはしない。かなりの数の変則事象が積み重なって初めてパラダイムへの紛れもない挑戦が始まる。といっても挑戦が起こるのは、「科学者たちがパラダイムの欠陥を認めだしたから」ではなく、「代替パラダイムが生じて

＊1　クーンは、パラダイムという用語のあいまいさについて激しい批判にさらされ、第２版以降で撤回した（クーン原著 *The Structure of Scientific Revolutions* fourth ed., p. 181, 邦訳 p. 207）。

それが新たな信奉者を集めることに成功したから」なのだ[17]。

「古いパラダイムが新しいパラダイムに置き換えられた」と明らかになったとき、「**科学革命が起こった**」と認識される。ただし、これは「古いパラダイムのもとで研究を行っていた科学者たちが新しいパラダイムに転向した」ということを意味しているわけではない。「科学者は自分の考え方や研究の方法を容易には変えないため、そうした古い信奉者たちが完全に科学の道を放棄してからでないとパラダイムは消えないのだ」とクーンは述べている[18]。クーンは物理学者マックス・プランクの言葉も引用している。**新しい科学的真理は、反対派を説得し彼らに目を開かせることで勝利を収めるわけではない。むしろ、時の流れとともに反対派が死に絶え、新たな科学的真理に慣れ親しんだ新世代が育つことで勝利は成し遂げられるのだ**[19]。

クーンは、「こうした保守主義は変化への理不尽な抵抗とは違う」と述べている。どのようなパラダイムにも常に甚大な投資がなされる――知的投資も、設備投資も、ほかの資源の投資も――だから、これだけの投資を軽々しく捨てられるわけがないのだ。そのうえ「新しいパラダイムが古いパラダイムより優れている」と一目瞭然であることはめったにない。少なくとも最初のうちは逆の場合のほうが多い。新しいパラダイムは一部の点でよりよい説明を提供してくれるかもしれないが、ほかの点では、とりわけ新しいパラダイムが未熟で暫定的なうちは古いパラダイムのほうがより多くを説明しているように思えるだろう。新旧どちらかのパラダイムを選ぶとき、エビデンスの重要性だけでは決められない——ほかの要因も重要になってくる。

通常、競合するパラダイムの擁護者たちはそれぞれ異なる実験技術を用い、ある種のエビデンスを重要視したかと思えば、ほかのエビデンスは軽視する。重要だと考える問題もそれぞれ異なる。クーンの言葉によれば、競合するパラダイムどうしは**通約不可能**、つまり、あるパラダイムの価値は、別のパラダイムの基準では測れないのだ。

問題とパズル

ポパーの『科学的発見の論理』とクーンの『科学革命の構造』は、最高の説得力をもつ傑作だ。どちらも雄弁で首尾一貫した語り口をもち、その物語のところどころに引用したくてたまらなくなるような名言がある。『科学的発見の論理』は生き生きとした情熱をみなぎらせて、記憶に残る率直な言葉で中心となる論旨を伝えている。

ただし、**すべてのハクチョウは白い**は、ポパーが思考実験として取り入れた〈特に簡略化された仮説〉なのだ。この仮説は、〈一般的推論の基本的な弱さ〉をわかりやすく示すのに便利だった。一方、科学的仮説は単なる一般論とは違う。科学的仮説にはさまざまな構造があり、しばしば**Aが起こったからBが起こった**という構造の、因果関係を述べる言明が含まれている。通常、この言明は、**AのすべてのⅠ事例のあとにBの事例が続く**という言明と同じではない。喫煙は肺がんの原因となるが、多くの喫煙者は肺がんにならないし、一度も喫煙したことがない人が肺がんになる場合もある。個々の人において「喫煙が肺がんを引き起こすか否か」には、ほかの多くの要因がかかわっている。たとえば、運、遺伝性素因のほか、私たちにはわからない要因もあるだろう。

反対に、Aのすべての事例のあとに、いつもBの事例が続いたとしても、それで因果関係が成立したことにはならない。鳥はいつも日が昇る前に鳴くが、日は鳥が鳴いたから昇るわけではないのだから。因果関係を主張するには、関連性を示すエビデンスだけでは足りないのだ。因果関係を示すには、〈ある出来事が別の出来事を引き起こすメカニズム〉を理解する必要がある――たとえば、「タバコに発がん物質が含まれている」というエビデンスだ。また、介入によって関連を断つことのできるエビデンスも必要になる――たとえば、「喫煙をやめれば肺がんになる確率が減る」というエビデンスだ。強固な仮説を構築するには、いくつかのタイプの異なるエビデンスを組み合わせなければならない。観察研究から見つかる関連のエビデンス、介入研究から見つかるエビデンス、さらなる**基本的な**理論を補って得られるメカニズムのエビデンスの組み合わせだ。最終的に、これらのエビデンスがそろったところで、まとめて説得力のある物語をつくればいい。

クーンは彼自身の物語を、なじみ深い科学史の大きな一本道に沿ってつくりあげた。登場する偉人も、アリストテレス、コペルニクス、ガリレオ、ニュートン、ドルトン、アインシュタインといった胸像や伝記でおなじみの人たちだ。クーンの科学観は帰納法によって構築されている――ポパーが批判した方法だ。帰納法は、「現在が過去と同じである」と仮定している。この考え方は「科学は社会的生産物であり、その本質は現在の状況によって決定される」という見方とは奇妙な対立がある。ポパーと同じく、クーンもレトリックを非常に効果的に使いこなし、ジェットコースターのようにエキサイティングな物語のなかで、**パラダイム**や**革命**といった概念を打ち出している。クーンのレトリックの強みは、正確さにあるのではなく〈驚くほどの不正確さ〉にあるのだ。だからこそ、物語のところどころで違う読み方ができるし、重要な箇所それぞれで個々の読者が自分の考えに合うように読むこともできる。

それでも、ある世代の科学者たちはクーンやポパーから刺激を受けた。ポパーからは、創造的で進取の気質をもった科学者の理想像、懐疑主義の原理、仮説によって前進する科学の強み、理論を反証するための**キラー実験**の探究、といった考えを快く受け入れた。クーンからは「イノベーションの先陣を切るのは若い科学者だ」という考えを示されて「それならひょっとすると新たな科学革命に貢献できるかもしれない」と触発されたのだった。そしてこの二人から「年長の科学者たちに必要以上の恐れと敬意を抱く必要はない」という考えを学んだのだった。

ポパーが科学において提案した論証の方法論は、とりわけ説得力をもつ。〈明確で大胆な仮説〉を提案し、〈それを厳密に検証する実験〉を考案し、〈容易に異議を唱えることのできない明確な結果〉を得れば、科学者は〈説得力をもつ物語を構築するための素材〉を手に入れることができるのだ。もちろん、科学者が実際に説得に成功するかどうかは、自分の物語を効果的に人に伝えられるかにもよる。ポパーとクーンは二人とも、その点では達人だった。

第3章

『ラボラトリー・ライフ』：ブルーノ・ラトゥールと科学におけるレトリック

一見、成功しているようだとしても、決してそれを〈真実の証〉だとか〈自然との一致〉だと考えてはならない。それどころか、「大した困難が生じていないのは、代替案が排除され、またそれによって発見されるはずの事実が排除されたことにより、経験的内容が減少した結果ではないか」と疑うべきだ。言い換えれば、理論が拡張されすぎて、硬直したイデオロギーに変わってしまったために、見せかけの成功が生じたのではないか。このようなイデオロギーは、事実とよく一致しているから**成功**しているように見えるのではない。テストできる事実が特定されずに排除されているから、成功しているかに見えるのだ。こうした**成功**は完全に人為的なものだ。

――ポール・ファイヤアーベント[1]

ポパーが述べていたことが、「科学がどのように実践されているか」についての説得力のある解釈だったのか、「科学がどのように実践されるべきか」についての実現可能な提案だったのかについて、多くの哲学者たちが頭を悩ませてきた。ポパーの教え子で、のちに反対派となったポール・ファイヤアーベントは、著書『方法への挑戦―科学的創造と知のアナーキズム』(1981年、新曜社)のなかで、「科学を支配する原理などない」と主張している。科学は非常に多様なプロセスを含んでおり、どの分野の科学もそれぞれまったく異なる主題をもっていて、互いに矛盾する傾向を抱えている。[2] 科学の進歩が起きるのは、しばしば科学者が慣例に縛られるのをやめようとしたときか、無意識に慣例を破ったときだ。科学の歴史はエビデンスと結論のみからできているのではなく、あふれんばかりのアイデアや、解釈をめぐっての議論や、誤りからできている。どれだけ画期的な理論であっても、すべての事実と一致することはありえない。どんな場合においても、**事実**は例外なく根拠のない思いこみを含んでいるか、または、思いこみを押しつけるために使われている――私たちの世界観は思いこみによってできているが、このような思いこみ自体が批判の対象になることはない。

その結果、「科学的**事実**は、〈それらの事実が利用された文脈〉と〈事実が構築された歴史〉を考慮することおよび、〈事実のなかに深く根づいている思いこみや先入観〉を明らかにすることによってのみ理解できる」と結論づける人が出てきた。そこから、社会学者が実験室に入っていって、「科学者がどんなふうに仕事をしているのか」、「どうやって科学的事実を構築しているのか」を見て確かめなくてはならないという考え方が生まれた。

こうして書かれたのが、当時フランスの若き学者だったブルーノ・ラトゥールと、英国の社会学者スティーヴ・ウールガーの共著『ラボラトリー・ライフ─科学的事実の構築』（2021年、ナカニシヤ出版）だった。[3] ラトゥールは哲学を学び、神学の博士号を取得したのち、コートジボワールでの文化人類学の研究に参加した経歴をもつ人物だ。彼は1975〜77年の2年間、カリフォルニアのソーク研究所にあるロジェ・ギルマンの実験室で過ごした。この実験室の研究者たちは当時、〈下垂体ホルモン放出因子の同定〉を急いでいた。因子の存在は20年も前に仮定されており、「この因子を同定できれば重要な医学的応用への道が開ける」と考えられていたのだ。実際にギルマンはこの因子の同定に成功し、1977年にノーベル生理学・医学賞を共同受賞した。

ラトゥールは、ギルマンの実験室での仕事を、科学者たちの言葉で理解しようとはしなかった。生物学者ではないラトゥールに技術的な事柄をマスターしようという気はなく、彼の研究対象は特定の実験室で行われているルーティンワークであって、目的は〈科学者たちがしている仕事を理解して一般化すること〉だった。したがって、ラトゥールの研究は科学人類学として始まった。彼の言葉によれば、このプロジェクトは〈勇敢な探検家によるコートジボワールの探検〉になぞらえられる。すなわち、〈「未開人」の信念体系や物質的生産のあり方〉を研究するために部族の人々と暮らし、苦難をともにし、ほとんど部族の一員となり、〈その結果得た豊富な観察記録〉を故郷に持ち帰るようなものだ。[4]

研究スタイルが斬新なだけでなく、『ラボラトリー・ライフ』の執筆スタイルも斬新だった。何げないさまざまな会話の断片が記録され、これらの観察記録はエビデンスとして解釈され、科学の一般概念を表す事実に近いものとして紹介された。読んでみると、面白い本だ——「〈先入観と思いこみに満ちた成熟した思考〉をもってしてはじめて〈逸話の豊富な文章や会話の断片〉に意味を見いだすことができる」とか「そのような思考は、実験室の壁にはりついている素朴なハエのなかにこそ存在しているのだ」といった、不条理な表現にユーモアがにじみ出ている。

また、同書は驚くべき洞察力も発揮している。明らかな欠陥もあるとはいえ、目撃証言には特別な力がある。「目撃者が誠意をもって提供してくれたエビデンスが偏見まみれなのではないか」とか、「そもそも目撃者の判断力が頼りにならないのでは」、とは想定したくないのが人間だ。他人を疑いだしたら、自分も疑わなくてはならなくなる。その点、『ラボラトリー・ライフ』は、〈一人きりのネコをかぶった観察者〉による〈不十分で部分的な観察〉に基づいているとはいえ、科学者の日常を事細かく正確に描き出している。

ラトゥールは、「科学者の生産活動が主に論文の発表である」ということを観察した。なかでも重要な論文は少数の科学者たちに読まれ、逆にその少数の科学者たちが書く論文は、〈ラトゥールの観察対象である実験室の科学者たち〉が読む。各論文の価値は、引用された回数と引用のされ方によって決まるようだった。

それぞれの論文では信頼性によってさまざまな言明が使い分けられていることに、ラトゥールは気づいた。そうした言明にはタイプ1から5まであり、〈予想や憶測を表している言明〉はタイプ1、〈ほぼ事実に近いことを主張している言明〉はタイプ5とされた。科学者たちはこうした論文を丹念に調べ、自分の主張と近いものに特に注意を払い、自分の論文が引用されているか（正しく引用されているか）をチェックし、「これまでに公表された同様の論文とどこが違うか」を分析していた。それから次に進められる実験室内の活動（エビデンス収集と呼ばれる活動も含む）は、あるタイプの言明を別のタイプの言明へと変えること。つまり、できるだけ多くの言明をタイプ4にして信頼性を増すのが目的だ（タイプ5で主張されることは当然のこととされる**事実**であるので、特にその根拠を求める必要はない）。

人類学者は極めて興味深い情報提供者たちと接してみて、「やはり人類学的な観点からこの研究に取り組むことは間違っていなかった」と感じた。情報提供者たちは、「自分たちは単純に事実を発見する科学者である」と主張している。それでいて、「書き手であると同時に読み手として、説得し説得される立場にある」と言い続けているのだ。[5]

『ラボラトリー・ライフ』を読んだ人は、「どうしていままで、このことに気づかなかったんだろう？」と驚く。それから、「別にわざわざ実験室に押しかけなくても書けたんじゃないだろうか」と思う人もいるかもしれない。それはそうかもしれないが、実際に実験室に入っていくことで構築できたレトリックの技巧がなければ、ここまでの説得力は生まれなかっただろう。この本の洞察は、〈集めたエビデンスから推定されたもの〉ではなく、〈それらエビデンスに基づいて照らし出されたもの〉だ。このような衝撃の感覚があるからこそ、ポパーやクーンやラトゥールの物語は強烈な印象を残す。これらの著者たちそれぞれにとって、彼らが自著のなかで用いている**エビデンス**という言葉は、本質的にレトリックの技巧となっているのだ。

ここで改めてマートンの規範を思い出してみれば、あれが道徳的な責務などではないとわかるはずだ。「科学者は惜しみなく研究の成果を共有し、できるだけ早く研究結果を公表する」という公有主義（Communism）は、あたり前のことをただもったいぶっていっているだけだ。というのも、科学者の生産活動は論文を書くことであり、論文を書かないと科学者として認知されないからだ。「科学的成果は科学者グループ内の権威が評価するのではなく、客観的な基準に沿って評価しなくてはならない」という普遍主義(Universalism)は、「言明のステータスを上げるにはどんな説得の方法が効果的か」を単に説明しているだけだ。「科学者は社会に役立つ科学的活動を行う」とする無私性(Disinterestedness)は、「科学者がキャリアアップするには、できるだけ多くの科学文献のなかで自分の言明を引用してもらって信頼性を得ていくしかない」という現実を反映している。組織的懐疑主義(Organized skepticism)は、「科学者たちがあるタイプの言明のレベルを上げていく過程では、ほかの言明のレベルを落とすケースもある」ということを示している。

ラトゥールの分析によれば、実験室での研究活動とはデータを生むことであり、そのデータは説得に用いる**エビデンス**に変えることができるものでなければならない。したがってエビデンスは信頼できる——再現性のある——ものでなければならず、エビデンスのタイプによって説得力のあるものと、そうでないものがあるはずだ。特別な働きをするエビデンスは、特定の言明を反証する——ポパーの反証はめったに成功しないけれども、どんなタイプの言明だろうと忘却の彼方に追いやる力がある。エビデンスにはさまざまの種類があり、すべての主張や仮説が反証可能なわけでもない。しかし、もしもタイプ5の言明を反証しようとする論文が発表されたら、ほかの科学者が行った研究成果に対する信頼性への影響は深刻だろう。当然、そうした反証の試みに対しては猛烈な抵抗が生じるはずだ。これに関しては第5章で述べようと思う。それはともかく、（ポパー派の考えにおいて）健全な科学者は、常に自分たちのアイデアを反証しようと努力し続ける。その試みが成功したときに何が起きるのか。次の章で考えてみよう。

第4章

虚偽の学術論文とは？
仮説の役割とその反証

1960年、ピーター・メダワーは獲得免疫寛容の発見に対して、ノーベル生理学・医学賞を共同受賞した。このメカニズムは、臓器移植を実行可能な技術にできるかどうかを左右する重要な発見だった。[1] 同じ年、メダワーは「学術論文はいかさまか?」と題する講演を行った。[2] そのなかで彼は、学術論文には「意図的に虚偽の記載が含まれている」のではなく、「むしろ**科学的思考の本質が歪曲された状況**が具現化されているのだ」と指摘した。

メダワーの説明によれば、当時の典型的な論文は序論から始まり、そこで〈それまでの研究と、まだ答えの出ていない最も重要な問題〉が述べられていた。続いて方法の項で実験方法が記述され、結果の項で実験結果が報告された。そして、考察の項でエビデンスの解釈が提示され、その重要性が示された。

このように学術論文の形式が定まっているのには、それなりの理由がある。どんな文章であれ、よい文章の目的は、自分以外の人にアイデアをうまく伝えることだ。科学に関する文章ではそれを正確かつ簡潔に行うことが重要だ。科学的発見の実際のプロセスはたいていい込み入っているが、誤りや、やり直しや、失敗や、いら立ちをすべて論文に書いて読者に知らせる必要はない。このように不要な部分を削除した、**無害化（サニタイズ）された**説明は、科学者の生活の〈厄介で現実的な側面〉を隠してしまう。そのため、読者に誤った認識を抱かせる恐れがあるが、明らかな恩恵もある。[3]論文を各項に分けることで、それぞれを個別に評価できる。序論の項では、「現状の知見をうまく伝えられているか」。方法の項は「実験計画が妥当か」、「それを完全に説明できているか」。結果の項では、「結果とその分析の説明が十分か」。考察の項は、「説得力があるか」だ。

このような構造は、論文の語り口を定義する反面、現実をゆがめてしまう。たとえば序論では、後述している実験の結果を本当は知っているのに、知らないふりをしている。方法の項でも、「どうして実験をそのように計画したのか」についての説明は省いている。結果の項では、結果の解釈は一切せず、一連の実験についてもまったく説明しない。すべての解釈――〈論文の主観的な要素〉は、〈方法と結果に関する客観的な説明〉とは分離され、――考察の項まで後回しにされる。

メダワーによれば、このような語り口では**アイデア**の役割が隠され、科学的思考の本質が不正確に伝わってしまう。本来、実験はすべて、〈その実験によって示されるだろうと予想されること〉についてのアイデアがあって初めて行われる。このアイデアこそが仮説であり、仮説が〈実験をする理由〉を提起し、〈結果をどのように解釈するか〉を決定する。このような語り口では、予定通り、こつこつと知識を積みあげていっているかのように、実験が記述されている。あたかもレンガを一つずつ積んで、科学的権威の壁を築いているかのように。このとき、科学者個人の創造性や寄与については書かれない。どこに壁を築くのか、どんな高さ、色にするのか、そもそもどんな目的で壁をつくるのかについて、科学者が決めているはずなのに。

最近では、仮説は学術論文のなかで大きく取り扱われるようになってきている。序論で仮説を述べ、その根拠を説明し、論文の残りの部分で仮説をテストする実験を紹介する形式が一般的になっている。だが、ポパーのいうとおり、仮説が大胆なアイデアで、その反証（または反証されそうになっても生き延びること）こそが科学の進歩の証ならば、科学の論文は仮説を破壊する物語で占められているはずだ。ところが、そうなってはいない。反対に、仮説を確認する論文ばかりが膨大に積みあげられている。これは、いったいどういうことなのだろう？

ここで、「人々の記憶に残る科学者とはどういう人物か」を考えてみよう。通常、科学者が間違えたときより、何か正しいことを成し遂げたときに、その人についてよく覚えているはずだ。

ディオニシア・セオドシスの大胆な理論

１９８１年、神経解剖学者のディオニシア・セオドシスは、ボルドーで脳の小さな領域の研究を行っていた。神経解剖学者は脳の繊細な構造を調べている。一般的に脳の特定のニューロンはほかのニューロンとどのように接続しているか、その詳細を解き明かそうとしているのだ。このときセオドシスが調べていたのは、〈オキシトシン〉――乳の分泌に不可欠なホルモン――をつくり、脳下垂体にある神経末端からそのホルモンを放出するニューロン〉だった。オキシトシンのおかげで、乳児が乳房に吸いつくと、乳汁が乳腺を下って力強く律動的に分泌される。この律動を引き起こしているのは、〈オキシトシン・ニューロンの同期バースト〉と呼ばれる非常に強い電気的活動だ。

このバースト現象は乳の分泌時のみに見られる。そのため、「乳の分泌と同時にニューロン間の相互作用にもなんらかの変化が生じているのではないか」とセオドシスは推測した。電子顕微鏡で観察したところ、オキシトシン・ニューロンのまわりのグリア細胞に変化があった。グリア細胞は、ニューロンの周囲を支えている**支持細胞**であると考えられていた。多くの神経科学者にとって、グリア細胞は脳の単なる**緩衝材**だったのだ。しかし、神経解剖学者たちにとって、グリア細胞は謎だった。グリア細胞には長い突起があって、それらがクモの巣のように平らに広がり、ニューロンに巻きついている。ニューロンを包みこみ、成長を助け、〈隣接する別のニューロンがまき散らす電気的ノイズ〉から影響を受けないように守っているのだ。セオドシスは、授乳中のラットのオキシトシン・ニューロンのまわりのグリア細胞が、ほかのグリア細胞とは違って見えることに気づいた。グリア細胞の突起が引っこんでいたのだ。そのオキシトシン・ニューロンはもはやクモの巣状のグリア細胞の突起に包まれておらず、ほかのオキシトシン・ニューロンとふれ合っていた。そのため、相互に信号をやりとりすることは避けられないはずだった。「だからニューロンは同期バーストが可能なのだ」、とセオドシスは考えた。この大胆な仮説に、セオドシスはキャリアの大半を捧げた。

１９８１〜２００６年にかけて、セオドシスは多くの論文を発表してこの仮説を展開し、以下のことを次々に明らかにした。変化は妊娠末期に現れ始め、授乳が終わると消える。オキシトシン自体によって変化は引き起こされ、妊娠期、授乳期のステロイド環境によって促進される。この変化の影響を受けるのはオキシトシン・ニューロンだけで、〈オキシトシンではないホルモンであるバソプレシンをつくる隣接ニューロン〉は影響を受けない。グリア細胞は包みこんだニューロンのシグナル伝達に影響を与える。セオドシスが発表した文献のうち、この仮説に関連する論文の数は38本に上る。これらの論文のなかには、〈変化の生じ方に関する研究論文〉のほか、〈変化の機能的意義について論じた総説論文〉も含まれる。２００６年までに、これらの論文は２１４３回も引用され、とりわけ８本の論文はそれぞれ１００回以上引用された[5]。

このようにセオドシスは多くの間接的証拠を集めてきたが、すべての観察結果が彼女の理論と一致するわけではなかった。そして、この説に懐疑的な人たちが指摘していたとおり、仮説はまだ批判的に検証されていなかった。この仮説の**キラー実験**を考えるのは簡単だった。グリア細胞の変化がニューロンのバーストに不可欠なら、グリア細胞の変化を阻止すればバーストは起こらないはずだ。しかし、この実験を行うには、まずグリア細胞の変化を阻止する方法を見つける必要があった。2005年、セオドシスはその方法を見つけた。グリア細胞の変化において極めて重要な役割を果たす接着分子、ポリシアル酸――この分子をエンドノイラミニダーゼという酵素で取り除けば、グリア細胞の変化を阻止できるのだ[6]。

若き科学者、グエナエル・キャスリンが、このキラー実験の実行を任された。セオドシスの仮説が正しければ、エンドノイラミニダーゼの投与によって、授乳時のニューロンのバーストは妨げられるはずだ。2006年、この実験の結果が『神経科学』(*Neuroscience*)誌上で報告された。しかし、概要に書かれていたのは残念な知らせだった。

両側性エンドノイラミニダーゼ注射のあと……吸引によって誘発される反射的射乳の頻度と量はともに、賦活薬を投与された母獣と変わらなかった。……反射的射乳前のオキシトシン・ニューロンの定常活動およびバースト活動の特性も、……ポリシアル酸が通常レベルのラットの記録と比べて、有意な違いはなかった。[7]

こうしてセオドシスの大胆な仮説は反証された。**我々が得た結果は、ニューロンとグリア細胞間の再形成が……出産と授乳に不可欠ではないことを示唆している。**[8] キャスリンの論文が公表されたあと、〈セオドシスが発表してきた38本の論文〉に対する関心は、少なくとも被引用回数という尺度で見る限り、薄れていった。キャスリンの論文が影響を及ぼし、「オキシトシン・ニューロンのバースト調節の謎を解く鍵を見つけるには、ほかの方向を探そう」という流れになったのだ。この出来事によって、セオドシスが論文で発表した38本の結果に疑いの目が向けられることはなかった——ただ、結果の解釈は不確かなものになった。この研究への関心をつなぎとめていた物語が崩れたのち、キャスリンの論文は公表から12年経ったにもかかわらず、31回しか引用されていない。一つの物語が終わり、追試を行う人もなく、まもなくキャスリンはこの研究分野を離れた。

学術論文は本当にいかさまか？

「論文が何回引用されたか」、「どの学術誌に掲載されたか」などが科学者を評価する基準となっているが、それは不完全だ。キャスリンの論文は、ポパーが科学に求める高い基準に達した稀有なものである。それなのに、めったに引用されないのは、物語の始めではなく終わりとなる論文だったからだ。一流の学術誌が、「めったに引用されない」と最初からわかっている論文を掲載することはほとんどない。

大胆な仮説を提案すれば、たいていは失敗に終わる。間違いないと言い切れるような仮説は、だいたい大胆ではない。しかし、反証を扱う科学論文は少ない。キラー実験を計画して実行するのは難しいし、これはリスクの高い行為だ――完璧な実験でなければ、〈科学者が長い年月をかけて練りあげてきた説得力のある物語〉を突き崩すことなどできないだろう。仮説を反証するのではなく、確認したり間接的に支持したりする論文ばかりになるのはそのせいだ。エビデンスが示していることを否定しているような、そうでもないような、まわりくどい議論をしていたり、統計をクリエイティブすぎる方法で使っていたり、またクリエイティブに仮説を改変していたりする論文もある。データがおのずから真実を語ることなどほとんどない。ただし、データがねじ曲げられて、奇妙極まりない主張がまかりとおることならある。

２０１０年、ダニエル・ファネリは、物理学や化学といった純粋科学から心理学や社会科学といった応用科学まで、さまざまな分野における論文の実例を多数集めて調査した。ファネリは、**仮説を検証し「あらゆる分野の最先端に携わっている」と宣言していて、〈科学的探究のための仮説演繹法〉を明示的に採用している**論文について分析した[9]。論文で〈肯定的な結果を報告する確率〉は、純粋科学より応用科学のほうが高く、物理科学より社会科学のほうが高かった。しかし、すべての分野において、論文の大多数は、〈検証した仮説を支持するエビデンス〉を報告している。なかでもその傾向が強い心理学と精神医学の分野では、90％以上の論文が肯定的な結果を述べていた。

「こんなに研究が成功しているんだ」と有頂天になってはいけない。本当に科学者が自分たちの実験の結果を80～90％の確率で予測できるのなら、いったいなぜ、時間と費用をかけてまで、そんな実験をわざわざ行っているのだろうか？

そう考えると、推論は限られてくる。科学者が実験の結果を、実際はそうではないのに〈肯定的な結果〉として偽って報告しているのだ。そうでなければ、科学者が仮説をねじ曲げて伝えているのかもしれない。つまり〈科学者が検証していると称する仮説〉は、実は実験前ではなく、実験後に実験結果に合わせて考え出されたものなのだ。あるいは、科学者が実験開始時の理解状況を不正確に伝えているということもありうる。つまり、その実験は、〈論文で述べられているとおりの大胆な仮説から生まれた、未知への革新的な飛躍〉でもなんでもなく、〈読者には隠されているエビデンスや論拠から予測できる（予測された）結果〉を出すために用意された実験なのだ。または、「科学者が不都合なエビデンスを隠している」という可能性もある。つまり、仮説を支持する結果が出なかった実験をたくさんしていても、そのことを論文で報告していないのだ。

これらの推論のうち、どれが正しくても――全部そのとおり、という可能性もある――現代科学の礎とされる仮説演繹法が単なる見せかけになってしまう。

科学者は、失敗したことによってではなく、「正しいことを主張できた」ということによって人々の記憶に残る。だから彼らは、研究で肯定的な結果が出たことばかり強調する。わかりやすい結果に執着し、その結果をもとにあとから仮説を組み立てる。一方で、〈妥当な解釈ができそうにない結果〉は、言及を最小限にとどめるか無視するのだ。このように物語を組み立てれば、一見〈仮説に基づいた研究〉のように見せかけることはできる。しかし、それは人為的なものだ。その研究は仮説に基づいているかのごとく見える。しかし実は、基づいているのは仮説ではなく物語なのだ。そこで提示されている仮説は偽物だ。

メダワーの時代の学術論文は、確かにいかさまだったかもしれないが、おそらく悪意のないいかさまだった――典型的な論文の形式が定まっていたおかげで、読者は科学者が行ってきたことをたどりやすかった。一方、現代の学術論文のほうが、もっと悪質ないかさまをしている。

次の章では、パラダイムシフトについて考える。実験によって得られたエビデンスから、〈科学者がもっともな説明をすることのできない変則事象〉がどんどん集まってきたとき、いったい何が起きるのだろう。

第5章

神経内分泌学と伝説的偉業の誕生：パラダイム変化の事例研究

レトリックの技法にあふれているとはいえ、クーンは、現代の私たちから見れば〈古代の歴史と思えるエピソード〉を選び出して推論を組み立て、科学を分析した。ポパーの考えを読むと、科学の理論は常に混乱状態にあるように思える。マートンからは「科学者たちは協力して、すんなり知識や技術をやりとりしている」との想像が得られるかもしれない。また「科学のそれぞれの分野は厳格な決まりによって秩序を保っているわけではない」ということも認識しておくべきだろう。通常、科学の分野はかなりの広がりをもっているので、科学者はたった一つのパラダイムにとらわれることなく、複数のパラダイムのあいだを渡り歩いている。では、ある一つの分野が危機的状況に陥るとは、いったいどういうことだろう？　そして、このような状況で科学革命など起こりうるのだろうか？

　ラトゥールとウールガーは、『ラボラトリー・ライフ』のなかで取り上げた神経内分泌学についてこう述べている。この分野には**神話に必要な属性がすべて備わっているようだ。先駆者も、伝説の創始者も、革命もあったのだ。**[1] 神経内分泌学の**伝説の創始者と**いえば、ジオフレイ・ハリス（1913〜1971）だと考えられていた。[2] ラトゥールとウルガーの神話のなかでの**革命**とは、「下垂体の働きがどのように調節されているか」をめぐって、既存の理解（標的組織からのホルモンのフィードバックによって調節されている）が別の新たな理解（脳から分泌されるホルモンによって調節されている）によって、覆されたことだった。**科学の歴史上の多くの神話と同じように、その戦いは〈模範やアイデアといった抽象的なものどうしの闘争〉として次代に語り継がれるだろう。**[3]

しかし、この戦いの当事者であるジオフレイ・ハリスとソリー・ザッカーマンにとっては、とても個人的な闘争であったに違いない。

ハリスとザッカーマンの論争

１９５０年代後半までは、「哺乳類の排卵は〈脳のすぐ下にある下垂体前葉〉によってコントロールされている」という説が**確立した事実**とされていた。[4] 排卵周期のたびに、哺乳類のメスの卵巣にある〈一つまたは複数の卵胞〉が成熟し始める。卵胞のなかには卵子が一つあり、その卵が受精すれば胎児になる。卵胞は下垂体から**性腺刺激**ホルモンが分泌されると成熟し、成熟した卵胞はエストロゲンを産生する。エストロゲンが増えると、性腺刺激ホルモンであるゴナドトロピンの分泌もどんどん増えていき、やがて排卵――成熟した卵胞からの卵の放出――が起こる。これでいったん排卵周期が終わり、次の周期が始まる。

1950年代に一般的だったのは、「エストロゲンが下垂体に影響を与えて、ゴナドトロピンの分泌を促す」という考え方だった。しかし、ハリスはこれに対して、「エストロゲンは下垂体ではなく脳に影響を与えるのだ」と異を唱えた。「その結果、脳からなんらかの物質が分泌され、それが血液によって下垂体に運ばれるのだ」と主張したのだ。ハリスの説によれば、この物質は**放出因子**の一種だ。放出因子にはいくつかの種類があり、それぞれ脳の異なるニューロン群で産生され、異なる下垂体ホルモンを調節している。[5]

この説には嫌がられる要素がたくさんあった。「理論は単純なのがいちばんだ」という人たちには、この説が無駄に複雑すぎるように思えた。この説が正しいとしたら、〈脳の一要素であるニューロン〉と、〈ホルモンを血中に分泌する内分泌細胞〉との違いがあいまいになってしまう。この説は、ある物質——放出因子——の存在を前提としている。この物質の正体は想像もつかなかったし、実験によって突き止めるのはかなり難しいと考えられた。

しかし、解剖学者たちは、〈下垂体前葉には内分泌細胞しかないこと〉はすでに突き止め、〈脳の基底部にある微小血管系が下垂体前葉につながっていること〉も確認していた。ハリスはさらに、「これらの血管が何度も枝分かれして血管叢（けっかんそう）を形成し、下垂体前葉のあらゆる部分に広がり、脳から下垂体へ血液を送りこんでいる」と明らかにした。

それからハリスは、別の内分泌腺（精巣、甲状腺、副甲状腺、副腎皮質）を体のあちこちに移植しても、その内分泌腺は正常に機能する点に着目した。ところが、下垂体前葉をほかの場所に移植すると、必ず機能しなくなるのだ——下垂体ホルモンの影響を受ける末梢組織はすべて衰えてしまった。

ハリスは１９５５年、のちに〈新たな科学分野の誕生の節目〉として認められることになる、『下垂体の神経制御』（*The Neural Control of the Pituitary Gland*）と題する研究書を出版した。そのなかには、ブルーノ・ラトゥールとスティーヴ・ウルガーが喜びそうな一文がある。

「遠位部位に移植された下垂体前葉はほとんど機能しなくなる」という報告が大変重要視されるようになってきているため、「移植された下垂体前葉も正常に機能する結果が得られた」と主張している古い研究は、より詳細に調査し直さなければならない。[6]

この一文のあと、5ページにわたって、〈過去に発表された下垂体移植の報告〉が残らず見直されている。そのなかに、〈下垂体前葉を体の別の部位に移植しても正常に機能することを示す証拠〉は、まったくなかった。しかし、通常の部位からいったん取り出したあと元の部位に戻した場合は、再び正常に機能するケースが多かった。「これらのケースでは、視床下部の血管が再生し、脳と下垂体のやりとりが再び可能になったからだろう」、とハリスは仮説を立てた。

この仮説を検証するため、ハリスは共同研究者のドーラ・ヤコブソン[7]とともにラットのメスから下垂体を取り除き、かわりに生まれたばかりのラットの下垂体を移植した。移植部位は二通りで、脳の下であることは同じだが、一方は門脈管のすぐ下に、もう一方は片側の側頭葉の下にした。こうすることでラット自身の下垂体を組織学的に確実に取り除くと同時に、ハリスたちが期待するとおり移植組織の血管が本当に再生されるかどうかを確かめられる。

どちらの部位の移植組織も問題なく生存していた。移植された組織は両方とも、〈脳の血管から送られる血液〉によって血管が再生されていたのだ——一つ目の移植部位では門脈管によって、二つ目の移植部位では脳の異なる部位からの血管によって。〈切断された門脈管の下に下垂体を移植された12匹のラット〉はすべて、通常の排卵周期が再開し、12匹中６匹はのちに妊娠した。しかし、〈側頭葉の下に下垂体を移植されたラット〉の場合、卵巣と生殖器官が委縮し、生殖機能は失われた。

これこそポパー型の実験だ。**自らのアイデアを反証の危険にさらすまいとする者には科学のゲームに参加する資格はない**。[8] ハリスの実験で、〈移植された下垂体に門脈管から血液が一切送られていないにもかかわらず卵巣機能が回復したラット〉が１匹でもいたら、あるいは、〈門脈管からの血液によって血管再生された移植組織〉により卵巣機能が少なくとも部分的にでも回復していなかったら、ハリスの大胆な理論は反証されていただろう。そして、ハリスの実験をもう一度行おうとする科学者がいれば、いまでも理論は反証可能である。

　ハリスはソリー・ザッカーマンと対立する立場をとったのだから、反証の標的となるのも不思議ではなかった。ソリー・ザッカーマンは、当時バーミンガム大学の解剖学教授とイーストアングリア大学の特任教授を務める並はずれた人物だった。ザッカーマンはもともと霊長類の月経周期の研究で学問的なキャリアを築いていたが、第二次世界大戦中には、連合作戦本部の科学顧問として別格の信望を集めていたのだ。戦後、ザッカーマン——すぐにソリー・ザッカーマン卿となり、のちにザッカーマン男爵となった——は自身の学者としての役割と、歴代政権の科学顧問としての役割を一体化させた。元政府高官によれば、ザッカーマンは**英国の政策決定において中心的な役割を果たしていた〈ときにエスタブリッシュメントと呼ばれる漠然とした権力のネットワーク〉のなかで、最大の影響力をもった人物の一人だった**。[9]ノーベル賞受賞者のジョージ・

ポーターは、ザッカーマンの強みをこう言い表している。直面するあらゆる問題に対して、たとえそれらの問題の多くが科学に関係ないように見えたとしても、科学的方法を適用して立ち向かっていた、特別な威厳の持ち主だから、彼の助言を無視することなどできない[10]。英国科学政策評議会の元議長であるデイントン卿はこう書いている。ソリー・ザッカーマンは唯一無二の人物だ。平時であれ戦時中であれ、彼ほど長く政府内で強い影響力を振えた人は、今世紀の科学者のなかにはいない[11]。

ハリスのもとで科学者としての研鑽を積んだシーモア・ライクリンの言葉を借りれば、ザッカーマンとハリスの論争はまさに伝説だ[12]。〈門脈管がなくても排卵する動物〉を見つけさえすればハリスの説を反証できることに、ザッカーマンも気づいていた。ザッカーマンがハリスの説への反撃に選んだ実験動物は、フェレットだった。フェレットは季節繁殖をする動物で、冬のあいだは繁殖をしないが、春になって日が延びると発情期に入って排卵する。

発情期とは、哺乳類のメスがオスを受け入れやすくなる排卵周期中の時期のことだ。フェレットの場合、外陰部が膨張するので「発情期に入った」とわかりやすい。これはエストロゲン増加に伴う反応だが、冬でもフェレットに人工的な光をあてて反応を引き起こせる。

1953年にA・P・トムソンとザッカーマンは実験を報告した。その実験で、メスのフェレット16匹の〈脳と下垂体のあいだの接続〉を切断したあと、フェレットに人工的な光をあてたところ、10匹が発情したというのだ。[13] これはつまり卵巣からエストロゲンが産生された結果であり、下垂体が機能していなければおかしい。フェレット8匹については、〈脳と下垂体とをつなぐ血管〉が再生されていた。しかし残る2匹については、「間違いなく〈脳と下垂体のつながり〉は断たれていた」とザッカーマンたちは断言した。「ザッカーマンがハリスの大胆な説を反証できるかどうか」は、この2匹のフェレットにかかっていた。

ハリスは、このエビデンスを調べるためにザッカーマンの実験室を訪れた。問題の2匹のフェレットの〈脳と下垂体をつないでいる下垂体茎の神経線維〉は確かに切断されていたが、「門脈管が再生されているのではないか」とハリスは疑った。そこでハリスは博士課程の学生であったバーナード・ドノヴァンとともに再現研究を行った。[14] フェレットを二つのグループに分け、一つ目のグループではトムソンやザッカーマンが行ったように下垂体茎を切断した。二つ目のグループでは、下垂体茎を切断したあと、その下垂体茎と下垂体とのあいだに紙片を挿入し、血管の再生が起こらないようにした。すると、一つ目のグループのほとんどのフェレットで下垂体の血管再生が見られ（ハリスたちによれば、ザッカーマンが用いた方法よりも優れた技術を用いて、このことを明らかにした）、そのうちの複数のフェレットが光に反応して排卵した。二つ目のグループでは、紙片が正しく挿入されたすべてのケースにおいて、血管再生も排卵も起こらなかった。

ハリスは、トムソンとザッカーマンが見たと主張していることについては、疑義を唱えなかった。10匹のフェレットが排卵したことも、それらのフェレットの下垂体茎が切断されていたことも認めていた。そして、「その切断により確かに下垂体への血液の供給が遮断されていたなら、ザッカーマンによって自分の説が反証されても仕方ない」と認めていた。しかし、そのうえで再現研究を行った結果、「トムソンとザッカーマンの実験には技術的な欠陥があった」との結論に達したのだ。

1954年にロンドンの会議で行われた〈ハリスとザッカーマン双方による講演〉で論争は山場を迎えた。ライクリンの回想によれば、ザッカーマンは討論者として圧倒的に狡猾(こうかつ)さと経験で勝っており、場慣れした権威を見せつけて、ハリスの説への反論を集約した。それでも論争に勝ったのはハリスだった。その場においても、後世から見ても。[15] ハリスが勝ったのは、「より説得力のあるエビデンスを提示できたから」というだけでなく、「ザッカーマンが説明できなかったことを説明できたから」だった。ザッカーマンの2匹のフェレットは光に反応して発情した――つまり、ザッカーマンは「下垂体を脳から完全に切断した」と言っていたにもかかわらず、下垂体は網膜からの刺激に反応していたのだ。これに関して、ザッカーマンは信頼に足る説明をできなかった。ザッカーマン本人もこう述べている。我々が行った実験は、「この反応がどのようにして媒介されたか」については教えてくれない。[16] このように機械論的な説明が欠けていたことが決定打となって、ザッカーマンは敗北した。

この論争のあちこちに、マートンの規範にあてはまる点があると気づくだろう。公有主義(Communism)は、〈ザッカーマンが自分の得たエビデンスをハリスに進んで見せている点〉に表れている。普遍主義（Universalism）は、〈同じ分野の科学者のコミュニティにおいて、それぞれの説の正当性が共同で評価されている点〉に。無私性（Disinterestedness）は、〈論争当事者の地位の違いに関係なく、評価がなされている点〉に。組織的懐疑主義（Organized skepticism）は、〈異論が申し立てられ、それに応答するという過程〉に表れている。さらに、ポパーの反証の原理が適用されている点も見逃せない。

また、「科学者は、目の前に反証をつきつけられたとき、自分の信念にかたくなにしがみつく」という、クーンの洞察も確認することができる。ザッカーマンは１９７８年になってもなお、自分の立場を曲げなかった。その前年には、アンドルー・シャリーとロジェ・ギルマンがノーベル賞を受賞していた。二人は、〈ゴナドトロピンの分泌を促す放出因子としてハリスが仮定していた化学物質〉を、ついに発見したのだ。ザッカーマンが、「そんなものなど存在しない」と否定していた放出因子である。[17]

ザッカーマンのかたくなすぎる態度は奇妙にも思える。**同じコミュニティに属す神経内分泌学者たちにとって、ソリー卿の執念深い主張は、ガリレオの地動説を否定するの**

と同じくらい不可解な行動に思えた。[18]

これについて理解するためには、「繁殖周期の第一人者としてのザッカーマンの地位が、ハリスの説によって脅かされていた」という点に目を向けなくてはならないだろう。しかし、それだけにとどまらず、ハリスの説はもっと広い意味での脅威もはらんでいた。ザッカーマンとハリスは二人とも、もともと解剖学者として教育を受けていた。解剖学的観察は解釈されて初めて意味をもつ。観察結果は、〈介入を伴う実験〉や〈メカニズム解明のための実験〉で明らかになったことを受けて解釈される。ザッカーマンの生殖組織の研究においては、関連する実験は内分泌学者たちが行っていた。内分泌学者たちは、組織どうしのホルモン伝達を調べるために特化した技術を用いていた。一方、ハリスは脳を〈生殖作用のコントローラー〉としたので、それに関する理解を広げる役目は神経科学者に移った。神経科学者は、内分泌学者が用いる技術とは根本的に異なる技術、たとえば電気生理学などを用いる。そのため、この新たな変化に対応する技術をもたない生殖科学者のコミュニティにとって、ハリスは彼らの存続を脅かす存在になったのだ。ザッカーマンは、その生殖科学者コミュニティの第一人者だった。

これはすぐに現実の脅威となった。神経内分泌学という新しい分野が誕生し、すぐに学会誌もつくられた。やがて内分泌学との分離は深まり、独自の学会もできた。新設された神経内分泌学の実験室の一つがロジェ・ギルマンの実験室であり、そこでブルーノ・ラトゥールは科学人類学者として2年過ごした。まさにこの実験室で、ハリスが予想した放出因子の特定を急いでいたのだ。

ギルマンはのちにこの特定に成功し、シャリーと共同で１９７７年にノーベル生理学・医学賞を受賞した。ハリスは早世したため、ともにノーベル賞を受賞することはできなかった。１９７1年、シャリーはハリスに手紙を書き、「ハリスがその年のノーベル賞受賞を逃したことは残念だったが、受賞の日は近い」と伝えようとした。この手紙が届く前日に、ハリスは亡くなっていた。[19]

しかし、ハリスの教え子や弟子たち――なかでもシーモア・ライクリンとバーナード・ドノヴァン――が、この新たな分野に種をまいた。もう一人の弟子、バリー・クロスは電気生理学的技術を神経内分泌学に統合した先駆者だが、のちにザッカーマンとハリスの論争を振り返ってこう述べている。

もちろん、自分の説を批判的に見るより、他人の説を批判的に見るほうがずっと簡単だ。重要なのは、「すべての説は疑わしい」と考えることだ。疑いが消えるのは、何度もテストを繰り返して、必要であればその説を破壊したあとだ。ハリスにはザッカーマンという存在が必要だったんだ。あれほどの論争を乗り越えなければ、真実に近づくことはできない。[20]

神経内分泌学のパラダイムシフト

ハリスとザッカーマンの論争では、クーンなら科学革命――パラダイムシフト――と呼んだかもしれないことが起きていた。クーンによれば、新たなパラダイムには二つの決定的な特徴がある。まず、新しいパラダイムには、〈ほかの古い様態の科学活動から支持者を引きつけるだけの新奇さ〉がある。次に、その新たな支持者たちが解くべき問題が豊富に残された〈自由で未開拓な領域〉が広がっていること。[21] クーンは新しいパラダイムについて、さらに四つに分けて詳細に述べている。

1．**パラダイムは解明すべき問題を設定する。多くの場合、パラダイム理論は、〈その問題を解くための装置〉の設計に直接関係している。**[22] ハリスの理論は、放出因子の特定を重要な問題として設定した。そして、この課題があったからこそ、ギルマンやシャリーの実行力が引き出されたのだ。同時に、ハリスの理論は、「それらの因子がどのようにつくられるのか」、「どのように調節されているのか」という疑問も提起した――新たなアプローチを必要とする問題が次々に生まれていったのだ。

2．**学会誌の創刊、学会の創立、教育課程への特別な組み入れは、通常、一つのパラダイムの最初の受け入れとかかわりがある。**[23] 神経内分泌学者たちは新しく学会誌を創刊した――たとえば、『神経内分泌学』(*Neuroendocrinology*)、『神経内分泌学の先端領域』(*Frontiers in Neuroendocrinology*)、『神経内分泌学雑誌』(*Journal of Neuroendocrinology*) などだ。多くの国で学会が創設され、それらの学会は現在、国際神経内分泌連盟の傘下に入っている。そして、神経内分泌学は医学部や生物医科学部のカリキュラムに組み入れられている。

3．**パラダイムが成功を収めてくると、専門家たちは〈それまで思いもよらなかったような問題〉や、〈新たなパラダイムに傾倒するまでは取りかかろうともしなかったような問題〉を解決するようになるだろう。そして、その成果の少なくとも一部は永続的だ。**[24] 現在、ゴナドトロピン放出因子の人工版は、体外受精の際に不可欠な添加物となっている。1985～2012年のあいだに体外受精によって生まれた新生児は、米国だけでおよそ100万人に上る。[25]

4．**新しい理論の出現には前提条件として危機が欠かせない。**[26] クーンによれば、科学における危機は**重大かつ持続的な変則事象**の蓄積によって引き起こされる。ザッカーマンが擁護していたのは、「排卵周期は下垂体と卵巣間のホルモンの相互作用によって生じる」という説だった。しかし、この説では説明できない例があった。たとえば、「ある種の動物で、性行為によって排卵が引き起こされるのはどういうわけか」。また、「フェレットなどの別の種では、1年のうち特定の時期にだけ排卵が起きるのはどういうわけか」。ザッカーマンは、一つ目のケースについては答えを提示していた。「その種の動物の下垂体が脳からなんらかの神経支配を受けていると考えられる」。しかし、二つ目のケースについては、ザッカーマン自身の実験が典型的な変則事象の例となってしまった――ザッカーマン自身が「下垂体を神経からも血管からも切り離した」と主張していたのに、実験に用いられた２匹のフェレットは光に反応して排卵したのだ。この結果について、ザッカーマンは信頼に足る説明を提示できなかった。

ハリスは「ザッカーマンより優れたエビデンス――下垂体茎の神経線維を切断し、血管を可視化するためのよりよい方法――を得た」と主張したが、議論の聴衆のなかに、その良し悪しを評価できるだけの技術的な専門知識をもっている人はほとんどいなかった。それでも論争に勝てたのは、ハリスが相手の主張に疑いを投げかけるのに成功し、ザッカーマンが説明できなかったこと――２匹のフェレットの下垂体が網膜からの信号に反応できたわけ――を説明できたからだった。クーンが述べるとおり、〈あるパラダイムを拒絶する決定〉は、常に〈別のパラダイムを受け入れる決定〉と同時に起こる。そして、その決定に至るまでの判断には、両方のパラダイムを自然と比較すること、パラダイムどうしを比較することが含まれている。[27]

ライバル

こうした事例研究にはすべて後知恵が反映されていて、複層的な要因や影響の多くは除外されている。〈マートンの規範が明らかに守られている点〉ばかりを強調してきたが、〈違反している点〉も多くあったことを書いておこう。たとえば、シャリーとギルマンは、〈目的を同じくする同胞〉でもなんでもなく、〈絶対に負けられないライバル〉として、科学界の最大の栄誉であるノーベル賞を手にするために競い合っていた。二人のライバル関係についてはたくさんの逸話が残っている。[*1] シャリーに言わせれば、それは**何年にもわたる、たちの悪い攻撃と激しい報復の応酬**だった。二人とも、互いの研究成果をできる限り引用しないようにしていた。シャリーは自分の資料をギルマンと共有することを拒否した。**そんなマネをしたら、こっちの命を狙っているやつに銃をくれてやるようなものだ。やつはまだ、そんなことに文句を言っているのか？　あの当時、やつは競争相手、いいや敵だったのだ。**[28]

放出因子を実際に同定する作業は、知的な挑戦というより、**総あたり作戦**でぶつかるべき仕事だった。視床下部[*2]の試料さえ十分に手に入れば、あとは放出因子を取り出す処理を進めるだけだ。そこで、シャリーとギルマンは二人とも視床下部の試料を大量に集めた。ギルマンの実験室には、数年間で、５００万匹のヒツジの脳から50トン以上もの視床下部片が集められた。ギルマンもシャリーも複数の製薬会社から資金面でも人材面でも膨大な支援を受け、ひたすらノーベル賞という栄誉のみを目指した[29]。放出因子の分離作業そのものに理論的な面白さはほとんどなかった。当時、シャリーのもとで働いていたサイ・バウワースはこう語っている。**分離作業は知性がある人向きの仕事じゃないよね――あれをやっているあいだに僕のＩＱ（知能指数）は20ポイントくらい下がったと思うよ**[30]。あたかもノーベル賞が宝くじで、売っているくじ引き券をギルマンとシャリーが残らず買いこんだかのような状況だった。つまり、互いにどちらかを負かせばいいという状況だ。結局、共同受賞ということになって、どちらとも悔しがっているよう

＊１　この二人のノーベル賞をめぐる激しい争いについては、ニコラス・ウェイド著、丸山工作・林泉訳『ノーベル賞の決闘』（岩波書店　１９９２）に詳しい。
＊２　下垂体に接続して、放出因子を産生している部分。

だった。

シャリーとギルマンのライバル関係のおかげで、「〈放出因子の同定に費やされた労力や資源〉はかなり重複して浪費されたのではないか」と思うかもしれない。現在では、そうした重複がないように資金提供団体が目を光らせている。そして、「ほかの研究者による実験結果の再現は極めて重要だ」とする科学の基本理念があるにもかかわらず、学術誌は再現研究の論文をあまり掲載しないし、資金提供団体はもっとはっきり再現研究への提供を渋る。しかし、シャリーとギルマンがそれぞれ別々に研究を行って〈ゴナドトロピン放出因子の本質〉について同じ結論に達したからこそ、彼らの主張の説得力が強まり、その後の進歩が速まったのだ。

ライバル関係は、もう一つ重要な影響を及ぼした。この研究レースでは、どちらの実験室でミスがあっても、そのミスが〈技術的プロセスに関するもの〉であれ〈データの解釈に関するもの〉であれ、「研究が完全に失敗する」とまではいかなくても、進行が遅れてしまう恐れがあった。それに重要度にかかわらず、どんな主張でものちに否定された場合、「その主張を生んだ実験室の信用に傷がついてしまう」という事態は避けられない。激しい競争のさなか、ミスが起これば隠しておくことは不可能だったろう。このようなライバル関係のおかげで〈科学の誠実性〉は保たれる。「重要な主張をし、キャリアを長く維持したい」と願っている科学者は、正直に自己を批判的に見ることで〈ミスを犯す危険〉から自分の身を守っているのだ。

マートンは、「科学の規範とは道徳的な処世訓である」と述べていた。

科学のエートスとは、「価値観と規範の感情的な複合体であり、それが科学者を縛っている」と考えられている。規範は、規定や禁止事項や優先権や許諾事項として伝えられ、それらは制度的な価値観として正当化される。これらの必須事項は教訓や前例として広まり、制裁措置によって強化される。科学者は、程度はさまざまだが、これらの必須事項を身につけ、科学的な善悪の判断力を形成していく。[31]

科学者は、ラトゥールの言葉によれば、説得し、説得される立場にある。だからこそ、このような道徳を超越した規範が必要なのだろう。[32]科学者が長期的に信用され、キャリアを向上させていくには、〈信頼性の高いエビデンスを提示し、重要視される視野の広い主張、攻撃的な批判に耐えられるくらい強い主張〉をする必要がある。科学者がほとんどの場合で正直に研究を行うのは、単純に正直であることが〈間違いを犯すのを防ぐ最良の手段〉だからだ。とはいえ、科学者も聖人君子であるわけではない。

第6章

危機と論争の言語、パラダイム変化の手段

ハリスとザッカーマンの話も、シャリーとギルマンの話も、どちらも科学を代表する例ではない。ハリスほど知性に恵まれており、ザッカーマンほど権力をもっている科学者はほとんどいないし、ノーベル賞を受賞する見込みがある人は少ない。シャリーやギルマンくらい猛烈な努力をしてノーベル賞を獲得しようとする人となると皆無に近いだろう。

実験室の生活についてのラトゥールの記述を読むと、「〈実験によって明らかになった結果の正当性〉や〈ほかの科学者が公表した成果〉を科学者は絶えず疑っている」ということがわかる。通常、そうした懐疑的な態度は、とことんもったいぶった言い方で伝えられる。一般読者が標準的な科学論文を読んでも「～と報告されている」と「～と立証されている」との違い、「～と主張されている」と「～と結論づけられている」との違いなど、ほぼわからないだろう。ところが、当事者である科学者たちにとっては、これらの微妙な違いはかなり大きく、ときには激しい怒りをかき立てることすらある。こうした言葉のニュアンスにこそ、科学の構造の一部をなす〈対立や意見の相違〉がよく表れているのだ。そして場合によっては、こうしたもったいぶったやりとりが闘争へと発展するケースがある。そんなときは危機的状況といえるかもしれない。

傷ついた獅子

ハリスが研究論文を発表した際、『ネイチャー』（*Nature*）誌にレビューを寄せたのはザッカーマンだったが、彼はハリスに対してあざけりを隠そうともしなかった。開口一番がこれだ。現代の生物学的議論において視床下部が占める範囲は、実物の小さなサイズに比べて驚くほど広い。「脳のこの小さな領域に、全身のほぼすべての内臓機能を制御する神経〝中枢〟がある」として、それらをはりきって見つけようとしている実験家たちの格好の猟場になっているのだ。[1]

ザッカーマンはこうも述べている。ハリス教授の見方は、視床下部の生理学をめぐる謎を解くどころか、いっそう深めている。さらに、批判的な読者に向けて述べておくべきなのに抜け落ちている数々のことを列挙し、（一つも同定されていないのに）〈関与している〉かもしれない化学伝達物質〉が何種も推測されていることを嘆いている。[2]

だがその後、ハリスが仮定していた化学伝達物質は一つ残らず同定された。現在、それらは幅広い内分泌疾患の臨床治療を行うための基礎となっている。これらの化学伝達物質はそれぞれ、視床下部の特定の小さなニューロン群でつくられていることがわかった。その小さな領域には、ザッカーマンがレビューを執筆した当時には想像もつかなかったほど、多くの機能が隠されていたのだ。

ザッカーマンの言葉は、傷ついた獅子が死んでゆく光に向かって[*1]吠え猛るようにして出たものだったのだ。一方、従来の考え方に挑戦した若き獅子たちは、どんな言葉を発したのだろう？

若き僭称者

１９８１年、一人の若き生化学者アンソニー・トレワヴァスの記事が、植物生物学の分野に論争を巻き起こした。[3] 当時、この分野では植物ホルモンの研究が大半を占めていた。植物ホルモンは〈生長中の植物の細胞から放出される因子〉で、生長と発達を調節する。科学者たちはこれらの因子を特定し、生長や発達に及ぼす影響を調べ、植物のさまざまな状態ごとのホルモン量を測定しようとしていた。当時のパラダイムでは、〈動物ホルモンにおいて正しいと考えられている説〉からの類推によって生まれた見解が主流だった。つまり、「ホルモンによる生理学的反応の調節は、ホルモンの生産率をコントロールすることによって行われている」と考えられていたのだ。

トレワヴァスは、「この類推は説得力が弱い」と異論を唱えた。動物細胞と植物細胞が分かれたのは、複雑な多細胞生物が出現する前だ。そのため、細胞間コミュニケーションは植物と動物とでそれぞれ独立して進化したはずである。進化の起源が同じでなければ、「植物ホルモンと動物ホルモンが同じ働き方をする」と考えるのはおかしいのではないか。このような疑いは確かに的を射ている。というのも、動物には〈情報伝達の媒体となる血液〉があり、これを通じて生産部位から離れた作用部位へとホルモンを運ぶことができる。一方、植物には類似のシステムがない。また、細胞間の情報伝達に

＊1　ディラン・トマスの詩「あの良き夜のなかへ」からの引用。

は二つの要素――伝達物質と、それを受け取る受容体――が不可欠だ。受容体によって、その細胞の伝達物質に対する感受性が決まる。「植物の生長や発達の変化は、植物ホルモンの量の変化によって起こる」と考えられてきたが、「ホルモンの量はまったく変わらずとも、〈ホルモンに対する植物細胞の感受性〉が変化することで、生長や発達の変化が起こっている」と考えることもできるのだ。さらにトレワヴァスは、〈ホルモンのレベルの測定値が生長や発達の変化と相関していない例〉を並べ、「それに反する主張のエビデンスは信頼できない」とした。

トレワヴァスは論文の書き出しから危機を表していた。50年も植物生長の調節物質について熱心な研究が行われているにもかかわらず、現状に満足している人はほとんどいないだろう。この分野の研究に取り組んでいる人たちは、〈度重なる込み入った矛盾点〉や、〈終わりなきようにみえる不可解な相互作用〉、〈既成事実と称するもののまったくの不確実性〉に慣れきって麻痺してしまっているのだ。[4]

続いてトレワヴァスはデータ解釈の矛盾点（たった一度だけ行われた測定結果を見ると、実際のところ逆のことを示している）と誤り（論証の循環論法に読者も気づくべき

だ）を細かく指摘している。また、方法論的な欠点も詳細に説明している。**見せかけの直線性は欺瞞的である。極めて低い濃度のオーキシンが用いられ、適切な統計学的手法が用いられず、そもそも〈この手の実験につきもののばらつき〉を取り除くのに十分な数の植物が使われていないから生じたように思われる。**[5] ここまではトレワヴァスも、「批判的な分析において、非難の矛先は〈述べられている内容〉に向けるべきであって、〈述べている本人〉に向けてはならない」という慣習を守っていた。しかし、彼はこれだけでは収まらなくなって、この分野の先輩科学者たちの学風にまで、非難の矛先を向けてしまった。

> ここまであからさまな誤りがあるのに、こうした考えがこんなにも長く主流であったのが信じられない
>
> この種の誤りは……大昔からあるのに、なぜこのような過去の間違いが何度も繰り返されているのだろうか

植物の研究者たちは、無批判に〈こうしたアイデアの多く〉を研究対象の植物にあてはめてしまいがちである

「こうしたこと〈植物の特性〉はよく知られている」と思っているようだが、研究的関心による認知度を調べてみれば、現在の認知度はとてつもなく低いことがわかる。[6]

こうした攻撃は、はっきりと個人に向けたわけではなくても、人を傷つけるものだ。トレワヴァスが攻撃したものは、〈名だたる科学者たちの信頼性と彼らの学識〉であり、それは〈彼らの自尊心〉や〈仲間内での高い評価〉を保ってきたものだった。それを傷つけたトレワヴァスは、まだ駆け出しの科学者にとっては高すぎる代償を払わされた。敵意を抱いた審査員によって昇進を妨げられ、また〈ある会議をうけて出版される予定の本〉において、〈彼がそこで行った招待講演〉に関する章の執筆を任されることになっていたのに、年長の共著者の反対によって立ち消えになってしまった。[7]

しかし、トレワヴァスは単に大多数の見解を攻撃的に否定しただけではなく、代替案も提示していた。だから、彼の主張が無視されることはなかったのだ。インターネット時代が始まる前、科学者たちは、著者に直接依頼して論文の別刷りを集めるのが普通だった。トレワヴァスはまもなく日に60件以上もそうした依頼を受けるようになり、在庫はすぐになくなる状態だった。こうした関心の高まりに学術誌の編集者も気づき——議論の的になっている記事はよく引用されるので、学術誌の編集者にとって好ましい——やがて、トレワヴァスは議論をさらに展開するよう誘いを受けるようになった。

ある学術誌は、〈トレワヴァスと、この分野の重鎮であるボブ・クレランドが対決する論争〉を掲載した[8]。クレランドは従来の見解を支持し、トレワヴァスを退けようとした。**植物ホルモンに対する感受性の変化が、植物の発達のコントロールに重要だって？　あたり前だ！　そんなのは新しいアイデアとはいえない。**

これに対するトレワヴァスの言葉が決定打となった。

ボブ・クレランド氏は、「発達のコントロールに感受性の変化が重要だ」と気づいておられるのですね。それはよかった。しかし、そのような氏の認識は広く共有されているでしょうか？　これについてみなさんがそんなによくご存じなら、なぜ感受性に関する研究がほとんど発表されていないのでしょう？　私はこの30年間、文献を徹底的に調べましたが、〈発達中の感受性変化に関する評価測定や系統的測定の結果を示している例〉はほんのわずかしかありませんでした。それはなぜですか？　重要なのがあたり前なら、「最近の教科書にもちょっと前の教科書にも、感受性について何も書かれていない」というのはどういうことなのでしょう？……実際、濃度だけを測定している植物生理学者なら何百人もいますが、感受性を調べている人たちはほんのわずかです。

トレワヴァスの疑問に対する答えは明らかだ。〈トレワヴァスが明確に述べた代替的な見解〉がなかなか受け入れられなかったのは、その理論を追求するためには、この分野の方法論を一新する必要があったからだ。つまり、個々の植物細胞の性質や細胞内のシグナル伝達機構を研究しなければならないのだが、この分野の科学者たちのほとんどは、こうした研究に適した専門技術を有していなかった。

そこでトレワヴァスは、〈論争に刺激を受けて新たにこの分野に入ってきた科学者たち〉とともに研究に打ちこんだ。重要な細胞内のシグナル経路にはカルシウムがかかわっており、これを研究する方法は、動物細胞ではかなり確立されていた。動物細胞の研究で用いられている技術を、植物細胞の研究に応用するのは簡単ではなかった。植物細胞は頑丈な細胞壁によって守られているため、動物細胞を研究する生物学者が用いる電極を通すことができなかったのだ。だが、１９９１年までにトレワヴァスはこの障害を乗り越えた。クラゲの一種に由来する〈エクオリンという青色蛍光を発するタンパク質〉が発現するよう遺伝子組み換えを行った植物をつくったのだ。蛍光発光はカルシウムとエクオリンの相互作用によって引き起こされる。したがって、エクオリンが植物細胞のなかで発現していれば、蛍光発光のレベルからカルシウムのレベルを推測できる。[9]それからほどなくして、トレワヴァスは王認学会フェローに選ばれた。これは英国の科学者にとって最高の栄誉だ。

1991年のある概説には、次のような記述がある。「反応をコントロールしているのは感受性であるという見解を再検討すべき」とするA・J・トレワヴァスの努力は……当初、極端な抵抗を受けたが、いまや彼の目的が達成されたことは否定できないだろう。[10]トレワヴァスの戦略は高いリスクを伴うものだった。同時代の科学者のコミュニティから締め出されてもおかしくなかったのに、運よく、編集者を説得して最初の論文を発表することができたのだ。

トレワヴァスの最初の論文の論調は、科学の論争における通常の論調とは異なっていた。ラトゥールがいうところの、〈ある科学的主張を犠牲にして別の主張を奨励するときに特有の微妙なニュアンスの言い回し〉は使われていなかった。そうした微妙なニュアンスの言い回しは、さまざまな信頼度を表現している。このような違いは科学の文献に精通している人にはわかるが、一般読者にはわからないことが多い。パラダイムのなかで働いている科学者は、ともかく自分の貢献を認めてくれる支持者を得て研究仲間のネットワークを築かなければならないので、批判を加減することも求められる。手加減なしの辛辣な攻撃を繰り出すのは、たいていはトレワヴァスのような若くて無鉄砲な科学者だ。または、すでに成功を収め年をとって失うものは何もなくなった科学者が、「世のなかにくだらない説が蔓延していること」にいら立って暴れだすこともある。

科学革命の社会的構造

クーンにとって、パラダイムは〈単なる理論をはるかに超えたもの〉だった。理論は絶えず変化する。理論は繰り返し修正され、前のバージョンと比べても元は同じだとわからないくらい改変されることもよくある。科学革命の本質と、人々が激しく科学革命に抵抗する理由を理解するためには、科学の社会的構造を理解しなくてはならない。

すべての科学者は、多大な努力のもとに〈特定の技術的な専門知識〉を得るための長期の修業を積んでいる。そして、その専門知識を用いて、〈妥当性があり影響力の大きい主張〉を生むことによって信頼を得ている。パラダイム変化は必ずしも〈理論が転覆させられたとき〉に起こるのではなく、〈あるコミュニティの専門知識が妥当性を失ったとき〉にも起こる。新たな理論、新たな発見、新たな技術から生じた新たな問題に答えられなくなったときだ。これに伴い、「新しいパラダイムを支持したほうが昇進しやすくなる」など、現実的な判断が生じるために、〈古いパラダイムを捨てて新しいパラダイムを支持する人々〉が増えていく。つまり、新支持者たちは必ずしも〈新しいパラダイムの知的優越性〉に惹かれるわけではなく、〈これからの時代に求められる能力を身につけるための投資〉という現実的な決定をしているのだ。

ハリスとザッカーマンの論争、トレワヴァスの論争から、危機が生じる状況が見えてくるだろう。両方とも、ある科学者コミュニティが〈存続にかかわる脅威〉にさらされ、それによって危機が生じていた。それらのコミュニティは視野が狭くなっていたため、危機に対応する技術が足りなかったのだ。その結果、そのコミュニティは信頼性を失い、新たな人材が集まらず、競争に必要な資金が得られなくなる事態となった。そんな事態に激しく抵抗しようとするのは当然だ。科学者が「自分たちの考えを変えるものか」と息巻くのも当然である——抵抗するよりほかに存続の道はないのだから。結果として起きる革命は、必然的に理論の修正を伴っているとはいえ、科学革命というよりむしろ社会革命だ。存続の危機にさらされたコミュニティの社会的構造——共同研究、技術交流、引用のネットワーク――は全面的に再構成される。

ところで、「このようにして科学の理解は進歩していく」という考え方は、〈哲学的観点における科学の合理的本質〉とどのように一致するのだろうか？

第7章

論理実証主義：実証の困難

疑うことは快い状態ではないが、確信は不条理な状態だ。

——ヴォルテール[1]

ポパーが『科学的発見の論理』（1971年、恒星社厚生閣）を書いた当時、哲学の主流は論理実証主義だった。それは、「意味のある言明は（数学や論理学的な恒真命題から純粋に演繹された言明を除けば）経験的に実証できる言明のみである」という考え方だ。[2]この見方によれば、科学は〈経験的に実証できる**事実**〉から構築される進歩的な活動だ。事実から推論を導き出し、さらなる実証的研究によって推論を実証する。つまり、論理実証主義は、知識の経験的要素を重要視し、**あいまいな思考**や、権威を過度にもちあげることを非難しているのだ。論理実証主義が主流になるにあたっては、哲学者であるA・J・エイヤー（1910〜1989）の功績、とりわけ彼の著書である『言語・真理・論理』（1955年、岩波書店）の影響が大きかった。[3]エイヤーは24歳の若さでこの本を書き、簡潔かつ明確な文章で幅広い支持者たちの心をつかんだ。ジョージワシントン大学の哲学教授、セルマ・ジーノ・ラヴィーンは、1983年にエイヤーについてこう書いている。恐ろしい若者だったわ。すべての伝統的な哲学のもとに、まんまと点火したダイナマイトを仕掛けてくれたんだから。あれ以来、古き哲学の景色は二度と元には戻らなかった。エイヤーの著書について、ラヴィーンはこう続けた。20世紀の哲学書のなかで最も影響を与えた本であることは、多くの人が認めるでしょう。[4]

しかし、１９６７年、哲学者のジョン・パスモアは『哲学百科事典』のなかで論理実証主義について、こう締めくくっている。論理実証主義は、もはや死んでしまった。哲学の潮流は常にそうして死んでいくものだ。[5]

ウィーン学団

エイヤーはまだ学生のときにオーストリアに渡り、ウィーン学団の活動を学んだ。ウィーン学団は哲学者、数学者、科学者のグループであり、証拠と結論の関係、論理と経験の関係について議論していた。論題は四つだ。

1. 哲学は経験科学とどのような関係であるべきか？
2. 経験科学と論理学や数学とのあいだには、どのような関係があるか？
3. 証拠と結論のあいだには、どのような関係があるか？
4. 経験的知識はどのように正当化できるか？

ウィーン学団のリーダーであるモーリッツ・シュリック（1882〜1936）は、これらの問題に答えるためにはまず、「哲学から〈形而上学的な疑わしい主張〉をはぎ取らなければならない」と考えた。

すべての理論哲学のなかで唯一の有意義な方法は、〈特殊科学の究極原理を批判的に研究すること〉である。したがって、これらの究極的な公理が変化し、新たな基本原理が発生するたびに、哲学的活動を開始しなければならない。……哲学にとって重要なのは、主として、あるいはもっぱら精密科学の原理のみである。なぜなら、これらの分野のみが〈境界の明瞭な固い基盤〉をもっているため、その基盤に変化が起これば顕著な大変動を生み、ひいては我々の世界観にも影響をもたらすからだ。

右記の理由から、「科学哲学者は現実世界の存在について悩むべきではない」とシュリックは主張した。科学哲学者の役割は、〈科学的事実を問題にすること〉ではなく、〈科学者が科学的事実を推論するプロセスを理解すること〉なのである。ウィーン学団は、科学的言語の構造を分析することによって、これを理解しようと提案した。つまり、哲学を用いて、科学的言語および〈科学的言語と現実との対応〉に秘められた論理構造を解明するのだ。

ウィーン学団は目的をはっきりと宣言していた。

整然さや明瞭さが求められ、〈あいまいな広がり〉や〈計り知れない深み〉は受け入れられない。……従来の哲学的問題を解明することによって、一部は疑似問題であることを明らかにし、一部は実証的問題に変換し実験科学による検証に委ねる。哲学的研究の目的は、このような〈問題と主張の明確化〉であって、特別な「哲学的」意見を提起することではない。[7]

ウィーン学団の理解によれば、科学者は自然を対象に順序立てて実験を行い、観察結果を系統的に記録し、その過程で〈確固とした揺るぎない事実〉を生み出す。これらの事実の正当性を支えるのが**経験的検証**の原理だ。エイヤーはこう述べている。**「ある命題が検証可能である」といわれるのは、検証可能という言葉を強い意味でとらえるならば、〈その真実が最終的に経験によって実証されうる場合〉のみである。**[8]

社会学者たちもこの物語を共有していた。マートンも、「科学の目的は**証明された知識を広げることだ**」と述べている。

> この目的のために用いられる技術的方法が、知識の適切な定義をもたらす。経験的に確かめられた、論理的に一貫した規則性のある言明、……適正かつ信頼性のある、経験的証拠に基づく技術的規範は、真の予測を維持するために必須だ。この論

理的一貫性による技術的規範は、妥当な体系的予測のために欠かせないのである。[9]

科学史家たちもかつてはこの物語を共有していたが、現在では軽蔑の意味をこめて**ホイッグ史観**と呼んでいる。科学史家はかつて、科学の歴史を〈進歩的な洗練の物語〉ととらえていた。「増え続ける〈**事実**という資源〉によって、一歩一歩一元論的真実へ近づいていくのだ」と。したがって、「科学の現状は、常に過去の状態よりもよくなっている」と考えられていた。〈現在の知識にあてはまらない逸脱した事実や理論〉は、〈誤った推論の帰結〉とされた。古い理論は現在の知識と一致させるために再構築再解釈され、〈論理的思考と科学的方法の丹念な適用例〉として用いられた。

そのため、論理実証主義が崩壊したとき〈哲学者と科学者の物語〉だけでなく〈社会学者と科学史家の物語〉も一緒に崩れた。崩壊が起こったのは、物語が攻撃を受けたからではなく〈物語を厳密なものにしようとする試み〉が失敗したからだった。

論理実証主義者は「客観的な科学の言語とはどのようなものか」、また「その言語がどのようにして事実のなかに**正当化された信念**を生じさせるのか」を探究しようとしたのだ。

プロトコル命題

論理実証主義者は、科学者が〈経験的事実によって検証できる仮説〉を提案していることに気づいた。そこで、「これらの事実は**プロトコル命題**という、〈直接的な感覚体験を伝える知識の基本単位〉によって表現できる」と考えた。〈プロトコル命題によって真か偽か判断できる状態の仮説〉のみが認められた――つまり「**検証可能**な仮説のみ意味がある」とされたのだ。

しかし、これには論理的問題があった。**検証可能な言明のみが有意味である**という言明自体が科学的言明ではないのだ。ならば、この言明自体を無意味とするべきなのだろうか？　論理実証主義者は、「これは言明ではなく**規定**である」と主張した。「科学の哲学から形而上学を排除する」といって活動を始めた彼らにとっては、なかなかに苦しい状況だ。

〈科学的言明を客観的本質に還元しようとする試み〉には困難が伴った。主観性（私にはこれが赤色に見えるが、あなたにはどう見えるだろう？）と方法論的プロトコル（いつ、どんな状況で観察したか）の問題に取り組む必要があったのだ。感覚的観察の信頼性は、〈観察者が正直で偏見をもっていないこと〉、〈未来は過去と同様であること〉など、多くの要素に左右される。もし、〈私たちの感覚や論理的思考〉が誤りやすく経験を主観的に説明しがちで、さらに観察結果が〈変わりやすい状況や偶然〉によって左右されるなら、観察の真実など成り立つだろうか？　ウィーン学団のほかのメンバーたちは、こうした問題を避けるために「プロトコル命題を定式化できないか」と考えた。オットー・ノイラート（１８８２～１９４５）は、ウィーン学団の科学的態度の推進派として、プロトコル命題に関する**模範例**を提案した。この定式化がいかに絶望的な試みかを、よく表している例だ。

　３時17分のオットーのプロトコル：［３時16分のオットーの言語思考：（３時15分、部屋にはオットーによって感知されたテーブルがあった）］[10]

シュリックは、ぞっとするとともに気づいたはずだ。プロトコル命題に観察者の主観性を取り入れたら、プロトコル命題からの推論はすべてあやふやなものになり、命題が真ではない可能性が生じてしまう[11]。

ルートヴィヒ・ウィトゲンシュタイン（1889〜1951）は後年、このナンセンスに切り込み、「客観的で、しかも揺るぎなく現実と一致した言語の構成単位をつくることなどできない」と否定した。言葉の意味は、それが使われている文脈によって変わる[12]。言葉とは、話し手が〈自分の頭にあるアイデア〉を、聞き手の頭に伝えようとする手段の一つだ。だが、そのアイデアを完全に表現することなどできない。言葉は常に、〈前提されている共有知識〉に依存し、文脈しだいで意味が変わるので、伝達の過程でアイデアは必ず変化してしまうのだ。

正当化された信念

論理実証主義者たちは、科学的事実の根底にあると思われる論理構造を理解しようとした。

すべての〈純粋に演繹的な体系〉において、言明の真実性は、「どのように概念を定義し、対応のルールを定めたか」によって決まる。したがって、演繹的体系では、用語の意味を理解してルールに従えば、誰でも同じ結論に達するはずだ。たとえば、Aが分類Xの一例でありBもまた分類Xの一例であるとするなら、AとBは両方とも分類Xの例である――これはトートロジーだ。

このような演繹的体系では、常に用語とルールの定義によって、言明の真否が決まる。しかし、論理実証主義者は、「これとまったく同じような定義づけによって、科学的言明の真否が決まる」とは、認めていなかった。観察言明――ほかの事実を構築するための基礎となる事実――は、恣意的なものではなく、〈感覚データから直接導き出されるもの〉であり、〈観察可能な者による感覚データ〉はみな同じだろうと考えたのだ。

たとえば、**レプチンは食欲を抑制する**といった、観察言明に関する科学的**事実**は、それを検証するのに用いられるプロトコル（レプチンの値および食欲を測定する方法を含む）によって、その有意味性を得る。そして、ひとたび検証されれば、その真実性は概念的枠組みの変化にも耐える。**レプチン**、**抑制**、**食欲**といった用語も、正確な操作的定義を与えられれば、〈経験的観察によって現実に結びつけられた永続的な意味〉をもつことになる。したがって、**事実**は、〈異なる概念的枠組み〉のなかでは、〈異なる表現〉で伝えられるかもしれないが、再定義されても存続する。なぜなら、肝心の真実性は、根本的に観察言明によって決まるからだ。ゆえに、古い科学理論も、現代の理論と一致するよう、再構築することができる。というのは、古い理論でも、その観察の基本単位は、（適切に検証されていたならば）妥当なままだからだ。理論は変化するかもしれないが、科学の**事実**は存続するのだ。

この考えにより、論理実証主義者は科学知識に対する信念を正当化できた。科学知識は〈経験的観察から帰納的に推論される**正当化された真の信念**〉による産物だ——そしてその信念は、経験による検証が可能で、かつ論理的な一貫性をもっている。

しかし論理実証主義は、「ある言明の真実性は検証によって確立できる」という考え方に依拠していた。検証——現象の観察を繰り返すこと——は帰納法による推論の一種だ。ポパーが、「真実を確立する方法としての論理的根拠がない」と断言したプロセスである。そして実際に、〈レプチンが食欲を抑制すること〉は多くの実験によって確かめられているにもかかわらず、〈最も現実的な問題に直結する状況〉ではそうならない。通常、肥満の人はレプチンに反応しない――肥満の人は**レプチン抵抗性**をもっているのだ。

カール・ヘンペル（１９０５～１９９７）は**カラスのパラドックス**における議論で火に油を注いだ。[13]「すべてのカラスは黒い」という仮説を考えてみよう。この仮説が真である証拠を得るには、「カラスを探して色を確かめればいい」と思うだろう。だが、この仮説は、論理的には**黒くないものはすべてカラスではない**という仮説と等価なのだ。ならばこちらの仮説も、〈黒くないものを探し、それらがカラスではないと確かめること〉によって検証できるはずだ。これら二つの仮説は論理的に同じなのだから、そのへんの野原に座って適当に緑色や黄色のものを「カラスじゃない」と記録していったら、「すべてのカラスは黒い」という命題に確信を得ることができるはずである。

論理実証主義者たちもこうした問題に気づいた。エイヤーは、「観察の有限集合から導かれた科学的言明が、決定的に実証されることはない」と認めた。そして、かわりに弱い形式の検証主義を提案した——すなわち、言明は経験によってそれを「たぶんそうだろう」（probable）とみなせるなら、弱い意味で検証可能である。[14]

論理実証主義者たちでさえ、「こんな弱い形式の論理実証主義は空虚だ」と我に返り、一人また一人と離れていった。エイヤーがポパーに譲歩したとき、論理実証主義は筋の通った論理的基盤をすべて失ったのだ。

1972年にテレビ放送されたインタビューで、「いま振り返ってみて、この運動（論理実証主義）の主な欠陥はなんだったと思われますか？」と問われて、エイヤーはこう答えた。「……主な欠陥は、あの運動のほぼすべてが偽であったことだ」[15]

第8章

科学用語のあいまいさ

『小説の諸相』(1994年、みすず書房、原著*Aspects of the Novel*, 1956)のタイトルにAspectsという語を使用したのは、この単語が非科学的かつあいまいで、最大限に自由の余地を残してくれて、人々の小説に対するさまざまな見方も、小説家の自分の作品に対するさまざまな見方も意味しているからだ。[*1]

——E・M・フォースター[1]

問題もあるとはいえ、「論理実証主義は〈科学者自身が考える科学とは何か〉を最もよく言い表している」と言えるかもしれない。科学者はほとんどの場合、「現実世界というものがあり、そこには知ることのできる事実がある」と考えている。科学とは〈事実に基づく知識の蓄積〉であり、科学が進歩するのは「**合理的な**論理的思考の原理に従っているからだ」と考えている。論理実証主義者たちは、科学者の「明確さと精密さの追求」、「〈心理学からの形而上学的概念の排除〉および〈生物学からの**生気論的**概念の排除〉への努力」といった姿勢をたたえた。

論理実証主義者たちが注目したとおり、科学者は〈発見したり発明したりした**事柄**〉

に〈ほかの**事柄**と正確に区別できるような名前〉をつけるための〈洗練された専門用語〉を開発している。そして〈観察されたほかの**事柄**との類似性〉をもとに、それらを分類している。こうした分類を〈客観的かつ再現性のある方法〉で行えるように、科学者は**操作的定義**も発展させている。この明確さと精密さは、個々の科学者が自分の実験を行うときだけでなく、ほかの科学者とコミュニケーションをとるときにも重要になってくるようだ。

しかしながら意識**や知性**といった概念は、確固たる操作的定義がないにもかかわらず必要不可欠に思える。アンソニー・トレワヴァスが述べたように、誰もが認める知性の定義などない[2]。辞書では「人間だけがもちうるもの」という人間中心的な観点によって、慣例的に知性が定義されている。しかし、高度な論理的思考と道具の使用に焦点を当てた定義によるなら、カラスやオウムにも知性はある。問題によっては人よりも早く解けることもあるほどだ。ハチのコロニーも「人間と同様の認識力をもっている」とも考え

＊1　aspectという単語には、「諸相」のほかに容貌、態度、局面、見方、特徴、方位、視座などさまざまな意味がある。

られている。周囲の情報を集めて記憶し、コロニーの内部状態の情報と結びつけて、「前進するか、守りを固めるべきか」決めているのだ。しかも、すべて統一された頭脳があるわけではないのに、これらのことを実行できている。知性はしばしば**問題を解決する能力**によって定義される。この定義によるなら、どの種の知性もその種独自の文脈で語られなければならない――「その種がどんな問題に直面しているか」、「どんな問題を解決することがその種にとって重要なのか」といった文脈で。トレワヴァスは、「植物にさえ知性はあるのではないか」と考え、この問題を追求した。「植物より霊長類のほうが知性的である」と考えるのがあたり前のような気がするが、個々の植物がいかに巧みに生きているか（……特定の環境で、ある種がほかの種を支配し影響力を行使できるようにしている……）が明らかになれば……既存の結論を見直さねばならなくなるかもしれない[3]。

ストレス

ほかにも**渇望**、**抑うつ**、**動機**、**恐怖**、**報酬**といった多くの概念が、心理学の文献だけでなく、生物学の文献にも多様な文脈で登場し、その場その場で異なるいくつもの定義で使われている。どこかで述べたことがあるが、**ストレス**はハンス・セリエが初めて生理学的な概念として使用した言葉だ。セリエは「この概念の定義を首尾一貫したものにしよう」と精一杯努力したが、その努力は実を結ばなかった。ある評論家はセリエの奮励をこう評した。**ストレスは、それ自体ストレスであるだけでなく、ストレスの原因でもあり、ストレスの結果でもあった**[4]。

生理学的な文脈における〈ストレスという用語〉は、物理学からの類推によって借用した言葉だった――物理学におけるストレス（応力）の概念は、たとえば「応力(ストレス)がかかることによって梁(はり)が座屈(ざくつ)する」というように適用される。しかし、私たちはストレスという言葉を、日常言語として非常に主観的な感覚を表現するためにも使っている。ある人にとってはストレスを感じる経験であっても、別の人にとってはなんでもなかったり、刺激的であったりする場合がある。また、ある状況下ではストレスと感じることでも、別の状況下ではストレスと感じないこともあるだろう。だから、原因によってストレスを定義することはできない——原因すなわち**ストレス要因**は、影響すなわち**ストレス**があって初めて認識されるのだ。

そのため、生理学者はストレスの定義を、〈それを引き起こす刺激〉ではなく、〈関連して起こる生理学的反応〉や、〈それらの反応を媒介する経路〉によることにした。生命体はストレスを抱くと、安定した状態、いわゆる**恒常性**を維持して生き延びようとする。恒常性は、内因性の影響や外因性の影響（ストレス要因）によって、常に脅かされている。身体的なストレス要因と感情的なストレス要因は両方とも、中枢反応と末梢反応を引き起こす。中枢では、神経経路が活性化されて覚醒と集中が促され、摂食や生殖といった機能は抑えられる——未来に必要なことは犠牲にして、いま生き延びるために必要なことが優先される。

この**汎適応反応**（はんてきおうはんのう）には一貫した特徴がある。脳下垂体から分泌された副腎皮質刺激ホルモン（ＡＣＴＨ）が副腎を刺激し、グルココルチコイド・ホルモンがつくられる。グルココルチコイドは多くの組織に影響を与える。血糖値を上げ、筋肉がエネルギーを利用できるようにする。炎症を抑えることで、集中して筋肉を使えるようにする。脳に作用して記憶力に影響する――だから、私たちはストレスを感じたことをよく覚えているのだ。交感神経系も活性化され、心拍数と呼吸数が増えて、血圧が上昇する。

このシステムの重要な構成要素が、**コルチコトロピン（副腎皮質刺激ホルモン）放出ホルモン**（CRH）である。第5章で紹介したジオフレイ・ハリスが仮定していた**放出因子**の一つだ。CRHはACTHの分泌を調節しているが、脳内でも作用し、覚醒反応と恐怖反応を高め、摂食を抑制している。

それで、ストレスとはなんなのか？　ストレスを要因により定義することはできない――「ある刺激がストレスになるかどうか」は人によるし、状況にもよる。また、ストレス要因にもさまざまなタイプがある――たとえば、痛み、飢え、感情的なストレス要因、感染症のような構成的ストレス要因だ。では、ストレスがもたらす結果によってならストレスを定義できるだろうか？　最も確かな結果は、グルココルチコイド分泌の増加だ。しかし、通常グルココルチコイドの分泌は概日リズム[*2]に従って変動する。人間では、朝起きたとき、動きだすためのエネルギーを増やすために最も分泌量が多い。そのため、個々人の通常レベルの基準を見極めたうえで異常な増加を判断しなくてはならない。ところがそうしたとしても、グルココルチコイド反応によってストレスを定義すると、「副腎を摘出してしまえばストレスをなくせる」などといったばかげた結論につながる恐れがある。

それでも、この定義を実証研究のための操作的定義として使えるだろうか？ それも問題だ。妊娠中や授乳中の動物ではグルココルチコイドの分泌は低下している。こうした状態では、筋肉にエネルギーがいってしまうと胎児や子に悪影響が及ぶからだ。このような状態でグルココルチコイド分泌が低下していることだけを見て、「妊娠中や授乳中の動物はストレスをあまり感じていない」と解釈してしまって本当にいいのだろうか？

「要因によっても結果によってもストレスを定義できない」としたら、媒介役によって定義できるだろうか？ だが、ここでも同じ問題が生じる――ＣＲＨはストレス反応を媒介しているようだが、「ＣＲＨを排除することでストレスをなくせる」と考えるのはばかげている。それでは、メッセージが気に入らないからといってメッセンジャーを殺すのと同じだ。

こうした理由で、ストレスは**機械のなかの幽霊**のままになっている。本当に厄介な幽霊だ。たとえ生理学者どうしの会話であっても、ストレスについて話すときは〈日常で使用されている言外の意味〉から逃れることはできないのだから。では、まったく別の用語を新たにつくってしまえばいいのだろうか？　しかし、科学者は専門分野内だけでなく、より幅広い科学コミュニティの科学者とも、一般の人たちともコミュニケーションをとらなければいけないのだ。だから、たとえ新しい専門用語をつくったとしても、またそれを多くの人に理解してもらえるよう言い換える必要に迫られてくるだろう。

＊2　ほとんどの生物がもつ概ね24時間周期のリズム、一般に体内時計といわれる。

あいまいさ

ひょっとすると、概念はまさにあいまいだからこそ有用なのかもしれない。その柔軟性によって運用上の定義に実用性をもたらし、新たな知識とともに進化することもできる。科学の多くの分野において、〈固定された不変の定義〉をもち続けているのは、事実上〈すでに通用しなくなっている死んだ概念〉だけだ。あいまいな概念がコミュニケーションに役立つのは、〈聞き手側の頭に豊富に詰まっている暗黙の知識〉も利用できるからだ。そうした知識の集まりは決して固定化されず、絶えず変動している。このようなあいまいなコミュニケーションこそが科学の想像力の源泉となっているのだ。すべてをあいまいなままにしておくわけにはいかないが、あいまいな用語は「確信と確信のあいだに理解のギャップがあること」を伝えてくれている。だから、私たちはそこを調べてみようと思うのだろう。

科学的言語のこの特徴に気づいたオットー・ノイラートは、プロトコル命題の考えを放棄した。

我々は外海で船をつくり直そうとしている船乗りのようなものだ。陸のドックで船を解体することもできず、最高の建材で組み直すこともできない。……なぜかその船の建材には必ず、あいまいな「言語クラスター」が含まれているのだ。ところによって不正確な部分が目立たなくなるときもあるが、するとたいてい別の場所でまた不正確さが強く現れてくる。[5]

科学用語は必ずしも正確に定義することはできない。また〈あいまいな用語を削除したり再定義したりすること〉は、理論全体に意図せぬ影響を与えてしまう可能性がある。とはいえ、あいまいさにも明らかに限度はある。化学や物理学の多くの研究では、あいまいさを極力なくすことは非常に重要だ。しかし、これらの分野でもあいまいさを完全に取り除くのは難しいようだ。物理学者のリチャード・ファインマンはこう述べている。対話するうえで本当に重要になるのは正確な言語ではない。重要なのは明快な言語だ。対話する目的は、他者にアイデアを明快に伝えることだろう。どうしても正確でなければいけないのは、表現の意味が伝わるかどうか疑いがあるときだけだ。その場合は、疑わしい場所に正確な言語をあてはめればいい。だいたい、何もかも正確に言おうとするのは不可能だ。そんなことができるとしたら、その対象は現実世界から抽象化されすぎていて現実をまるで表していないはずだ[6]。

心筋梗塞

一例として「飽和脂肪の摂取が心筋梗塞（一般に心臓発作と呼ばれる）の原因になる」という主張について考えてみよう。心筋梗塞とは、心臓の筋肉（心筋）への血管に血栓ができて血流が悪くなっている状態だ。この飽和脂肪を原因とする説は、「政府が発行する栄養ガイドに載っている」という意味では**認められている**が、すべての科学者がこの説に同意しているわけではない。

論理実証主義者にとって、〈知識は検証された単位（**飽和脂肪**と**心筋梗塞**の標準化された定義）から成る命題〉によって構成されていて、検証された単位どうしは論理的関係にある（**飽和脂肪の摂取は心筋梗塞の原因になる**）。これらの**事実**は経験的証拠（たとえば、食事による飽和脂肪の摂取と心筋梗塞の発生との関連を示すデータ）によって**検証**される。

心筋梗塞の定義は、「長時間の虚血（血液供給の制限）による心筋細胞死」だ。[7] 通常、心筋梗塞は心臓の動脈に血栓ができた状態で、死後に動脈や心腔に血栓が見つかって診断されるケースもある。生きている人の場合は、〈首、胸、腕の痛みや締めつけられるような感覚〉といった症状、または心電図の異常、〈血管造影法による冠動脈血栓〉の発見から診断される。

つまり心筋梗塞の定義は、理論的解釈による場合と、〈診断基準という操作的定義〉による場合の二通りあるのだ。発生症例の研究では、〈推定される基礎疾患と関連する（ときに一貫性のない）特徴〉があることのみが報告されている。それは〈異常が起こっていると判断するのに役立つ症状〉（胸の痛みとそれに続く意識喪失など）など、〈心筋梗塞の前兆として知られる特徴〉だ。しかし、診断基準は技術の進歩や理論の修正によって変わってきたし、同じ時代でも場所によって異なっていた。

１９６８年、英国医学研究会議が心筋梗塞に関して〈ロンドンで得られた研究結果〉

と〈そのわずか2年前にオスロで得られた研究結果〉に関する比較調査をしたところ、**オスロの基準をそのままロンドンのデータにあてはめることはできない**とわかった。[8] ロンドンの基準では、60歳未満の男性の試験群のうち7人、対照群のうち4人が心筋梗塞であるとされた。一方オスロの基準では、試験群のうち30人、対照群のうち38人が心筋梗塞とされた。心筋梗塞の診断方法がまるで違うために、両研究で同じ現象を調べているはずなのにまったく違う結果が出てしまったのだ。

このように、科学的**事実**は概念的枠組みの変化には必ずしも耐えられない。医学的事実は、診断基準の微妙な違いにすら耐えられないこともあるのだ。1968年以降、診断基準は改良された。とりわけ、心筋のダメージの指標となる血液サンプル内の酵素その他の要因——生体指標の測定による改良が進んだ。これにより、ほかの症状が見られなくても心筋梗塞と診断されるケースが増えている。したがって数字上、心筋梗塞の発生率が増加しているように見えるのは、実は純粋に再定義による影響だろう。[9]

飽和脂肪

　ところで**飽和脂肪**とはなんだろうか？　この用語は政府の栄養ガイドでも使われているが、単一のものを指しているわけではなく脂肪酸の種類を指している。脂肪酸は、炭素原子と水素原子から成る化合物だ。飽和脂肪酸（ＳＦＡ）は、炭素原子どうしのあいだに二重結合がない――水素原子で**飽和**している状態だ。一価不飽和脂肪酸（ＭＵＦＡ）は炭素原子間に一カ所だけ二重結合があり、多価不飽和脂肪酸（ＰＵＦＡ）は二カ所以上に二重結合がある。

　現在、「飽和脂肪酸は動脈壁にプラークを沈着させ動脈を破れやすくする」と考えられている。プラークにはコレステロールが多く含まれている。コレステロールは、全身の細胞すべてを構成している重要な物質だ。肝臓でつくられ、低比重リポタンパクによって体のほかの部位へと運ばれる。このコレステロールの血中濃度が高くなりすぎると、動脈壁に浸潤し炎症を引き起こすのではないかと考えられているのだ。

　１９５０年代、科学者たちは「食事に含まれる脂肪の種類によって血中のコレステロールとリポタンパクの濃度が変わる」と報告した。当初、科学者たちは脂肪を単純に、動物性脂肪と植物性脂肪の二つにしか分けなかった。すると、動物性脂肪のほうが血中の総コレステロール値を上げ、植物性脂肪のほうはそうでもないように見えた。[10]

１９５０年代の終わりには、「食事に含まれる飽和脂肪酸が〈血中総コレステロール値〉と〈低比重リポタンパクによって運ばれるコレステロール〉の両者を増加させるが、多価不飽和脂肪酸は総コレステロールを低下させる」ということが研究で示唆された。[11] そのため「〈より多くの飽和脂肪酸を含む動物性脂肪〉のほうが植物性脂肪より危険である」と思われた。それ以降、**飽和脂肪**と、より健康的とされる**不飽和脂肪**（多価不飽和脂肪酸と一価不飽和脂肪酸）とを区別するのが一般的になったのだ。

しかし飽和脂肪酸とは、既知のものだけでも少なくとも36種類ある飽和脂肪酸すべてを指す包括的な用語だ。実際は、そのなかの数種類のみが血中のコレステロールの値を上昇させる。たとえば、中鎖脂肪酸であるラウリン酸はコレステロール値を上げるが、短鎖脂肪酸はほとんど影響しない。そして牛乳の乳脂肪にはおよそ４００種類もの脂肪酸が含まれている。[12] つまり、**飽和脂肪**という用語には複雑な現実が隠されているのだ。

栄養科学者が飽和脂肪酸全体に注目したのは、特定の脂肪酸組成を調べるより食品に含まれる飽和脂肪の総量を測定するほうが簡単だったからだ。集団における食生活と心臓疾患との関連を調べる場合、特定の脂肪酸の組成まで測定するのは現実的ではなく不必要だと考えられたのだ[13]。それによって疫学研究や介入研究の立案が容易になり、政策立案者たちは国民に向けて明快でシンプルなメッセージを打ち出すことができた。１９７０年代の米国食生活ガイドラインには、国民へのアドバイスとして、「飽和脂肪酸を多く含む食べ物の摂取を減らすため、乳製品や脂身の多い肉は食べないようにしましょう」と書かれていた[14]。そして、「バターのような脂肪のかわりに、不飽和脂肪を多く含む大豆油などを使って食物エネルギーのうち約10％を占めるくらいまで多価不飽和脂肪酸の摂取量を増やしましょう」ともアドバイスしていた。

科学者たちが**飽和脂肪**という用語を使用した（いまも使用している）のは、その正確さからではなく理解されやすさからだった。食物脂肪と心臓病の関係をシンプルに説明するために科学者と政策立案者が主に頼ったのは、〈集団における食生活と心臓病の関連についての観察研究〉から得られたエビデンスと、〈特定の食生活が血中コレステロールにどのように影響するか調べた介入研究〉から得られたエビデンスだった。ところが、1973年に脂質化学の専門家であるレイモンド・ライザーは、「〈**飽和脂肪**という用語がもつあいまいさ〉が誤解を招く恐れがある」と懸念を表明した。

この用語を動物性脂肪と同義とする〈正確さから一歩離れた使い方〉〈あってはならない使い方〉が一般的になっている。……しかし動物性脂肪には、その動物の食事に多価不飽和脂肪が含まれていた場合、かなりの割合で多価不飽和脂肪が含まれているのだ。……動物性脂肪を「飽和脂肪」と呼ぶ〈誤解を招く慣例〉は疫学調査から生まれた。そうなった原因は、集団調査の対象に含まれていたのがバター、チーズ、卵といった自然食品だけだったためだ。[15]

現在では、血中コレステロールを上げる脂肪は飽和脂肪酸だけではないことが明らかになっている。それどころか、飽和脂肪酸よりよほど危険な脂肪があるのだ。今日では、不飽和脂肪酸の一種である**トランス脂肪酸**のほうが危険な脂肪であると考えられている。

トランス脂肪酸は、〈低比重リポタンパクに内包されたコレステロール〉のレベルを上げ、〈高比重リポタンパクに内包されたコレステロール〉のレベルを下げる。にもかかわらず産業界では、当時としては最善と考えられていた科学的アドバイスを受けて、飽和脂肪酸のかわりにトランス脂肪酸を用いるようになっていた。[16]〈飽和脂肪酸を高い割合で含む脂肪〉は常温で固体となる。一方、〈不飽和脂肪酸を高い割合で含む脂肪〉は液状のオイルだ。焼き菓子などの食品をつくるとき、食感やおいしさを保つために固体であることは重要だ。そのため、〈常温で固体の不飽和脂肪〉をつくる目的で用いられたのが部分水素添加という方法で、できあがったのがトランス脂肪酸だった。結果、食品製造会社はバターのかわりに「不飽和脂肪を含むから**心臓によい**」とされていたマーガリンなどの代替品を使って大衆が好む食品を改質した。しかし、「こうした食品を食べるようになった人たちが心臓病から身を守れたか」というとそうはならなかった。２００５年になって、米国科学アカデミーははっきりとこう述べている。**冠動脈疾患に関していえば、食事に含まれるトランス脂肪酸は飽和脂肪酸よりも有害だ。**[17]

栄養指導のほとんどは観察研究に基づいており、関連するメカニズムについてはほとんど解明されてこなかった。こうした理解のギャップが根底にあるため、一般的に栄養指導の信頼性には疑問が残る。栄養指導には結果が伴う。食事からある種の食品を排除すれば、別の食品に置き換えねばならない。よかれ悪しかれ予期せぬ結果をもたらすのだ。

ストレスや知性といった概念の場合、それらの定義の仕方に根本的な問題があった。その概念のあいまいさは、その概念に対する私たちの理解の不確実さや不完全さを反映している。**心筋梗塞**という用語には正確な定義があるように思える。だが、その定義は時代や地域によって異なっている。一方**飽和脂肪**という用語には、明快で、正確で、安定した定義がある。にもかかわらずその定義は、一部だけがもつ特性をすべての飽和脂肪がもっているかのようにおおざっぱに使われていた。

ソーカル事件

あいまいさが度を超えてでたらめなものになったら、おそらく見向きもされなくなってしまうだろう。ソーカル事件では不誠実な方法によってではあるが、そのことが面白おかしく明るみに出てしまった。

１９９４年、物理学者のアラン・ソーカルはある種の社会構成主義者たちの一見不可解な文章にいら立ち、彼らの学術誌の一つである『ソーシャル・テキスト』(*Social Text*)に、『境界を侵犯すること：量子重力の変革的解釈学に向けて』(Transgressing the Boundaries: Towards a Transformative Hermeneutics of Quantum Gravity)と題したでたらめな論文を投稿した。この論文には著名な社会構成主義者たちの言葉がところどころで引用されていた。「少なくともソーカルの用いた文脈においては〈これらの言葉がまったく支離滅裂であること〉に、当の社会構成主義者たちだって気づくだろう」とのテストの意味がこめられていたようだ。ところが、この偽論文は査読を通過して掲載されてしまい出版されるや否や——悪い意味で——有名になった。[18]

社会構成主義の目的は以下のような事柄である。知識を〈社会的相互作用の産物〉として理解すること。〈社会的利害の重要性〉を認識し、「それが科学のどの分野に資源を投入するか」を決定し、「それが科学知識の発展にどのような影響を及ぼすか」を明らかにすること。また、〈理論が発展していくうえでの歴史的経路の重要性〉を認識すること。「〈何が知識であるか〉は、その時代時代のイデオロギーや商業に影響されている」ということを示すこと。さまざまな時代や状況によって〈異なるエビデンスの基準〉が適用され、その基準は〈科学者コミュニティ内の社会的な因習〉によって決定されることを示すこと。そして「既得の組織的利害が〈社会の階級、ジェンダー、人種、性的嗜好に対する科学的アプローチの仕方〉にどのような影響を及ぼしているか」を検証すること。

社会構成主義者たちに共通する結論はこうである。科学は合理的な科学の方法によって推進されるというより、こうした社会のプロセスが機能することによってこのような形態になったのだ。この考察が極端に進みすぎて、社会構成主義者のなかには**自然界が科学知識の構築に果たす役割は少ししかない、もしくはまったくない**という不条理とも思える結論に至る人たちもいた。[19]

さて、この偽論文事件は私たちに何を教えてくれるだろう。この事件は「事実やエビデンスは単に主観的な関心や見方を反映しただけのものである」という考えに対する挑戦と受け止められてきた。確かに事件を見ると、『ソーシャル・テキスト』の編集者や査読者はこのような考えを抱いていたようだ。彼らは偽論文に書かれている事実やエビデンスを疑問視することもなく〈自分たちの分野を象徴する人たちを支持するもの〉として喜び、「その支持の表明の仕方が適切かどうか」など気にしていなかったようなのだから。

ひょっとしたら編集者たちは、「科学も民主化すべきだ」と真剣に考えたのかもしれない。つまり「どんな考えでもまじめな意図で書かれたものなら発表されるべきである」と。専門家は、世間一般の見解に対して検閲官や門番のようなマネをすべきではない。「ばかげた考えかそうでないか」は、読者自身が読んでから自由に決めるべきだ。査読制度の気まぐれさにいら立つ科学者のなかには、このような意見をもっている人もいる。[20] だがこうした見方をするとしたら、学術誌の役割は読者が関心をもちそうな記事を選んで掲載することだけになってしまう。

この事件は一つの例としては面白いけれども、ここから確固とした結論を導き出すことはできない。あらゆる学術誌にいくつも出来の悪い論文が掲載されているし、どの分野でも広く認められている見解に即した論文は掲載されやすい。難解な文章が疑問視されずにそのまま通ってしまうケースもよくある。査読者の多くは、権威を確立した人が書いた〈難解でもったいぶった散文〉を前にすると、そのまま受け入れてしまうらしい。「この文章を理解できないのは、著者のせいではなく自分の知識が足りないからだ」と考えてしまうのだ。

文脈を無視した引用は、しばしば無意味であるかのように思われる。しかしときには本当に無意味なケースや、無意味ではないにしても「意味があるならわかるように書け」といわれても仕方ないケースもある。明快な文章がよいのは論理的思考に欠陥があればすぐにわかるところだ。そのためには論理とレトリックを切り分けなければならない。

バリー・バーンズの論文に対するソーカルの非難を通して、この例について考えてみよう。バーンズは、「社会学者がどうして科学的事実を相対的なものとしてとらえているのか」を説明しようとして、こう書いていた。**所定の地域をそれぞれ異なる方法で描いた地図が複数ある場合、「すべてを同等のものとして相対論的に理解するべきである」のは極めて明白だ**（強調は著者による）[21]。

ソーカルは非難するにあたってこの一節をそっくり引用し、確かに異なる地図——たとえば道路地図と等高線図——が〈それぞれ現実の異なる側面を描写していること〉は認めている。しかし、そのうえで続けてこう述べた。「地図どうしを比べて、どちら**がその地域に対応しているかを決められない」などというのは馬鹿げている。バーンズは本気で「ニューヨークの市街地図を見ながらパリで休日を過ごそう」と思うのだろうか？**[22]

これを読んで、「科学者が社会学者を言い負かした」と大喜びする前に考えてみよう。ニューヨークの市街地図とパリの市街地図は、**所定の地域をそれぞれ異なる方法で描いた地図**だろうか。いいや、違う。これらは〈それぞれ異なる地域を描いた地図〉だ。それにバーンズの論文をちゃんと読んだ人なら「すべての地図がどんな目的にも同等に適している」なんてバーンズは一言も言っていないことに気づくはずだ。バーンズは「それぞれの地図の価値はそれぞれの目的に相対している」と述べているのだ。たとえば、ロンドン地下鉄路線図は複雑な輸送システムをわかりやすく効率的に表したデザイン・アイコンだ。しかし、これを頼りにロンドンの街を歩こうとしたら〈路線図に描かれている駅と駅の間隔が現実の物理的な距離とほとんど関連していないこと〉にすぐ気づくだろう。[23]

ロンドン地下鉄路線図とロンドン観光地図、英国陸地測量部のロンドン地図はそれぞれまったく異なる目的でつくられており、その目的に応じた形式になっている。これらの地図を比べて「どの地図がより優れているか」を決めようとしても無意味であり、どれが便利かは、地図を使う人に目的を尋ねなくてはわからない。どの地図もデータを取捨選択して、伝えたい情報をより伝えやすいように用いている。どの地図も不変ではなく定期的なアップデートが必要で、たとえ問題に対応していても一意的な解決策とはなりえない。

複雑な科学的言明もロンドン地下鉄路線図のようなものだ。その地図は〈現実世界との限定されたつながり〉をもっている。それを見れば一つの場所から別の場所へ移動しやすくなる。わかりやすさのために、詳細な情報を単純化して大幅に削っている。つくろうと思えばまったく違った地下鉄路線図をつくれるだろう。〈もっと各駅の物理的な位置を正確に示した地図〉もできるだろうが、そうするとわかりにくくなるかもしれない。地下鉄路線図があいう形式になっているのは私たちの認識能力に適しているからであり、より多くの人たちに地下鉄を使ってほしいからなのだ。

地下鉄路線図には「乗客を行きたい場所へ効率的に案内する」という直接的な目的がある。一方、学術論文の直接的な目的は「読者を〈読者以外の別の人――著者――が選んだ行き先〉へ導くこと」だ。少なくともその目的の一部は「読者を説得して〈そこに書かれているアイデアと知見の正当性〉を信じさせること」であり、対象となる読者は、〈そのアイデアや発見に潜在的な有用性を見出す可能性のある人たち〉である。もし論文の結論が、論理的思考や経験によってすぐに否定されるようなものだったら、その目的は無駄になってしまうだろう。しかし、レトリックや選択的な引用、エビデンスの選択的な提示によってその目的を支えることもできるのだ。

「論文に書かれているアイデアがなんらかの影響、たとえばイデオロギーによる影響を受けていないか」、また「そのアイデアの受け止められ方が〈著者の社会的地位や性別や人種の影響〉を受けていないか」を問うことは正当なことだと思われる。同様に「研究結果が資金提供者の商業的、あるいはその他の利害の影響を受けていないか」は問うべきだし、「キャリアアップを望む科学者の個人的な利害が研究結果の公表方法に影響していないか」についても考慮すべきだろう。

特定の事実が受け入れられたとき、「その根拠がエビデンスの重要性にあるのか、有用性にあるのか、それともほかに理由があるのか」を知ろうとするのは正当であるばかりではなく、重要なことだと思われる。

第9章

エビデンスの全体性：異なるタイプのエビデンスを比較する

法的立証責任を負う側が有利になる評決が下されるのは、事実認定者がすべての証拠について検討し、それらが立証の適用基準に達していると納得した場合に限られる。

――ホク・ライ・ホウ[1]

エビデンスをどのように解釈すべきか。仮説を検証するのに適した方法は何か。現象の測定法や分類法は正しかったか。仮説が適切にほかのエビデンスや理論に根ざしているか。これらに関して科学者の意見が一致しない場合がある。このことは、エビデンスを総合的に判断しようとする者にとっては問題となる。それでも、環境政策から、臨床ガイドライン、公衆衛生政策まで、あらゆる課題をエビデンスに基づいて解決していこうとするならこの問題は解決されなければならない。

例として2型糖尿病について考えよう。現在この病気への懸念は非常に高まっている。世界におよそ4億人もの患者がいて、医療費や労働時間損失によってかかる莫大な費用に加え社会的負担も大きく膨らんでいる。「環境要因により発症するケースがほとんである」と考えられているため、ライフスタイルを変えれば予防できる可能性がある。多くの人々がリスクを減らすためにライフスタイルを改善できたら、社会にとっても非常に大きな利益となるはずだ。だが公衆衛生政策を変えるのに十分なエビデンスは、いったいいつになったら集まるのだろう？

魚と汚染と糖尿病

魚と２型糖尿病の発生率とのあいだに関連が見つかったとしよう。このことをどう解釈すべきだろうか？　考えられる説明はいくつも出てくるはずだ。

- 魚を食べると糖尿病になる恐れがある
- 糖尿病にかかると魚を多く食べるようになる
- 魚を多く食べる人は、糖尿病を予防するほかの食べ物をあまり食べない。もしくは、糖尿病にかかりやすくなる行動をとるようになる
- 魚の摂取と糖尿病の発生は、どちらも別々に第三の未知の要因の影響を受けている

・見かけ上の相関関係が、統計的検定の擬陽性によって得られている
・見かけ上の相関関係が見られたのは、なんらかの技術的エラーによるものである

「関連あり」という観察結果だけではどうにもならない。その情報を、背景情報、理論、仮説、仮定などを総合的に判定して初めて新たな道が開けるのだ。今回の事例では「魚を食べると糖尿病になる可能性がある」という仮説を追ってみるとよいだろう。「これが真である可能性が最も高いから」というからではなく、さまざまな仮説のなかでこれが唯一検証可能であり、真であったら興味深く重要なものになりうるからだ。

ただ、この仮説の検証は容易ではない。というのも、この文脈での**要因**が厳密には決定的なものではないからだ。このような問題では、ほかのすべての条件が同じであれば「〈魚をたくさん食べる人〉は〈そうでない人〉より糖尿病になる確率が平均20％高い」というだけで有意な関連性があるとされる。公衆衛生の観点では、このような関連が確認されたらそれは非常に強い関連とみなされ、「なんらかの対応を検討すべき」とされるのだ。

英国のように成人の糖尿病有病率が約６％だとして、「発病のリスクが20％上がる」ということは、「魚をたくさん食べる人100人につきおよそ１人糖尿病になる人が増える」という計算になる。このもとになっている観察結果を検証するためには、まずこの結果を再現しようとしなくてはいけないが、確実な再現は容易ではない。多数の人に「どんな食事をとっているか」尋ねて〈その人たちがうそもつかず物忘れもしていないこと〉を祈るしかない。そして何より、**その他すべての条件が同じ**と書かれた小さなフレーズが厄介なのだ。

糖尿病の発生率は、年齢、体重、性別、人種、運動の度合い、食生活におけるその他の特徴によっても異なることがわかっている。私たちが知っているものだけでもこれだけあるので、とりあえずこれらは考慮に入れなければいけない。「魚を食べる人と、魚を食べない人のあいだで、これら以外の要因によってどのような違いがあるか」について考慮したうえで、「それら以外の要因による影響以上に、魚を多く食べることによる影響が何かあるのかどうか」を調べなければならないのだ。だがここまでやったとしても、考慮に入れられるのは〈私たちが知っていて測定できる要因〉だけだ。糖尿病には強い遺伝性の要素があるが、（いまのところまだ）関係のある遺伝子がすべて知られているわけではない。このような研究の対象者全員のゲノム配列を残らず解析するのは無理だし、どっちみち十分に意味がわからないかもしれないのだから、この要素は考慮できない。

では、どうやって研究を進めていけばよいのだろう？

エビデンスの3本の柱

一般に、健康リスクのエビデンスには3本の柱――〈関連性のエビデンス〉、〈介入研究からのエビデンス〉、〈メカニズムのエビデンス〉――が必要だ。〈関連性のエビデンス〉は、多くの場合3本のなかで最も弱い柱とされる。なぜなら〈関連性のエビデンス〉のみで因果関係を正当に示すことはできないからだ。それでも、たいていは〈関連性のエビデンス〉が出発点となって研究が始まる。特定のコミュニティで起きている特別なことに気づく場合や、別の目的で研究をしていて偶然に観察される場合もあるだろう。そうした報告はしばしば統計的な偽陽性によるものであるケースも多いが、なかにはより多くの科学者がエビデンスを探し始めたり、より深い調査が必要と思われる事例が発生したりすることもある。最初に不安定な〈関連性のエビデンス〉しかなかったとしても、それでおしまいとはならないケースもある。ある集団では強い関連性が見られたのに、別の集団では弱い関連性しか見られない場合もあるのだ――その場合はほかの要因、すなわち〈魚の摂取と組み合わさって影響する要因〉の存在が疑われるようになる。

〈介入研究からのエビデンス〉は、当然ながら求められている。魚の摂取を制限することで糖尿病を予防できるのか、それとも〈魚を食べていなかった人たちの食生活〉で肉を魚に置き換えたら糖尿病を発病するのか？　だが、本気で「魚が糖尿病のリスク要因になる」と考えているなら、現実に後者の問いについて確かめることはできないだろう。前者の問いを確かめるにしても問題がある。たとえ魚を食べない実験に参加してくれるボランティアを集められたとしても、魚を食べることにはすでに広く認められている利益もたくさんあるのだから、それをむやみにあきらめろとは勧められないだろう。

となると、「実験動物で介入実験をしよう」と考えるかもしれない。生物学的メカニズムは種と種のあいだで広範囲に保存されている。人間を含めた生物が共通の祖先から進化してきたためだ。チャールズ・ダーウィンの偉大な貢献の一つであるこの理論は、論理的には別のものであるとはいえ、しばしば〈自然淘汰による進化の理論〉と結びつけられる。これら二つの理論はともに、ダーウィンによるエビデンスと推論のみによって維持されてきたのではなかった。第一に**総合説**と呼ばれる共通の枠組みのなかでグレゴール・メンデルの遺伝論と一体化させることができ、第二に分子生物学の発展とともに深まった遺伝学と統合させることができたから支持されてきたのだ。こうして、かつては検証できないため科学としては疑わしいと考えられていた〈生物が共通の祖先から進化してきたという理論〉は、反証可能な科学とみなされるようになった。この理論には、いまや予測可能な有効性がある。すべての動物の遺伝子を調べれば、その構造から共通の祖先のエビデンスが見つかるはずなのだ。ゲノム解析をすばやく低コストで行えるようになったため、このような統一性が明らかになった。

遺伝子は生物の奥底で維持されてきたが、形態や機能は大幅に多様化してきている。

人間の食生活はほかの大半の動物と異なっている。その特殊な食生活に進化適応した結果、人間の消化器官もまた特殊なものとなっている。したがって、研究に実験動物を用いることはできるが慎重にならなくてはいけない。実験動物を使えるのは、〈進化を通して保存されてきた事象〉を調べるときだけで、〈進化の過程で分岐してしまった事象〉を調べるときには使えないのだ。常識的に考えてマウスに魚は食べさせられないだろう。

そこでやはり重要な柱となるのは、〈メカニズムのエビデンス〉である。〈魚を食べることと糖尿病とのあいだにある因果関係〉を説明してくれるメカニズムを探さなければならないのだ。

この研究を進めるには、さらに多様な理論と仮説、膨大な背景知識が必要になるだろう。それらの背景知識には今回の問題とは一見関係ないように思えるものも多い。糖尿病についての既知の知識も見直さなければならない——糖尿病は、インスリンをつくる膵臓の細胞に細胞死や正常な働きの阻害をもたらす。そして、糖尿病を引き起こすほかの原因、遺伝的要因、肥満、さまざまな毒素についても思い出さなくてはならないだろう。

〈膵臓の細胞に損傷を与える毒素〉のなかには環境汚染物質もある。ポリ塩化ビフェニル(ＰＣＢ)はかつて工業用に広く使われていたが、その毒性によって現在は生産が禁止されている。ＰＣＢは簡単には分解されない。この特性があるからこそ工業的用途に適していたのだが、逆にそのせいでＰＣＢは環境の一部となり食物連鎖のなかに入りこんでしまった。ＰＣＢを含む〈塗料、油圧油、シーリング材、インク〉が廃棄されて川の水や地下水と混じり最終的に海に流れこんだ。ＰＣＢは水には溶けにくいが、油には非常に溶けやすいため川底の泥や海洋環境に蓄積され、泥のなかに生息する貝などの動物の体内に吸収される。それらの動物を食べる魚の体内にＰＣＢは蓄積していき、魚を食べる動物――人間も含む――の体内ではさらに高い濃度となる。ＰＣＢはこうして食物連鎖の一部となったが、ＰＣＢを代謝し排出する能力は動物の種によってまちまちだ。

ＰＣＢは油に溶けやすいため、哺乳類の脂肪を蓄える細胞、脂肪細胞に蓄積する。膵臓のインスリンをつくる細胞はこの脂肪細胞に取り囲まれており、ともに密接な関係にある。インスリンには〈体内のエネルギー供給を調節する役割〉があり、インスリンの分泌は、〈脂肪組織に蓄えられているエネルギーの量〉によって調整されているのだ。

糖尿病の原因の一つに、**脂質毒性説**がある。〈体内の脂肪の量〉が脂肪細胞に安全に蓄えきれないくらい増えると、余分な脂質は隣接する組織や血中に漏れ出て毒性作用を及ぼす。この毒性は〈過剰な脂質にさらされることによる直接の作用〉なのかもしれないし、〈脂質に溶けこんだほかの化学物質による間接的な作用〉なのかもしれない。

今回の事例では、仮説（魚を食べると糖尿病になる恐れがある）の検証を進めるために多くの要素がかかわってくる。まず、〈インスリンをつくる細胞〉の生物学を理解しなくてはならない。これらの細胞にＰＣＢがどのような影響を与えるか。食物連鎖に含まれるすべての動物がＰＣＢをどのように代謝しているか。ＰＣＢにさらされることでほかにどのような影響が生じるか。ほかにどんなリスク要因が関係しているか。魚を食べない食生活に移行した場合、ほかにどんな影響が出てくるか。同時に、別の仮説も考えておかなくてはならない。もしかしたら問題は腸内細菌叢（腸内フローラ）にあるかもしれないのだ。私たちの腸内には〈膨大な数の多様な微生物〉がいて、消化に重要な役割を果たしている。「腸内にどんな微生物がいるか」は食生活によって変化する。すべての微生物が良性の種とは限らず、炎症性疾患と関係しているものもいる。2型糖尿病も炎症性疾患の一つだ。ひょっとしたら、すべての魚に問題があるわけではなく、脂肪を多く含む脂ののった魚だけが問題なのかもしれない。しかし、魚の脂肪は〈栄養的によいとされる長鎖オメガ3脂肪酸〉を多く含んでいる。どのように知識を追い求めようとしても、**経路依存性**に陥ることは避けられない。研究プログラムが進むにつれ、科学者たちはたった一つの仮説に傾倒していく。なぜなら、それまでに科学者たちはその仮説に散々投資してきたからだ。必ずしも、系統的にその他の仮説を反証してきたからではない。

今回の事例は単なる仮想上の例ではない。世界的に見て、2型糖尿病の患者はどんどん増えている。だが、とりわけ先住民の集団のなかで増加しているのだ。カナダでは、ファースト・ネーションズと呼ばれる先住民の糖尿病有病率は一般集団の3～5倍であり、高い死亡率につながっている。遺伝やライフスタイルの違いによる多くのリスク要因が考えられるが、環境汚染物質の影響もまた、有病率や死亡率の差異に関連していると考えられている。疫学研究によると、いくつかのコミュニティにおいて2型糖尿病とPCBへの暴露との関連が明らかになっている。カナダではファースト・ネーションズの人々が、おそらく汚染された魚の摂取によって、一般集団より高いレベルのPCBにさらされているのだ。[2]

三角測量

先に述べた研究戦略は、**三角測量**と呼ばれることもある。原則としていくつかのエビデンスが集まって同じ結論に至れば、その結論に対する信頼度が増す。この場合の三角を成しているのは、〈関連性のエビデンス〉、〈介入研究からのエビデンス〉、〈メカニズムのエビデンス〉だ。これら3種にはそれぞれに欠点がある。

観察された要因と結果のあいだに〈関連性のエビデンス〉が見つからなかったら、当然「それらのあいだに重要な因果関係はない」と判断してよさそうだ。一方で、どれだけたくさん〈関連性のエビデンス〉があったとしても、それだけでは「確実に因果関係がある」とは言い切れない。

介入研究にもさまざまな理由で問題がある。通常、介入研究では一元的な検証を行う。一つの実験的要因にのみ変化をもたせ、ほかはすべて一定に保つのだ。だが現実には、一つの要因を変えれば必ずほかの要因にも変化が起きる。予測もつかない変化が生じるときもあれば、感知できない変化が生じるときもある。研究デザインによって非現実的な抑制が生じてしまったことによる変化もある。さらに要因のなかには、ほかの要因と合わなければ影響を及ぼさないものもあるだろう。

メカニズムの研究には通常、モデル生物や試験管内で培養した細胞株など〈特別な実験的設定〉が不可欠になる。個別のメカニズム実験は、計画上一元的であることが一般的だが、メカニズム研究プログラム全体では、仮定された因果連鎖の輪一つひとつをターゲットにした多岐にわたる実験を行わなくてはならないだろう。そして、ここにもまた脆弱性が潜んでいる。弱い輪が一つでもあれば鎖全体がもろくなってしまうのだ。

このように、**魚を食べると糖尿病になる恐れがあるのか？**という一見シンプルな問いに答えるためには途方もなく複雑な科学が必要になる。しかし、実はこれはそんなに驚くには値しない事例だ。というのも、「高脂肪の食事と心臓病とのあいだには関連があるかもしれない」と観察されてから１００年近く経つが、こちらも関連の本質どころか現実に人間の集団のなかでそうした関連が実在するのかさえはっきりしておらず、論争の的となっているのだから。

近年、欧州連合（ＥＵ）はこうした問題に取り組むため国際的かつ学際的な大規模コンソーシアム（研究連合）への資金を提供した。〈一国の力では用意できないほど多様な専門知〉を要する問題を解決するのが目的だ。こうしたプロジェクトには思わぬ利点もあった。協力が不可欠なとき、科学者たちは必要に迫られて、普段とは違う言葉を使って研究について説明しなければならなかった。〈同じ分野の研究を行っているいつもの科学者仲間〉と違って、〈複雑な専門用語だらけの話が通じるとは限らない相手〉を納得させなければいけなかったからだ。そのため、科学者たちは〈異なる分野の理論や知識〉も受け入れるようになり、矛盾の解明にも果敢に取り組むようになった。

とはいえ問題点もある。学際的なプロジェクトを資金提供機関に提案したり学際的な共同研究の成果を出版したりするとき、査読のプロセスが弱くなってしまうのだ。こうしたプロジェクトやその成果を総合的に判断するためには広範な技術的理解が必要だが、そのような査読者はほとんどいないかもしれない。さらに、共同プログラムにかかわる人数も資源も増え集団への投資が大きくなっていくと、共通の目的を推し進めるための結果を出すよう個人にかかるプレッシャーも大きくなっていく。専門知識の共有の絆は弱くなり、既存の権威に対する依存はますます強くなっていくのだ。

しばしば大きな全体像は、細かな粗を隠してしまう。

決定不全性

このようなわけで、**魚を食べると糖尿病になる恐れがあるのか？**はシンプルな問題ではない。そして、この問題には科学哲学において〈とりわけ影響力のある考え〉もかかわっているのだ。その考えとは、デュエムとクワインのテーゼ、〈経験的証拠による理論の決定不全性の命題〉である。[3] 理論物理学者のピエール・デュエム（1861〜1916）は、「どんなにうまく計画した実験であっても、一つの仮説だけを分離して検証することはできない」と主張した。常に〈相互に関連する前提〉、〈理論〉、〈仮説が連結された集合〉を検証するしかないのだ。実験が予測と一致しない場合、わかるのは「〈このグループを構成する仮説〉のうち少なくとも一つが満足のいかない状態であり修正すべきである」ということだ。しかし実験を行っても、「どの仮説を変更すべきか」はわからない。[4]

哲学者のウィラード・ヴァン・オーマン・クワイン（１９０８〜２０００）は、この考えをさらに発展させた。私たちの知識や信念はすべて人の手によってつくられた織物であり、そのへりに沿ってのみ経験に影響を与える。……織物全体の状態は、へりの状態に、すなわち経験によってはほとんど確定されない。そのため、「どの言明をどの反対の経験に照らして再評価するか」、選ぶ自由は十分にあるのだ。[5]

したがってデュエムとクワインのテーゼによれば、「入手可能なエビデンスだけでは本質的に、理論的説明の信念を正当化するのはいつまでも不十分なままである」ということになる。そのため、エビデンスから導かれる抽象的な論理は決め手としては不完全で、〈エビデンスを同じくらいもっともらしく説明できる理論〉が複数あったとき、そのなかから一つの理論を選ぶ根拠とはならないのだ。

この挑戦に対してポパーはこう答えた。科学者は「エビデンスを説明できるから」という理由だけで理論や仮説を選択しているわけではなく、「それらがシンプルで、大胆で、検証可能だから」という理由でも選んでいるのだ。ポパーのいう**大胆**とは「広範な予測の可能性を秘めている」という意味であり、**検証可能**とは、「それらの予測が反証可能である」という意味だ。しかし、この文脈での**シンプル**には客観的な意味がないように思える。数学者の考える**シンプル**と、実験科学者の考える**シンプル**の意味は、相当に異なっているだろう。ガリレオの太陽中心説は、ローマ教皇ウルバヌス8世が的確に述べたとおり、〈太陽系の数学的表現〉であり〈地球中心説を書き換えたもの〉と論理的には同じである。つまり、科学と数学のみが独立して客観的真実の最終決定者となりえるわけではない。教皇は、教会こそ正統な最終決定者であると考えていた。一方、自然の法則を数学の形式で表すのをアプリオリとしていたガリレオにとっては、最もシンプルな数学的表現こそが**真実**であったのだ。

現代の科学者はこのような観念に苦しんだりはせず、現実的かつ実利的に仮説を選んでいる。仮説選びの基準には以下の三つがある。（1）（関係者に）説明しやすいという点でシンプルな仮説。（2）現在容易に利用できる手段で検証可能な仮説。（3）「実用的価値がありそうだ」という意味で興味深い仮説。このような基準に沿って選ぼうとすると、そんなに多くの選択肢はない。ある物理学者が述べているとおり、**たいていの場合、〈拡大していく一般知識を無理なく受け入れる合理的な理論構造〉を一つでも見つけることが難しいのだ。**[6]

最後に、〈仮説選択の経路依存性〉について述べておく。仮説は、特定の説明要求に反応して、前にあった仮説から生まれるものだ。いったん仮説が立てられると、科学者はそれに投資するため仮説は維持される。そして投資に対する見返りが少なくなり、「一時的な損失に目をつぶってでも別の仮説に乗り換えたほうが得になる」というところまで投資を続けるのである。

第10章

誇張された主張、意味の柔軟性、ナンセンス

「死人が生き返るのを見た」と言う人がいたら、私はすぐにこう考える。この人は私をだまそうとしているのか、それともこの人が誰かからだまされているのか、または、この人が話しているとおりのことが本当に起こったのか。「これらのうちどれが最も奇跡らしい奇跡であるか」を見極めたうえで判断を述べる。私は常に〈最も驚きに満ちた奇跡〉を拒絶する。〈その人が語る出来事そのもの〉よりも〈その人の証言が虚偽であること〉のほうが奇跡であるかのように思えたときに初めて、その人は私の信用や見解を操ろうとすることができるのだ。

——デイヴィッド・ヒューム[1]

第6章で見たように、〈科学者コミュニティに存続の危機が生じるような見解〉が科学で進展し、そのことによって〈従来の研究の価値が疑問視され、自分たちの信頼性が台無しにされる事態〉になったとき、科学者たちは激しい反応を示す。科学論文は通常、礼儀正しい文体で書かれている。少なくとも、〈さほど関心が高くない読者〉には気づかれないくらい、辛辣な意見は〈一見当たり障りのない表現〉の裏に隠されている。しかし、状況によっては痛烈な言葉があからさまに使われる場合がある。たとえば、〈過去の知識を無視して不合理な主張を広めようとしている科学者〉がいたら、ほかの科学者たちの反応は容赦のないものになるだろう。一部の科学者が解釈の**適正な手続き**を踏まずに――〈適切な理論との関連づけ〉や、それによる〈より広範な知識の集合との関連づけ〉を怠って――**主張を事実**に格上げしようとしたときも同様だ。

ゲノム

ヒトのDNAを構成する30億もの化学的構成単位（**核酸塩基対**）の配列を決定するため、1990年にヒトゲノム計画が開始されたとき、この配列のなかにいったいいくつのタンパク質構造遺伝子があるのか、分子生物学者たちには想像もつかなかった。2000年、のちに欧州バイオインフォマティクス研究所の共同所長となるユアン・バーニーは、遺伝学の会議に出席した際に、バーで遺伝子の数をあてる賭けを始め、コンテストまで開いて1000人以上の参加者を集めた。[2] 参加者が予想した数は、およそ

2万6000～31万2000以上にまで及んだ。そして、実際のヒト遺伝子の最終集計結果は2万ほどだった。ヒトのゲノム（遺伝情報）に含まれる遺伝子の数はニワトリよりは多かったが、タマネギよりははるかに少なかったのだ。[3]

ヒトゲノムのうち、タンパク質コード遺伝子（タンパク質構造の情報をもつ遺伝子）は約1・5％しかなかった。では、残りの部分はなんなのだろう？　残りのDNAの大部分はジャンク、つまり、がらくたに違いないと考えられた。この結論を支持する根拠は二つあった。一つ目は、かなり近い関係の種どうしでさえ、ゲノムのサイズは大幅に異なっていたこと――ゲノムのサイズは、「その種が系統樹のどこに位置するか」にまったく関係がないようなのだ。たとえば、メキシコサンショウウオのゲノムはヒトのゲノムより10倍も大きいのに、トラフグのゲノムはヒトのゲノムの7分の1である。二つ目は、生物のゲノムのサイズが、その生物の複雑さとはまったく関係がないこと。これまでに配列が決定されたなかで最大級のゲノムをもつのは、単細胞生物であるアメーバ・ドゥビア（*Amoeba dubia*）だ。このアメーバは6700億ものDNA単位をもち、ゲノムのサイズはヒトの200倍もある。[4]

ジャンクDNA

ジャンクDNAという言葉は、1972年、遺伝学者の大野乾（1928～2000）が用いたもので、科学用語の一つとなった。[5] 大野は、世代ごとにゲノムにランダムな自然突然変異が生じる確率を調べていた。このような突然変異が重要になるのは、変異が**遺伝子座**で起こった場合だ。遺伝子座とは、遺伝子そのものがある位置、または、遺伝子の**プロモーター領域**や**オペレーター領域**のことだ（プロモーター領域やオペレーター領域は、通常、DNAの遺伝子に近い位置にあって、「どの細胞でどの程度発現するか」といった、遺伝子の調節にかかわっている）。突然変異のなかには〈有益なもの〉も少し、〈どっちつかずのもの〉もいくつかあるが、〈有害なもの〉が多数を占める。「一世代につき、どの遺伝子座でも10万分の1の確率で有害な突然変異が起こる」と大野は推定した。有害な突然変異は自然淘汰によって取り除かれるが、その確率もまた限られている。これは淘汰圧による機能だが、たとえ淘汰圧が強く働いても、集団から有害な突然変異体が取り除かれるまでには何世代もかかるのだ。したがって、大野はこう考えた。〈自然淘汰より速いスピード〉で有害な突然変異が積み重なっていったら、遺伝的適合性はしだいに低下していくのではないか。大野は、「ヒトのゲノムのうち有害な突然変異のターゲットとなる恐れがあるのは約6％のみだ」と推測した――つまり、〈有害な変異によって損なわれると困る機能がある部分〉は、約6％だけということだ。既知の遺伝子のサイズから考えて、「ヒトのゲノムには3万ほどの遺伝子座しかないだろう」と大野は考えていた。実際の遺伝子の数が明らかになる30年近く前に、大野はおよその数を推測していたのだ。

自然突然変異の確率がわかると、「新しい遺伝子がどのようにして生まれるか」を理解するための手がかりになる。計算をしてみると、「〈ゲノムの個別な点でのランダムな自然突然変異〉によって新しい遺伝子が生まれることは、ほぼありえない」とわかる。そのかわり一般に、新しい遺伝子は〈遺伝子全体の重複を含む変異〉によって起こる。[*1] 遺伝子の重複が起こると、新しいコピーは余剰となり、このコピーにさらにランダム変異が起こっても淘汰圧にさらされずに累積していく。ときどき、こうした変異によってコピーに新たな機能がつき、新しい遺伝子が生まれるというわけだ。しかし、すべての遺伝子がこんなふうにして生まれるとしたら、自然界は実験の失敗作だらけになりそうだ。大野はこう述べている。**地球には絶滅種の化石があちこちに残っている。同じように、私たちのゲノムにも絶滅した遺伝子の名残がどっさりあっても不思議ではないのでは？**[6]

偽遺伝子に加え、ゲノムの約90％には見たところ〈機能のない反復的な、変異的に退化した物質〉が散らばっている。こうした300くらいの塩基対から成る**寄生性**配列のうち一つが、およそ100万回コピーされ、ヒトのゲノムの約10％を構成している。これらは**Alu要素**と呼ばれ、血友病や乳がんなど、多数の遺伝性疾患と関係があるとされている。こうした遺伝子素は役立つ機能をもっていないにもかかわらず増殖能力があるので、**寄生性**であるとか**利己的**であるといわれているのだ。

＊1　DNAのなかである領域が複製されることによって、一つの個体のなかに〈同じ機能をもつ複数の遺伝子〉が存在するようになることがある。これを遺伝子の重複という。

ENCODE（エンコード）コンソーシアム

ゲノムのなかには、「体内のどこで、どの程度の遺伝子産物を発現させるか」を制御する調節領域がある。ゲノムにはほかにも、〈タンパク質をつくるのではなく、タンパク質合成に役立つRNAをつくる遺伝子〉が多数ある。このような生物学的**機能**をもつDNA断片は、ある種の特徴をもっている場合が多い。たとえば、〈遺伝子発現を制御するタンパク質〉は、たいてい特定のDNA配列と結合している。そのため、これらの特性をもつDNA断片を探せば、遺伝子をコントロールする**マスターコントローラー**すべてを発見できると考えられたのだ。

それに応じて、〈DNA要素の百科事典をつくるための大規模な共同プロジェクト（The Encyclopedia of DNA Elements, ENCODE）〉が開始された。**タンパク質レベル、RNAレベルで作用する要素**や、〈**遺伝子が活性化する細胞や環境をコントロールする調節要素**〉といった、**ヒトゲノムの機能要素の総合的なパーツリスト**を構築するのが目的だ。[7] ２００３年に、ヒトゲノムの１％を調べることを目的とした予備計画が始まり、2007年には、ヒトゲノム全体の調査へと拡大し、その後さらに、ほかのゲノムまで網羅するようになった。

ある解説者は2016年にこう語っている。このプロジェクトは、〈ゲノム配列を単に類型化し比較すること〉から、〈機能の直接的指標を調査すること〉への大きな飛躍を意味する膨大な量のデータを生み出した。このデータは、〈特定のランドマークを見つけるための地図〉として機能し、仮説を導き出し、ゲノム生物学の基礎となる原理とメカニズムの理解に私たちを導いてくれる。[8]

2012年、ENCODEコンソーシアムは、組織的なPR活動の後押しを受け、「ヒトゲノムの80%はなんらかの役に立っている」ともとれる主張をした。この主張はすぐさま科学誌に取り上げられ、プロジェクトの結果はジャンクDNAの消滅として報じられた。[9]

テレビの不滅性

「ヒトゲノムの80％は機能している」ともとれる結論は、従来の理解に真っ向から対立する主張だった。あっという間に批判が集まり、なかでも2013年にダン・グラウルがこの考えに対して表明した考えは、トレヴァスの文章（第6章を参照）と比べても激しいものだった。グラウルと共同研究者たちは「テレビの不滅性に関して：進化論を無視するENCODEによる福音がもたらすヒトゲノムの機能」（On the immortality of television sets: 'function' in the human genome according to the evolution-free gospel of ENCODE）と題する論文のなかで、こう述べている。ENCODEコンソーシアムは、〈ランダムなデータのなかに意味のあるパターンを見出してしまうという人間特有の傾向〉に相当するゲノム上の罠にはまったのだ。このようなばかげた結論に至ったのは、いくつもの論理的違反、方法論的違反が重なったからだ。ENCODEの結果を出した著者の一人は、「この結果によって教科書の書き換えが必要になるだろう」などと述べているが、確かに、マーケティングやマスメディアの誇大広告やPR活動にまつわる教科書を、どっさり書き換える必要があるのだろう。[10]

グラウルは、「ENCODEの作者たちは後件肯定といわれる論理的な誤りを犯したのではないか」と論じた。「〈生物学的機能をもつ領域〉の特徴が、ゲノムの別の領域にもあることを見つけただけで、そうした領域すべてにも機能があるに違いない」と非論理的に結論づけてしまったのではないか。この議論の原因の一部は、機能という用語の使い方にあるだろう。自然言語において、何かの機能とはそのものの固有の役割であり、それに特別に備わっている働きである。生化学者にとっては、「あるDNA配列があるタンパク質と結合するなら、それだけで機能がある」といえる。しかしそれだけでは、生物に生理学的影響があるとはいえない。「それ自体に固有の役割がある」とも、「特別に備わっている働きがある」ともいえないだろう。

ショーン・エディはグラウルの論文の特徴を評してこう述べた。怒りに満ちていて、独善的であり、言いたいことがわかりづらく不正確な点もある。その結果見苦しい学問的論争を引き起こした。内容よりも口論に終始し、「機能」という言葉をめぐっての単なる口げんかと思われる始末。しかし、グラウルの非難は痛いところを突いていたのだ。エディはこうも述べている。**ENCODEが〈極めて合理的なデータ生成プロジェクト〉を、〈革命的結論をもたらす仮説検証〉とみなしてあまりにも稚拙に展開している点には困惑させられる。**[11]

この議論の核心にあるのは意味論の問題だ。**機能**という言葉が、どのような意味で使われていたか。ENCODEコンソーシアムは初めこの言葉を〈狭い文脈に特有の技術的な意味〉を伝えるために用いていた。ところがその後、結果を提示するときには、〈もっと広い意味での**機能的意義**を含むもの〉として用いていたのだ。これはよくある問題だ――第8章でも述べたように、**ストレス**や**渇望**など多くの言葉を、科学者たちはさまざまな意味の専門用語として使っているが、どれも自然言語のなかで用いられている意味とは異なっている。科学者は、「自分たちの研究を一般の人々にわかりやすく伝えなければならない」という圧力に常にさらされているので、その過程で真意があいまいになったとしても不思議ではない。だが、その過程で科学者自身まで混乱してしまったのでは元も子もない。「科学者は話すときも書くときも、わけのわからない専門用語を使いすぎだ」とよくいわれるが、専門用語を使わないようにしすぎて問題が起こることもあるのだ。[*2]

中立的な立場からの研究

ＥＮＣＯＤＥをめぐる議論があれほど激しくなったのは、〈生物学における**巨大科学**的アプローチに対する不安〉もあったからだろう。**中立的な立場からの研究**という決まり文句を掲げた、〈仮説に基づく科学〉に対する反対運動がある。中立的な立場からの研究には、ＥＮＣＯＤＥプロジェクトのような**ハイスループット**（**高生産性**）の研究も含まれる。このような研究では、多様なデータを包括的に収集し、それを分析して関連を見つけ、新たな洞察へつなげる。生物学においてこうしたアプローチは新たなテクノロジーによって進められてきた。**ゲノミクス**は、ヒトのゲノム全体の塩基配列の決定を

＊2　現在では、ジャンクＤＮＡといわれているゲノムの90％以上の部分はタンパク質をコードしていないものの、ＲＮＡには転写されていることが明らかになっている。そして、これらのＲＮＡは細胞が生きていくうえで重要な様々な機能を担っていることがわかっている。

可能にする。**プロテオミクス**は、生物がつくるタンパク質の総体を明らかにする。**トランスクリプトミクス**は、細胞または細胞群によって発現されるRNA分子群を特定する。**メタボロミクス**は、細胞内または生体内の化学プロセスから生じる代謝産物群を特定する。**コネクトミクス**は、脳内における神経細胞間のつながり全体をマッピングする。昔から存在するアプローチのなかで、大量のデータを用いるものもたくさんある。たとえば**疫学**は、公衆衛生政策の基礎となっており、病気と環境要因との関連から病気の原因を推測することを目的としている。

こうした活動のスケールの大きさと拡大のスピードは驚くべきものだ。1990年に始まったヒトゲノム計画は、たった15年でヒトゲノムのDNA配列——約30億の塩基対——を決定することを目的としていた。そして18カ国もが協力して進めたこの計画は、予定より2年早く2003年に完了した。ゲノム配列の決定に実際にかかった費用は5~10億ドル。[12] しかし2016年には新しい機械を用いて、ヒトゲノム配列の決定を1時間ほどで、しかも約1500ドルで行えるようになった。その後、コストはさらに下がってきている。

２０１２年、英国政府は10万ゲノムプロジェクトを開始した。ある種のがんや感染症など、まれな病気にかかった患者のゲノム配列を決定するのが目的だ。[13] このようなアプローチは、「できるだけ多くの観察対象から十分なデータを集めれば、情報科学的手法により因果関係を突き止めることができる」という信念に基づいている。したがって、「こうしたアプローチには特定の仮説は必要ない」と主張する人もいる。「データがおのずから事実を語ってくれる」というのだ。この見方からすれば、「仮説に基づく科学は、そもそも先入観にとらわれている――仮説を追っていたら〈探している事柄〉しか見つけられず、〈もともと期待していた結論〉以外の解釈には目を向けなくなる」ということになる。

ハイスループット研究は、ときには眉をひそめられながらも必要悪として受け入れられている。必要悪とされるのは、「これらの研究が非常に高コストで、〈従来の仮説に基づく研究〉から資金を奪ってしまう」からだ。そして、「十分なデータさえ集めればそれらがおのずから語ってくれる」という建前は、しばしばあざけりの対象になっている。より洗練された考え方は、「データの関連性のみから因果関係を推定することはできないが、関連性を見つければそこから新たな仮説が生み出されその仮説を検証すればよい」というものだ。非自明な仮説には必ずなんらかの基礎がなくてはならず——杭はそれ自体がいくら強くても下支えがなくては立てられない——、大胆な仮説は、〈さまざまな問いを生じさせる知識が十分にあるところ〉に最も立てやすいのだ。

「パ、レ、イ、ド、リ、ア、」：ランダムで不明瞭な視覚的パターンを見て、しばしば特定の意味のある形を認識してしまう傾向。[14]

このような**巨大科学**——多くの**小さな科学**においても同様かもしれないが——における問題は、雲を見れば何かの形に見え、なんでもない雑音のなかからメッセージを聞き、意味もなく置かれた点やランダムな数字にパターンを見出す私たち人間の傾向にある。1955年、心理学者のミシェル・ゴークランは『星の影響』(*The Influence of the Stars*)という本を書き、そのなかで「かなりの数の一流スポーツ選手が、誕生した地域で火星が昇った直後あるいは子午線を通過したときに生まれている」と報告した。[15]

このような本が注目されていることを受け、米国懐疑主義的調査委員会とフランスの超常現象研究委員会は大規模な再現研究を行ったが、どちらも相関を再現することはできなかった。[16] これらの再現研究によって、ゴークランの研究の欠陥がいくつか明らかになった。なかでも大きな欠陥は、**主流**の学術論文でもよく見られる、多重比較の補正が不十分であるという欠陥だった。

科学者の大半はこの問題について熟知しているが、実際の研究では忘れられてしまう場合がある。統計的検定の結果はすべて偶然に左右されるため、その結果は真実かもしれないが、**偽陽性**または**偽陰性**である可能性もある。科学者は通常、統計的に有意な結果かどうか判断するために任意の基準を用いる。一般的にその基準値は$P<0.05$と定められる。このP値には専門的な意味がある。少なくとも〈観測される差異〉と同程度の差異がまったくの偶然に見つかる確率――つまり、単一の母集団から無作為に抽出したサンプル間でそのような差異が見つかる確率だ。非公式には、$P<0.05$は、「検定の結果が**偽陽性**である確率は5％未満である」という意味にとられる。無作為のデータを用いて同じような検定を14回行ったら、1回以上偽陽性の結果が出る確率のほうが大

きくなる。

多重比較の問題点は、検定を行えば行うほど、ある検定が偽陽性を覆す可能性も高くなる点だ。したがって、厳密な統計解析では、このことを考慮してP値を補正しなければならない。すると検出力が小さくなるので、サンプルサイズを大きくして補う必要がある。

しかし、そうすると今度は、多くの因子を測定してそれらのあいだの関連を探索するような**探索的研究**の問題につながる。10個の因子に関するデータを集めて、そのうちの任意の二つのあいだのすべてのありえそうな関連を調べるには、分析の方法によっては1万8000回以上の比較が必要になることもある。この方法によって真の関連を見つけ出すには、まさに膨大なサンプルが必要になるのだ。

だが、こんなふうに1万8000回も統計的検定をする人はいない。おそらく、ほかのエビデンスに基づいてあらかじめ関連を推定したいくつかの因子のあいだの検定を行うだけだ。しかしそうだとしたら、何を比較するかは実験前に決定できたはずだ。現在、医薬品の臨床試験は、確固たる方法論的ガイドラインに沿って行われることが求められている。適切に設計された臨床試験では、「何を比較するか」、「どうやって比較するか」は前もって選択されており、〈臨床試験の事前登録の段階〉で公表されている。このことは研究の主要評価項目を指定するもので、このように仮説を事前に宣言することで検出力の大きな検定ができるようになる。また、その検定の正確な内容も登録しなければならない。

しかし、〈事前登録される実証研究〉はほとんどなく、多因子研究の大半は探索的なものだ。研究者たちは、なんらかの関連があると疑ってはいるがそれが「どこにあるかはわからない」という状態なのだ。この場合、研究者は研究の結果に基づいて「どの因子を比較するのか」を選択する可能性が高い。つまり、関連があるように見える因子間の検定のみ行うのだ。たとえば、異なる都市に住む人々の体重を推定するために、それらの都市の集団からサンプルを抽出し最も重いグループ――仮にエディンバラとする――と最も軽いグループ――仮にベルファストとする――を比較して、「エディンバラの人々のほうがベルファストの人々より有意に太っている」と結論を出すようなものだ。この調査で、ロンドンやカーディフやブリストルやダブリンなどのサンプルを無視しているとしたら、この検定は不合理で結論も正しいとはいえない。だが、論文上でエディンバラとベルファストのデータしか報告しないとしたら、「ほかのサンプルが無視されて多重比較が行われていない」ことなど誰も気づかないだろう。

かわりに研究者たちはあとづけで仮説をつくり、たとえば「計画した主要結果は既知の食生活の違いに基づくエディンバラとベルファストの比較だった」と主張するかもしれない。すべてのデータを提示したとしても「この研究は〈エディンバラとベルファストの比較〉に焦点を当てたもので、残りのデータは〈探索調査のための単なる情報提供〉であって検定の対象ではない」と述べるかもしれない。

このような〈隠された多重比較の問題〉は、カール・ピースと共同研究者たちが行った〈栄養疫学のメタ分析の研究〉によって明らかになった。[17]〈砂糖入り飲料の摂取と2型糖尿病との関連のメタ分析〉についてピースたちが調べたところ、メタ分析に使われた一次研究の多くは多重比較を考慮に入れていなかった。あるメタ分析に使われた10本の論文それぞれに目を通して、結果、予測因子、共変量の数を数え、理論上の探索空間のサイズを推定した。つまり、可能な比較の仕方の総数を出したのだ。各論文の概要に書かれている主要な調査結果を読むと、比較可能数の中央値は6・5しかないように見えた。ところが各論文の全文を見ると、比較可能数の中央値は19万6608もあったのだ。各研究において〈予測因子となりうる食品〉は60〜165種類あった。ピースたちはこう結論づけた。**これらの論文の主張は統計的に裏づけられていないため信頼性が低い。したがって、これらをもとにしたメタ分析の論文もまた信頼性が低い。**[18]

こうした問題は科学の多くの分野に見られる。そのなかには、客観的な結果が最先端の技術によって得られたかのように見える場合もある。2018年、ショーン・デイヴィッドと共同研究者たちは、機能的磁気共鳴画像法（fMRI）――脳スキャン――を用いた179件の研究を分析した。これらの研究は「脳のさまざまな領域のサイズは性別によって異なる」と報告していた。[19] このような違いはあってもおかしくはない。コーデリア・ファインが述べているとおり、脳のいくつかの領域は著しく性別によって異なっているし、その他の多くの領域にも小さな違いが存在する可能性がある。[20] そのうちのいくつかには、生物学的解釈を与えることができる。たとえば、ある脳領域は性別固有の生殖機能を制御しており、発育段階で決定される方法で違いが生じるものもある。しかし、脳は可塑性があり経験によって生涯を通じて発達していくので、いくつかの違いは単に文化的な違いや生活様式の違いによるものであり、認知能力にはなんら関連がないかもしれない。ファインは結論としてこう述べている。〈小規模で検出力の低いｆＭＲＩ研究による発表〉が横行し、脳の性差に関する偽陽性の主張が広まり、そのせいで**検証されていない〈ステレオタイプな解釈に合致した機能的解釈〉が拡散している。**

デイヴィッドたちが調査した研究の大半はサンプルサイズが小さかった。サンプルサイズが少ない研究では、統計的有意性の閾値に達しない場合が多いため、小さな差異を見逃す可能性が高い。通常のｆＭＲＩ研究は小規模なため、たとえ本当に差異があったとしても有意な性的差異は見つからないケースが多いはずだ。それなのに１７９件の研究のうち１５８件において、「さまざまな領域で〈一つまたは複数の有意な差異〉が見つかった」と報告されている。サンプルのサイズからしても、差異の大きさからしても、考えられない結果の出方だ。

この結果には、文献にまつわる二つのバイアスが働いていると思われる。「〈有意な差異が見つからなかった研究〉は発表されない」ということによって生じる**出版バイアス**と、**選択的結果・分析報告バイアス**だ。これらのバイアスは、「**柔軟性のありすぎる分析方法、不適切な統計的手法、現在の報酬・奨励制度がもたらす〈最も有意な結果報告への選択圧〉**から生じている」とデイヴィッドたちは結論づけた。[21]

論文の査読者にとってこのような問題を見抜くのは難しい。「報告されていないたくさんのデータがあるのではないか」、「潜在的な多重比較が無視されているのではないか」、「仮説とされているが、これは事後につくられたものなのではないか」、などと疑うことはあるかもしれない。しかし、こういった疑いを証明するのはほぼ不可能だ。それに、こうした欠陥が必ずしも意図的なものとは限らない。一般に科学者は、たとえ研究の結果を見るまでそのことに気づいていなかったとしても、「妥当な論理的根拠に基づいてデータを分析したのだ」と自分を肯定してしまうものだ。

ゴークランの星占いについての発見は、バリー・バーンズ、デイヴィッド・ブルア、ジョン・ヘンリーといった一流の科学社会学者たちによって深刻に受け止められた。

星占いに戻って

ミッシェル・ゴークランによる〈星占いを支持する統計的エビデンス〉は、科学者たちがうまくこれを無視しなければ、彼らに深刻な屈辱をもたらすことになるだろう。しかし、いつかこの件が〈科学的方法の偉業〉としてたたえられる日がくるかもしれない。ゴークランの研究は、〈現代の科学理論によって認識されていない力や相互作用の存在〉を示唆しているように思えるが、方法論的原理と経験的証拠に基づいており、これまでのところ懐疑的な挑戦には耐えているのだ。[22]

右の文の著者たちは、「ゴークランのエビデンスの統計的欠陥に気づいていなかった」と言われても仕方ないだろう。多くの分野において、ほとんどの科学者は自分たちが採用した検定についてさえ深く理解していない。一流といわれる学術誌にさえ欠陥のある論文がよく見られる。「欠陥がまったくない論文はめったに見られない」ということについて、〈医学統計学者で『内科学年報』（*Annals of Internal Medicine*）の編集者〉のスティーヴ・グッドマンは次のように語ったとされている。**私は、ほとんどの文献には誤りがあるとみなしている**[23]。

　科学者の大半はゴークランの研究を無視した。科学者は、自分が興味もなく専門性もない分野の膨大な論文を無視する。そして自分の専門分野の論文でも、〈あらかじめ信頼性の基準に達していない論文〉の多くを、少なくとも最初のうちは無視するのだ。〈統計的分析によく見られる多くの欠陥の性質〉についてはほとんど理解されていないが、それらの蔓延は、文献の**ノイズ**の一部として広く認識されている。〈関連性のエビデンス〉は、因果関係を示す証拠としてはうまくいったとしても弱い。〈関連性のエビデンス〉に信頼性をもたせるには、ほかのタイプのエビデンスと組み合わせるしかない。たとえば〈前向き研究からのエビデンス〉、〈介入研究からのエビデンス〉、決定的なものとしては〈メカニズムのエビデンス〉だ。

科学者たちがどんなに開放的でありたいと望んだとしても、ゴークランの論文は進むべき道を示してはいない。火星の軌道を乱すことは不可能なため、介入研究を考えることは困難だ。〈メカニズムのエビデンス〉を得るには、〈エビデンスのもととなる多様なソース〉を統合するための〈洗練された理論の枠組み〉が必要だが、この論文にそんな枠組みはまったく存在しない。

結局、ゴークランの説を真剣に受け止める科学者は非常に少なかったが、非常に珍しい例として、著名な心理学者であるハンス・アイゼンク（1916~1997）がいた。そこで星占いの効果についていくつか追加のテストが行われたが、結果はすべて否定的だった。[24]

ハンス・アイゼンク：もう一つのナンセンス

科学者は、「自分たちの仕事の世界で虚偽行為はめったにない」と信じている。そう考えるのにはもっともな理由があるのだろう。そのような虚偽行為がまれなのは、科学機関が極端な制裁を科しているからではない。虚偽行為を証明するのが難しく、〈説得力のある証拠〉もなしに「虚偽行為があった」と申し立てるのは危険だからだ。本当に虚偽行為がめったにないとしたら、それは科学者が外部の利益のためだけに、あるいは自身のキャリアアップのためだけに研究を行っているのではなく、何よりも**どうしても知りたい**という好奇心に駆られて研究をしているからだろう。意図的に虚偽行為を働いたら、この心をまがいものにしてしまうことになる。科学者の自己認識の核心にあるのは、この心なのだ。

だから、科学的な虚偽行為があると科学者は深くショックを受け、その行為を絶対に許さない。虚偽行為を証明するのは難しいが、原因がなんであれ誤りを犯すと〈科学者の狭いコミュニティのなかでの評判劣化〉という形でのペナルティーが科せられる。小説家のドロシー・セイヤーズは、作中で探偵ピーター・ウィムジイにこんな言葉を語らせている。**科学を成立させている唯一の倫理的原則は、「常に真実を語らねばならない」という原則である。もし私たちが〈誤って行われた虚偽の申し立て〉を罰せずに見逃していたら、どうなると思いますか。今度は、「わざと虚偽の申し立てをしてもよかろう」**

と考える輩が出てくるかもしれません。そしてもちろん、〈意図的に事実に関して虚偽の申し立てをすること〉こそ、科学者が犯しうる最も重大な犯罪なのです。[25]

アイゼンクは〈科学的な厳密性への傾倒〉を公言していた。その傾倒ぶりは、彼が統計的分析に信頼を置き、しばしば「相関が因果関係を意味している」と信じこんでいたこと、「複雑な統計的分析のなかで取り上げられた抽象的な要因に具体的な意味がある」と信じこんでいたことに表れていた。アイゼンクはこの点で、博士課程の指導教官であったシリル・バート（1883～1971）の教えに従っていたのだ。バートは、〈知能の遺伝性に関する研究〉で最も有名な人物だ。これらの研究の数々は、人種や階級に基づく差別を正当化するために広く利用されてきた。

1974年にレオン・カミンの著書『I.Q.の科学と政治』（1977年、黎明書店）が出版されたとき、バートは「統計的相関を裏づけるためにデータを偽装したのではないか」と疑いをかけられた。[26]その後も、「研究のやり方が不注意だったのではないか」、「結果の解釈に概念的な欠陥がある」等の批判が続いた。1995年、ケンブリッジ大学の実験心理学教授ニコラス・マッキントッシュは、**バート事件**に関する論文集を編纂した。[27] エビデンスに関する総括のなかで、マッキントッシュはバートのデータに関してこう述べた。**非常に不十分で誤りに満ちており、彼が提示した数字になんの信頼も置くことはできない。**

２０１９年には、アイゼンク自身の研究にも疑いの目が向けられている。「致死的疾患の原因、予防、治療に関する研究プログラムにおいて虚偽行為があったのではないか」というのである。[28]『健康心理学雑誌』（*Journal of Health Psychology*）の編集者は、アイゼンクが所属していたキングス・カレッジ・ロンドンと英国心理学会に公開書簡を送り、61本の論文について詳細な調査と撤回または修正を求めた。[29]

科学者はみな、「自分は批判的で懐疑的で厳格な人間である」と思いたいものだろう。おそらくそれぞれの限られた専門分野のなかでなら、たいていの科学者はそうかもしれない。しかし、系統的な懐疑主義を維持するのは、人間ならではの理由があるからこそ難しい。「他人がうそをつく」とか「わざと誤った方向に導く」といったことは、そもそも想定しないように私たちはできている。「人は軽々しくうそばかり言うものだ」と考えていたら、〈最も人間らしい特性である言語〉の価値がなくなってしまう。だから、私たちは〈疑うだけのもっともな理由〉がなければ人の言うことを信じるのだ。

ほとんどの場合、人はまず自分自身を欺いてから他人を欺く。これは故意の行為というより巻き添え被害に近い。つまり人はほとんどの場合、誤って虚偽の申し立てをしてしまうのだ。

第11章

複雑性および、因果関係を語る際に生じる問題

20世紀の前半に、量子物理学と宇宙論のそれぞれの観点から「我々の直感に適合するような〈世界の根本に関する理解〉をつくりあげることは不可能だ」ということが示されたように思われる。これらの分野の科学者たちも、彼らが理解していることの真意を一般の人たちに伝えようとはしたのだろうが有意義な方法は見つからなかった。見つからなくてもあまり問題はないようだった。なぜなら、これらの理論が取り組んでいるパラドックスは通常の経験の領域外にあるからだ。しかし、物理学におけるほかの進歩はより広い範囲の問題を引き起こした。

20世紀になってからもしばらくは、ニュートンの万有引力の理論やマクスウェルの電気力学のように物理学の基本理論の多くは基本的に線形だった。線形系においては、**原因**には予測可能な**結果**がある。たとえば、ある系が二つの変数の影響を受けるとすると、それが線形ならば〈変数ごとの結果の合計〉は〈二つの変数を同時に適用したときの結果〉と同じである。一方、非線形系ではそうはならないのでモデル化が非常に難しい。

非線形系のなかには線形系によって合理的に近似できるものもある。しかし空気力学や流体力学の問題のように、この方法では取り組めない問題も多い。それでも20世紀後半には「非線形系においてどのように複雑な作用が生じるか」についての理解が進んできた。たとえば線形システムでは、変数の値の変化が小さければ影響も（比較的）小さい。一方非線形システムでは〈通常は小さな影響しかもたらさない変化〉であっても状況によっては大きな影響を及ぼすことがある。梁や気泡にかかる圧力が少し変化しただけで、梁が座屈したり気泡が破裂したりすることがある。このような現象は通常の経験でよく見られるため、私たちの直感に大きく反せずに因果関係を語るのには適しているようだ。「〈一つひとつは小さな影響しか及ぼさない要因〉であっても、いくつか合わされば大きな影響をもたらすかもしれない」ということを認めさえすればいいのだ。

非線形系は複雑でときには驚くべき作用を引き起こすが、その作用の仕方は**決定論的**だ。つまり、既定の**初期条件**（すべての変数が同じ初期値）であれば、テストするたびに同じ作用が生じる。そのため、「複雑な系でも、基本的には〈単純な線形系〉と同じように理解できる」と最近まで考えられていた。つまり「複雑になった分、より多くのデータが必要になっただけだ」と考えられたのだ。

非線形系の数学的理解が進んで、複雑な作用の分類が可能になった。これにより、「根本原因の推測も可能になるだろう」という希望が生まれ、科学者たちは「複雑に見える現象を単純に説明する方法があるのではないか」と探し始めた。この単純さを求める傾向にも二つの動機が働いていた――〈説明の実用性への要求〉と〈説明の物語性への要請〉だ。だが、1970年代に衝撃的なことが明らかになった。「完全に決定論的な系であっても、その挙動は完全には予測できないかもしれない」というのだ。

1963年、気象学者のエドワード・ローレンツが**20世紀における物理学の偉大な業績の一つ**[1]と評される論文を発表した。当初この記事に注目したのは気象学者たちだけだったが、1972年にローレンツが米国科学振興協会で講演を行ったことで広く知られるようになった。ローレンツは気象の長期予報の信頼性向上に役立てようと、〈比較的〉シンプルな気象系の数学モデルをつくっていた。これをコンピューターで実行するには、変数ごとに**初期条件**を設定する。ローレンツのプログラムは、〈初期状態から時間とともに変化するこれらの変数〉によって**気象系**がどのように表現されるかシミュレーションするのだ。

このプログラムを実行した経験について、ローレンツはのちにこう語っている。

あるとき、私は起こっていることをもっと詳しく調べるために、いくつかの計算をやり直そうとした。コンピューターを停止して、ついさっきプリンターから出てきたばかりの一連の数字を打ちこみ、コンピューターを再起動させた。コンピューターが2カ月間の天気をシミュレーションしているあいだに、私はロビーへ行ってコーヒーを飲んで1時間後に戻った。このときプリンターから出てきた数字は前回のものとまったく違っていたのだ。[2]

それからすぐローレンツは、コンピューターに2回目に打ちこんだ数字が最初の数字とまったく同じではなかったことに気づいた。2回目の数字は、最初の数字の**概数**だったのだ。

ローレンツが卓越していたのは、「これらの**エラー**が非常に重要な真実を明らかにしてくれている」と理解した点だ。初期条件の〈感知できないほど微小な違い〉が、時間とともに複雑系の作用に多大な影響を及ぼすことがあるのだ。これは**バタフライ効果**として知られるようになり、別の複雑系――インターネット――を通して広まった。

ローレンツによる1972年の講演のタイトルは『予測可能性：ブラジルのチョウの羽ばたきは、テキサスの竜巻の原因になるか？』(Predictability: Does the Flap of a Butterfly's Wings in Brazil Set Off a Tornado in Texas?) だった。本書の著者の一人ガレスは、かつてネットサーフィンによってこの問いへの答えを探してみたことがある。[3]「**ローレンツ バタフライ効果**」で検索すると学術的なサイトがたくさんヒットしたので、そのなかから50くらいのサイトを閲覧した。これらのサイトに書かれている主張をそのまま受け止めるならば、南米のチョウはアジアの台風は引き起こせるけれども、セントラルパークでは**天気に影響する**くらいしかできないようだ。ブラジルのチョウはアラスカでハリケーンを引き起こせるらしいが、アラスカではチョウがあまりいなかったらしく痕跡が途絶えてしまっていた。だが、アマゾンのチョウはカリブ海にハリケーンを引き起こすことができる。カリブで発生したハリケーンのうち一つが8月にキューバを襲い、そこでのチョウの羽ばたきが9月にはフロリダでハリケーンを起こすかもしれない。さらに、フロリダのチョウは1週間後のスペインでのハリケーンの原因ともなるかもしれない。しかし、カリブ海のハリケーンがアルバ島のチョウをかき乱した場合は、バリ島の天気が**一変する**かもしれない。タヒチ島付近のチョウは、カンザスで竜巻を生じさせるかもしれない。カンザスの出来事はその後何も影響を及ぼさないかもしれないが、サンフランシスコのチョウの羽ばたきはホノルルや上海の**気象条件を変化させる**のかもしれない。そして、カリフォルニアのチョウは（**そのうち**）**米国東海岸の天候に影響を与える**かもしれない。ニューヨークのチョウは日本に台風を起こしうるし、日本のチョウは米国にハリケーンを起こしうる。一方、**ケンブリッジかボストン**のチョウは、2週間後のヨーロッパで**気候に影響する**だけかもしれない。ロンドンもヨーロッパのなかに含めるなら、それはそんなに難しいことではなさそうだ。ところが、ロンドンのチョウは**地球の裏側**の天気に影響を与えるらしい。どこかのチョウがインドネシアで竜巻を起こすかもしれないし、ジャワ島のチョウはシカゴの天気を**悪化させ**るかもしれない。シカゴのチョウは中国で台風を起こし、中国のチョウはシカゴでブリザードを引き起こすようにエスカレートさせる引き金となる。さらには、北京のチョウがネバダの暴風システムを変化させ、暴風雨前線がニューヨーク沿岸に大打撃を与えるかもしれない。ニューヨークのチョウはお返しに北京にハリケーンを起こし、これがエスカレートしていけば、まさに香港のチョウがテキサスの竜巻パターンを変化させるようになるかもしれない。

このようにインターネットの英知を集めると、「ブラジルのチョウがテキサスで竜巻を引き起こす」という主張が支持されることとなった。これらの記述の多くはローレンツによるものとされていて、なかには、1963年のローレンツの論文からの引用とされているものまである（すべて間違い）。いくつかのサイトでは、ローレンツの回想と称して次の言葉を引用している。ある気象学者は、「もしこの理論が正しければ、カモメが一度羽ばたいただけで、天気の成り行きは取り返しがつかないくらい変わってしまうことになるだろう」と述べた。つまり、最初はチョウではなくてカモメだったのだろうか。いや、それどころかW・S・フランクリンも1898年に気象予報について書いており、次のように述べたと伝えられている。気象予報の正確性は条件の影響を受けやすく、モンタナ州でバッタが飛び立てば、フィラデルフィアを襲うはずだった嵐がニューヨークへ向かうことになるかもしれない程度のものだ！[4]

ほとんどのサイトは、チョウの話が大げさなレトリックだと承知していた。この話の目的は「非線形力学系は初期条件に非常に敏感である」と警告することなのだ。しかしながら、ほとんどのサイトで、このチョウの話（それぞれ表現が少しずつ異なっている）は疑問文ではなく言明として紹介されており、タイトルの「予測可能性」の部分も省かれていた。完全なタイトルが紹介されている場合でも、たいてい肝心の「？」は省かれている。おそらく、ローレンツの問いは明らかに**イエス**の答えを期待していると受け取られたからだろう。

だが、ローレンツの問いは文字通り問いであることを意図したものであって、**予測可能性**という言葉も省いてはいけない重要な意味があるのだ。ローレンツはこの問いによって、〈彼の気象系のモデルが我々の理解に対して挑戦を投げかけていること〉を示そうとしているのだ。彼のモデルが現実に即したよいものだとすれば、気象パターンは本質的に予測不可能だということになる。したがって、チョウの言明は科学的言明ではない。なぜなら、この言明は本質的に検証不可能だからだ。

またこの驚くべきタイトルには、二つ目の重要なメッセージも隠されている。**ブラジルのチョウの羽ばたきは、テキサスの竜巻の原因になるかもしれない**という言明は、これが真であるか否かにかかわらず、ナンセンスだ。というのも、因果関係の概念が破綻しているからである。

古典的には、因果関係は科学的説明の中核を成すものだ。トマス・ホッブズは、このように述べた（と伝えられている）。**すべてのものを構成的原因によって理解するのが最善である。なぜなら、時計のような小さな機関の内部にある歯車の材質、形、動きを知るには、それらを分解して部品ごとに調べるしかないからだ。**[5]このように、「高次の現象（システム、生命体）は低次の現象（細胞、分子）を単位として説明できる」とする考えは、一般に**還元主義**として知られている。しかし、細胞や分子の研究が、生命体全体のレベルの現象を必ずしも満足に説明できるわけではない。その理由はいくつかある。複雑系は初期条件に非常に敏感であるため、私たちが〈構成要素についての知りうる限りの知識〉を得たとしても、系全体の作用を予測することはできないのだ。さらに重要なことは、カオス的作用を示さない非線形系であっても、組織的かつ適応的な**創発**

を示すことがある。これは、複雑さの臨界値を超えた場合にのみ現れるもので、ゆえに系全体の特性であり、構成要素のどの部分集合の特性でもないのだ。

ここに難しさがある。ラトゥールが観察したとおり、科学者の仕事は人々を説得することだ。学術誌の編集者を説得して論文を発表し、会議の主催者を説得して登壇し、研究仲間を説得して講演を聞いてもらい、助成委員会を説得して資金提供してもらい、一般の人たちを説得して研究の意義をわかってもらうのだ。すべてにおいて説得力のある説明をすることが最重要だ。私たちはこのことを理解しておかなければいけないが、もう一つ理解しておくべきことがある。単純明快で記憶に残る物語は、根本的な現実について知らせるよりも、私たち自身の認知的限界について知らせてくれる場合のほうが多いのだ。

リチャード・ファインマンは、講演に招かれて「あなたの量子物理学の研究について一般の人たちにわかりやすく説明してください」と請われたときにこう言ったという。「まったく、普通の人にわかりやすく説明できるようなことだったら、ノーベル賞なんてもらっていませんよ」[6]

カオス理論による洞察は、私たちが抱く予測可能性と因果関係の概念に大きな影響を与える。科学者たちが目指すシンプルな物語では、どうやっても複雑系の本質を伝えきれないのだ。

これは、「科学的理解は絶対的な真理に近づいていく」という考えに対する挑戦だ。科学は実用的であってこそ価値がある。〈明らかに真でない理論〉はなんの役にも立たないが、〈どうやっても人に伝えられない理論〉もまた、たとえ真であったとしてもほとんど役に立たないのかもしれない。

これは科学的方法にも課題を投げかけている。従来の実験計画法では、再現性があることが前提となっている。しかし、本質的に予測不可能な作用をする複雑系は、どんな実験で確かめればいいのだろうか?

AがBに影響し、BがCに影響し、さらにCがAに影響する場合、複雑系全体から見れば原因を語ることは恣意的になってしまう。

科学は、その進歩に関する一般的な説明によれば、単純な因果の連鎖をもつ線形系のように思える。論文Aが論文Bを生み、論文Bが論文Cを生む。しかし、論文Cは論文Aの再解釈につながる場合がある。科学それ自体も複雑系なのだ。

第12章

論文の発表と引用：複雑なシステム

本の境界線は常にあいまいだ。題名、最初のセリフ、終止符を越えて……ほかの本、教科書、文章への参照システムの網のなかにからめとられている。ネットワークのなかの一つの結節点なのだ……それは、単に人の手に収まるオブジェクトではない。ちっぽけな平行六面体の枠に収まりきらない何かなのだ。[1]

――ミシェル・フーコー

科学者は論文を発表してアイデアを広める。〈科学者のために科学者によって構築され維持されているこの複雑なシステム〉に加わらなければ、科学のゲームに参加することもできない。

独立した学術論文などというものは存在しない。一見単純な科学的言明でも、その発展の歴史をたどってみると、研究に何十年も費やされ、さまざまな分野の何百人もの科学者がかかわってきたことがわかる。合計で数千もの文書――一次研究、総説論文、方法論に関する論文、レター、意見記事、会議録、書籍、概要、改訂版、撤回文――が発表されている場合もあり、これらは論文群そのものより何倍も大きい引用のネットワークによって関連づけられている。以前の研究の修正、再解釈、認証、装飾、拡張といった相互作用の複雑なシステムだ。

論文を通した科学者どうしのコミュニケーションによって、特異なアイデアから共有のアイデアへの移行が可能になる。論文の発表を通して科学者たちは、〈データ、仮説、定義による膨大な体系〉を築き、引用によって「この資産をどのように使ったか」を知らせている。だが私たちは、「このコミュニケーション・システムがアイデアの流れにどのような影響を及ぼしているか」について、ぼんやりとしか理解していないのだ。

「科学が先人たちの研究によって築かれてきた」ということを否定する科学者は、ほとんどいないだろう。それなのに、科学者は「自分たちの論文が後世にどんな影響を与えるか」について完全に認識していることはめったにないし、「新たに発表される論文がどんなふうに受け止められるか」を満足に予測することもできない。〈発表されたらすぐに有名になる論文〉もあれば、〈いつまで経っても注目されない論文〉もある。あるいは、〈何年も気づかれずに眠っていたのに、予測のつかない理由や出来事によって、突然科学コミュニティで注目される論文〉もある。しかしほとんどの論文は、ささやかな影響を及ぼすだけだ。[2]〈多くの人に読まれ引用されることはないが影響力をもつ論文〉もある。〈読まれても無視される論文〉もある。〈読まれもせず無視される論文〉、〈読まれないのに引用される論文〉もある。[3]なぜ特定の論文が有名になり、広く引用されるようになるのか。その理由が明確なときもあるが、非常に理解しがたい場合も多い。

科学論文の発表

　科学は、さまざまな方法論や理論が一緒くたになった沼のようなものだ。私たちは、まったく異なる種類の研究——素粒子物理学から解剖学に至るまで——を科学的研究として分類している。しかし分野が異なれば、進歩の方法には共通点がほとんどない。現在、「科学には普遍的方法がある」という考えを真剣に抱いている人は少ない。その考えがあてはまるのは特殊な事例のみだ。それでも、査読制度のある学術誌で論文を発表するのは、科学界全体の慣習だ。[4]アイデアも、観察結果も、発表されなければ科学の知識基盤の一部とはならない。発表されて初めて、認証と批判的吟味のプロセスが始まりやっと特定のアイデアが広く知られるようになる。

ある研究を科学的研究と認めてもらうために必要なことは、科学論文を発表することだけかもしれない。博士課程の学生ならよく知っているとおり、論文の発表は、たいてい博士号を取得するための必須条件だ。その後も科学のゲームに参加し続ける限り、論文を発表し続けなければならない。1942年にローガン・ウィルソンは『学問の人』(*The Academic Man*)を書き、科学者が直面するプレッシャーを**論文を発表しない者は消えゆくのみ**と表現した。論文を発表しなければならないのはキャリアアップのためだけではなく、道徳的にも求められていることからだ。**学問の世界では、発表されていない結果は得られていない結果とほぼ同じだ。**[5]

1945年、カール・ポパーは「科学を科学たらしめているものは何か」について考えを述べている。ポパーの反証の命題についてはよく知られているが、彼がコミュニケーションをとても重視していたことはあまり知られていない。ポパーは、「無人島に一人きりで残されたロビンソン・クルーソーを想像してみてほしい」と読者に語りかけ、

「その無人島に科学的調査をするための道具と資源が一通りそろっていた場合、クルーソーは科学と呼べる成果を生むことができるだろうか」と問いかけた。ポパーによるとそんなことはありえない。

彼が出した結果をチェックする者が本人以外にいないからだ。人は必ず〈独自の精神史に応じた偏見〉をもつものだが、それを正してくれる者が一人もいない。人は誰しも、「いくぶん不適切な方法で研究をして自分の意に沿った結果を出してしまい、それに盲目的になる」という未熟さをもつが、それを正してくれる人が一人もいない。そして、科学論文に関しては、〈自分が行った研究〉について〈それをしていない人に説明しようとする行為〉によってのみ、明快で合理的なコミュニケーションの技を磨けるのだ。このコミュニケーションの技もまた、科学的方法の一部なのである。[6]

ポパーが論文の発表を重要だとみなしていたのは、「ほかの人に研究の内容を吟味してもらえる」ということだけでなく、「執筆の過程そのものが重要である」と考えていたからだった。これは科学の論文に限らず、執筆全般についていえるだろう。E・M・フォースターは『小説の諸相』（1994年、みすず書房）のなかで、ある年をとった女性の逸話を語っている。その女性は「つじつまのあわないことを言っている」と責められて、こう言い返すのだ。「自分が思っていることなんて、口に出して言うまでわかりゃしませんよ」[7]

〈自分のアイデアと実験の厳密性〉に確信をもったとき、科学者は何かしら書き始める。ただし、自らの意図が伝わるように書けるまでは破棄し続けることになる。自らの目で批判的に見直して、「まともなものが書けている」と自信がもてて初めて、同僚に草稿を見せたり、専門部会での講演や会議で議論したりすることになる。そのときに寄せられたコメントや関心の度合いなどに応じて、下書きを修正していく。わかりやすくて影響力の強い、記憶に残る文章になるよう推敲を重ねるのだ。

推敲の過程で、どうでもいいと思われそうな細かい点は省略する。うまくいかなかった実験も省く。結果をふるいにかけて**外れ値**は取り除く。こうした外れ値は、未知の交絡（見かけ上の間違った因果関係）によって誤解を招く恐れがあるからだ。最もわかりやすい説明につながる結果の出た実験だけを選りすぐって残す。望ましい解釈を最も説得力ある形で示すよう分析方法も慎重に選ぶ。研究結果を〈シンプルで伝わりやすい記憶に残る物語〉と結びつけ、流れを邪魔するような結果はなかったことにする。その分野の権威を引用するなどして、重鎮たちに敬意を表しておく。論文の査読者として選ばれそうな人たちも引用する。高いインパクトファクター[*1]の学術誌に載った論文も引用して、自分たちの仕事の重要性を説明する。潜在的な実用性を大胆に主張する。

次のハードルは学術誌への投稿だ。ほとんどの学術誌では、複数の独立した匿名の査読者によって論文が審査される。その結果、誤りや、根拠のない主張や、ほかの文献への知見が乏しい点などが判明した場合、その論文は却下（リジェクト）される可能性が高くなる。しかし、この審査プロセスは不完全だ。論文の技術的詳細を余さず科学的に立証可能な形で判断できるほどの専門知識をもった査読者はほとんどいない。大半の査読者は、文献について部分的かつ選択的な知識をもっているのみだ。共通の前提に反する論文には厳しい目を向け、**流れに沿った**論文は甘い目で見るかもしれない。ただし、査読者の仕事は建設的な批評をすることであって、彼らが論文を採用するかしないか決めるわけではない。〈しばしば意見がばらばらになる査読者たちの報告〉をまとめて決定を下すのは編集者の仕事だ。決定が却下（リジェクト）でない場合、たいてい修正（リヴァイズ）を促されることが多い。特定の部分だけ手直ししたり、データの報告や分析の問題点を修正したり、もっと詳しく方法を説明したり、特定の方向に考察を広げたりすればいいのだ。満足のいく修正版ができた時点で、ようやく受理（アクセプト）の判断が下される。

高インパクトファクターを目指す多くの学術誌を含め、いくつかの学術誌にはもう一段階高いハードルがある。それを越えるかどうかは編集主任の判断によることになる。「この論文を掲載したら、その学術誌のインパクトファクターは上がるのか？」、つまり「何度も引用されるような論文なのか？」ということだ。

＊1　掲載された論文の被引用回数に基づいた学術誌の評価指標。詳しくは第23章参照。

引用行動

論文の被引用回数は、その論文の影響力だけでなく質を示す尺度としても広く用いられている。[8] 質のよい論文ほど、多く引用されてしかるべきだろう。科学者は、同じ研究分野の論文の質を正しく判断できるはずだ。論文を書くとき、関連するすべてのエビデンスを引用することはできないので、最善のエビデンスを引用することが求められる。

しかし、論文はほかにもさまざまな理由で引用されるケースがある。[9] 一部の批評家たちによれば、論文の客観的な**質**——方法論的な厳密さ——は、「その論文がどのように引用されるか」にほんの少ししかかかわっていない。[10] むしろ論文の著者たちは、自分の主張の正当性をコミュニティに訴えるためのレトリックの道具として、引用を用いる。

第一にいちばんわかりやすい例として挙げられるのは、「論文の書き手は自分自身の研究を引用する」ということだ。[11] これは自然なことで避けがたい行動だ。自己完結型の論文というのはほとんどない。大半は著者の過去の研究の上に築かれたものであり、詳細を毎回、論文で繰り返し書いていたらきりがない。それにたとえほとんど関連がなくても、著者は自分の最近の研究は宣伝したいものだ。自己引用の過度な例は探せばすぐ見つかるが、現在は自己引用を快く受け入れない学術誌も出てきている。男性は女性よりも自分の研究を頻繁に引用する傾向があり、大規模な調査によればその頻度は56％も高い[12]。これについては、どう解釈したらよいか悩むところだ。単に、男性は女性より多くの論文を発表していて引用件数も多いので、自分の論文の引用回数も多くなっているのかもしれない。あるいは、「男性は女性より自己中心的である」、「男性は文献を調査する範囲が狭い」、「男性は野心が強く論文を書くときも手のこんだ操作をする」などの理由で、自分の論文の引用が多くなっているのかもしれない。どんな発見も、非常に柔軟な解釈が可能だ。

第二に、論文の著者は自分の仲間内——同僚、友人、共同研究者、協力者——の研究を引用する[13]。この傾向も擁護するのはそんなに難しくない。著者はそれらの長所も短所もよく理解している可能性が高いからだ。一方でこのことは、新規参入への障壁をもたらす。まだ能力を周囲に認められていない新人が書いた論文より、高名な著者の論文のほうが学術誌に掲載されやすいだろうし、同じ分野のほかの論文に引用もされやすいだろう。

第三に、著者は〈特定の発見を最初に報告した研究〉を引用する。たとえ後続の研究のほうがずっと完成度が高かったとしても、そちらを引用する可能性は少ない。これは、発見の先取権(プライオリティ)を尊重しているからだ。[14] この慣習は、〈守るべき重要なこと〉と考えられており、〈著者自身が主張することになる先取権〉を保護することにもなる。しかし第14章で紹介するヘンリー・デールの引用例のように、これには問題がある。一つは、社会学者のバリー・バーンズが**意味有限論**と呼ぶ問題だ。**事実**は固定されたものでも不変のものでもないし、用語の意味は文脈によっても、時と場合によっても変わるので、〈以前、**事実**とされていたもの〉は〈現在、**事実**と理解されているもの〉と競合可能な関係になりうる。[15] もう一つ問題は、「最初期の研究が最善であるとは限らない」ということである。先取権を得るため、科学者は最低限のエビデンスが手に入ったらすぐに論文を発表する傾向がある。初期の研究は小規模で管理も不十分な場合が多く、あとで説明するように、効果量(エフェクトサイズ)の見積もりを誇張して報告されるケースが多々ある。また、アイデアに優先権を認めることについても大きな問題が生じる。著者は、それらが明示的で関連している場合は、知的な恩義を承認しようとする。しかし、ほかのところでも述べたように、科学は公共の財産であり、そのなかでは知識も、専門技術も、アイデアも、概ね自由にやりとりされている。あるアイデアの「真の」源を突き止めようとするのは、川を流れる一滴の水がどの雲から落ちた雨粒なのか尋ねるようなもので、同じくらい意味がないことなのだ。[16]

第四に、論文の著者は最近の論文を引用する――1950年代以降、参考文献の約半数は、直近5年以内に発表された論文で占められている。[17] この傾向も擁護は可能だ。いかなる論文も、その時代の文脈に位置づけることが重要だからである。だが、こうした引用が学術誌の編集者への道しるべになっていることも事実だ。著者は、査読者として依頼されることを期待する（あるいは危惧する）研究者の論文を引用しておく。つまり、その査読者へのリスペクトを示しておくことで利益を得たいのだ。また、「インパクトファクター」を高めるために、〈最近その学術誌で掲載された論文〉を引用するよう、著者に圧力をかける学術誌もある」ということも確認されている。[18]

第五に、著者は頻繁に引用されている論文を引用する。[19] この傾向もまた擁護できる。

著者は、「〈研究の重要性が広く認知されている文脈〉のなかに、自らの仕事も位置づけたい」と考えるからだ。被引用度の高い論文は、「被引用度が高い」という理由だけでさらに引用されるようになる。

第六に、著者は〈高インパクトの学術誌に掲載された論文〉を引用する。[20] これには二つの動機が働いている。「自分の研究テーマがホットであることを示しておきたい」という動機と、「そのような学術誌に掲載される論文は厳格な選考プロセスを経ているので、よい論文である可能性が高い」という認識による動機だ。この認識が正しいかどうかはさておき――「どの論文を引用するか決めるときに、論文自体ではなく学術誌の質で判断する」という考え方はお粗末だ。

それに劣らず重要なのは、著者が「何を引用しないか」を決めることだ。著者たちは「弱点や欠陥がある」と考える研究の引用は避ける傾向がある。だが、〈肯定的な結果の研究〉は、たとえ〈否定的な結果の研究〉のほうが厳密だったとしてもより引用されやすい。著者の主張を複雑にさせたり、矛盾を生じさせたりする不都合な研究も避けられる。ほとんど名の知られていない科学者による研究や、知名度の低い学術誌で発表された研究も、あまり引用されない。かなり激しい対立関係にある相手が行った研究も引用しない（第5章のシャリーとギルマンの例を参照）。

このことは込み入った問題だ。科学者の評判は同業者たちからの認知によるので、〈矛盾するエビデンスが論文のなかで無視されていること〉が同業者たちに気づかれるのはよくあることだ。経験豊かな著者なら、こうした扱いにくい問題を巧みに処理する。批判的な相手の研究も、自分と意見が一致している部分だけ引用し、論争中の部分にはふれずにおくのだ。解釈の柔軟性を生かして、ほかの人の研究をクリエイティブに読み解き、自分の研究を支持しているかのように解釈できるところは可能な限り引用する。同時に、言葉を慎重に選んで、ライバルの信頼性をひそかに傷つけたりもする。

とはいえ、この〈同業者を説得する必要性〉がバイアスを排除するのに役立っているのだ。私たちが「科学的客観性」と呼ぶものは、個々の科学者の公平性からくるのではなく、科学的方法の社会的または公共的な性質からきている。〈個々の科学者の公平性〉というものがあるとするなら、それは〈この社会的または制度的に組織された科学の客観性〉の源ではなく、結果なのだ[21]。

論文の発表と引用：インパクト

たとえ不完全ではあっても、科学論文はほかの論文を引用することによって先人に敬意を表し現在の影響力を認めている。アイザック・ニュートンは自身の業績を振り返ってこう述べた。**私がはるか彼方を見ることができたとしたら、それは巨人の肩の上に乗っていたおかげだ。**[22] 一般的な解釈によれば、これはニュートンの謙虚さの表明であり、「科学の進歩はすべて多くの先人たちによる研究のおかげである」という意味だ。論文の発表と引用に関する慣習にも、この言葉と通じるところがある。人から人へと伝わっていくアイデアの流れを表しているのだ。科学者は論文によって〈特定の発見の先取権〉を主張すると同時に、引用によって知的財産からの恩恵を認める。

ユージーン・ガーフィールドによれば、引用とは影響力の指標である。**引用表現の総数は、「最近の研究でその資料がどのくらい重要視されているか」を示す、最も客観的な尺度だろう。**[23] 1950年代、ガーフィールドはこの考えを発展させるために、科学計量学と呼ばれる研究方法を開発し、1960年には体系的に書誌データのインデックスをつくるために科学情報研究所（ＩＳＩ）を設立した。現在、ＩＳＩのウェブ・オブ・サイエンスは、〈論文、会議録、抄録など７３００万以上の文書とそれらの引用〉を完全にインデックス化し、〈20世紀初頭から現在に至るまでの出版物〉とそれらの相互作用を収集した膨大なアーカイブとなっている。

科学計量学は主に研究実績の評価に焦点を当てているが、この分野の起源は科学史および科学社会学にあり、〈科学者が膨大な量の情報の海を渡っていけるようにすること〉を目的としていた。[24]

科学者は当然、〈自分のアイデアに貢献した研究〉を引用するので、論文の被引用回数はある意味その論文の影響力を示すものとなる。それに加えて、高水準の研究は低水準の研究に比べて引用されやすい。[25] しかし引用は説得の道具でもある。ラトゥールによれば、科学者は過去の文献を引用することによって〈読み手を説得する物語〉を構築している。

細かい戦法はどうあれ、総合的戦略を理解するのはたやすい。過去の文献を利用できるだけ利用して、自分が発表する主張の支えとするのだ。ルールは極めてシンプルだ。敵の力を削げ。弱体化できない敵は麻痺させろ。味方が攻撃されているようなら手を差し伸べろ。頼りになる道具を提供してくれる相手とは、よいコミュニケーションを心がけろ。敵どうしが戦うように仕向けろ。必ず勝つ自信がないのなら、謙虚に控えめな態度でいよう。[26]

ラトゥールは、「科学文献には〈形式的に目を通しただけで、まともに読まずに引用されているもの〉や、〈著者の意図と正反対の主張を支持するために引用されるもの〉、また〈細かすぎて著者自身もさほど注意を払っていないような技術的詳細のためだけに引用されるもの〉、さらには〈著者が意図したとされるが、本文中では明示されていない意図のために引用されるもの〉などがある」と述べている。[27]

このように目的のためには手段を選ばないケースがあるとしても、引用は確かに〈特定の論文の影響力を示す指標〉にはなる。引用が科学の民主化に役立っているのは間違いなさそうだ。著者は自分の主張を前進させるのに役立ちそうな論文を選び、どこを引用するか選んでいるのだから。

デレク・デ・ソーラ・プライス：複雑な動的システムとしての科学

物理学者のデレク・デ・ソーラ・プライス（1922〜1983）は科学史に興味をもち、「計量書誌学的データを用いれば、新たな方法で科学を調べられるのではないか」と考えた。1963年、プライスはシンプルな問いを提示した。**科学のツールを科学に対して用いてもよいのではないか？**[28]

1940年代、図書館の改築に伴い、プライスは1665年から1930年代までのあいだに刊行された『フィロソフィカル・トランザクションズ』（*Philosophical Transactions of the Royal Society of London*）の管理を任されることになった。まず10年ごとの山に分けてみて、プライスは奇妙な点に気づいた。その山は指数関数的な成長曲線を描いていたのだ。線形的な成長と指数関数的成長の違いは、単利と複利の違いだ。100ドルの投資をして年に10ドルの単利が返ってくる場合、線形的に成長して20年後には300

ドルほどになる。一方、同じ投資でも年に10％の複利の場合、指数関数的に成長して20年後には600ドル以上になる。指数関数的成長の特徴は、**倍加時間**が一定である点だ。100ドルの投資が、およそ8年ごとに200、400、800ドル……と倍になっていく。

プライスは、この指数関数的増加についてさらに調べるため、〈1900〜1950年のあいだに発表された物理学の抄録の数〉を確かめた。世界大戦時の生産性の落ちこみを除けば、その数も指数関数的に増加し、倍加時間はおよそ10年であった。行列式と行列の理論についての抄録も同様に、1760〜1950年のあいだ、およそ12年ごとに倍加していた。「この指数関数的増加はシステムの特性に違いない」とプライスは考えた。このシステムにおいては、増加率はどんなときにもすでに生産された数量に比例するのだ。**調査した二つのケースに見られる比例定数は、「現在の比率を保ったまま論文が発表されていけば、約16年で〈それ以前に行われてきた研究のすべて〉が完了する」といったようなものだ。**[29]

ところがプライス自身の表現によれば、彼の論文は鉛でできた気球のごとく没してしまった。それでも彼はくじけずに科学的活動の全般に調査を広げ、「論文の数も、学術誌の数も、職業科学者の数も、指数関数的に増加している」ということを突き止めた。科学者の数自体も、彼らが書く論文と同様、15～20年という倍加時間のもとに急激かつ極めて規則的に増えているようだった。

これによって推定すると、現在までに存在した全科学者のうち約80～90％はいまも生きていることになる。まさに16世紀なかばからこの割合は変わらない。つまり、科学者たちにとって科学は常に現代的なものだということだ――ニュートン、マクスウェル、ダーウィンといった巨人にばかり目を向けがちな科学史家にとって、この感じ方は奇妙に思えるかもしれない。だが、確かに大半の科学者にとって重要な研究のほとんどが、〈およそ最近5年のあいだに発表された研究〉であっても不思議ではないのだ。

プライスの発見は何度も再現されてきた。ルッツ・ボーンマンとリュディガー・マッツは１６５０年からの科学の成長を調べ、「第二次世界大戦以降、科学文献の数は9年ごとに倍増している」ことを発見した。[30] これは個々の科学者の生産性が上がったからではない――科学者の論文発表率は1世紀以上変わっていない。科学的成果の増加は、科学者の数の増加と一致しているのだ。[31]

このように「科学の規模が指数関数的に増加していく」という特徴は、私たちの直感的概念とはあまり相いれない。私たちは、「科学は直線的に理解を深めていく」と考えがちだからである。むしろ、科学は科学者の数が増えるにしたがって、あらゆる方向に、あらゆる方法で、常に拡大していっているように思われる。

引用ネットワーク

プライスは「この特徴が科学的知識にどのような影響をもたらしているのか」について思案し、引用の慣習に目を向けた。[32] 1961年に発表された大量の論文サンプルを調査し、引用された論文のリストをつくった。いくつかの論文は、1961年の多くの論文に引用されていた。全体として引用の分布は非常に不均等で、べき分布になっていた——n回引用された論文の割合$P(n)$は、ある一定のべき乗数をpとしてn^{-p}に比例する。**どの年でも、全論文の約35%はまったく引用されず、49%は一回しか引用されてい**

なかったとプライスは述べた。これらの論文は読まれていなかったわけではなく、認知されないほど影響力が小さかったのだ。一方、6回以上引用された論文は、わずか1％だった。

1961年の科学界は現在とは異なっていた。参考文献のリストは現在より短かったし、プライスのリストには〈めったに引用されず引用文献も少ない抄録〉も含まれていた。次の第13章では、一次研究論文だけを調査することによってある分野を見る。10年ごとの分析の結果、プライスのいうとおり、べき分布になっていた――どの10年間を見ても、ほぼ同じ分布だったのだ。今日、「どのようなモデルが引用データに最も適合するか」については、意見が分かれているが、これまで調査したすべての分野において、引用に関して大きな傾斜分布が見られている。[33]

「引用ネットワークにこのような普遍的で際立った特徴があるらしい」というのは予想外のことだった。このことは、〈このネットワークを介した知識の流れが非常に不均等であること〉を示しているように思われた。〈文献に対する強力で均一な選択圧〉が働くことによって、すべての分野でどの時代においても「少数の論文だけが不釣り合いに大きな影響力をもつようになっている」と思われる。したがって、べき分布がどのように生じるのか理解することは重要だろう。

累積的優位性：マタイ効果

1976年、プライスは〈引用の不均衡をつかさどる規則〉に影響を与えるルールを把握しようと模索した。

成功が成功を生んでいるようだ。〈何度も引用されている論文〉は、〈ほとんど引用されていない論文〉より繰り返し引用される可能性が高い。〈多くの論文を発表している著者〉は、〈あまり書いていない著者〉より繰り返し論文を発表する可能性が高い。〈ある目的のために頻繁に参照されている学術誌〉は、〈あまり利用されていない学術誌〉より繰り返し参照される可能性が高い。用語は、よく使われるようになるか、めったに使われないままかのどちらかだ。つまり、「大富豪は貧乏人より早く容易にさらなる収入を得る」ということだ[34]。

プライスの研究に注目したマートンは、「科学における成功と失敗は、ほぼマタイによる福音書の一節のとおりだ」と考えた。**すべてのもてる者は多くを与えられ、豊かになるだろう。一方、もたざる者は、いまもっているものすら奪われるだろう**[35]。マートンにとって引用制度とは、すでに名の知られている人がさらに有名になる相互評価の制度だった。**科学者のコミュニティのなかで科学的貢献の認知度を高めたいなら、〈まだ知名度が高くない科学者〉より〈すでに名声を得ている科学者〉にその貢献を紹介してもらったほうがいい**[36]。これについては二通りの説明が可能だ。（1）科学者たちは高名な科学者を尊敬しているので、優先的に彼らの研究を引用している。（2）マタイ効果により、有名な科学者による貢献の認知度が上がり、そうでもない科学者による貢献の認知度は下がる。一つ目の説明は、引用についての**規範的**な説明と一致している。引用は、〈その文献の認知されている質〉を反映しているのだ。一方二つ目の説明では、「大事なのは単に**知名度**だ」ということになる。

プライスは、こうした分布のモデルをつくろうとした。

このモデルでは、運命の入れ物を、赤と黒のボールが入っているつぼと想定する。一定間隔でランダムにボールを一つずつ取り出し、赤いボールを「成功」、黒いボールを「失敗」とみなす。つぼの仕組みがずっと変わらないなら、成功と失敗の確率も変化しないはずだ。しかし、ボールを取り出すたびに、なんらかのルールに従ってつぼの仕組みが変わるとしたら、〈成功と失敗の確率〉も前回の結果に影響されて変化するだろう。[37]

マタイ効果では、成功は成功を引き寄せる。したがって次のようになる。

取り出されたボールは必ずまたつぼに戻される。赤いボールを取り出したときは、取り出したボールと一緒に新たな赤いボールを c 個つぼに加える。だが、黒いボールを取り出したときは、つぼに新たなボールは加えない。最初に黒いボールを b 個、赤いボールをr個つぼに入れてあった場合、成功の前歴がn回あったあとの成功の条件つき確率は$(r+nc)/(b+r+nc)$となり、それに対応する失敗の条件つき確率は$b/(b+r+nc)$となる。[38]

この説明のとおりなら、新しい論文は、すでに何度も引用されている論文を優先的に引用する。このシンプルなモデルは、実際の引用分布の経験的データと一致している。そこでプライスは、「引用の動態を二つの単純な関数――累積的優位性と人口増加――によって説明できる」と結論づけた。

プライスが研究していた当時、ある特定の文献の被引用回数など、誰も気にしていなかった。論文の被引用回数をすばやく確認できるようになったのは、ごく最近の技術の発達によるものだ。「引用されることによって論文の認知度が増す」というマートンの考えは鋭い。確かに、論文は引用されればされるほど、ほかの多くの論文のなかで目にされる機会が増えるわけだから、結果としていっそう引用される回数が増える。

論文の発表数と引用数の増加が、主にそのテーマを研究する科学者の人数の増加によるものなら、そして少数の論文だけが頻繁に引用されているのなら、それらは私たちが科学を理解するうえでどのような影響を及ぼしているだろう？　続く章では、それらの影響について考えてみよう。

第13章

発展中の分野の事例研究：オキシトシン、その起源から作用まで

科学のすべての分野、いやほぼすべての問題には〈先陣を切って実際にその問題に取り組む研究者のグループ〉がいる。この先駆者グループのうしろには、本陣である正式なコミュニティが控えている。……この先駆者たちはいつも定まった配置についているわけではない。配置は日によって、あるいは時間によっても変化する。本陣は先陣よりもゆっくりと進軍し、しばしば不規則に位置を変える。先陣に遅れることとほんの数年のときもあれば、何十年もあとになる場合もある。……こうした明白な現象には明らかに社会的な性質があり、理論的に重要な結果をはらんでいる。ある問題について尋ねられたら、科学者はまず（教科書に載っているような個性のない、ある程度定説となっている見解を述べるに違いない。しかし、「そんなものはとっくに時代遅れになっている」と科学者自身もよく承知しているのだ。

——ルドヴィック・フレック[1*1]

ある科学の分野がどのように発展していくのか。アイデアはどのように広がって変化していくのか。これらについて理解するためには、その分野の論文すべてを見てみるとよいかもしれない。それらの論文は引用によって過去の論文に負うところを示しているし、それらの到達点は、引用された論文によって見ることができる。引用ネットワークには事実がつくられてきた痕跡が残されているのだ。[2]

とはいえ、科学の生産物の量は膨大だ。現在のところ、ウェブ・オブ・サイエンスは2万900誌以上の学術誌、書籍、会議録に掲載された文献にインデックスをつけている。そこには、7300万本以上の論文とそれらの引用10億件以上の記録が含まれている。

科学の各分野それぞれに独自の引用パターンがあり、そのパターンは時代に応じて変化する。かつては学術誌はすべて紙に印刷され、その費用が高かったために論文ごとの引用件数を制限していた。しかしオンライン出版では、著者はもはや引用文献を厳選する必要がなくなった。そこで最近の論文は、より多く引用されるようになり、その結果として被引用数で測られる影響力（インパクト）は大きくなったように見える。分野ごとの引用パターンに違いが見られるのも不思議ではない。数学の論文は引用文献数が少

＊1　1896～1961、生物学者。

ない傾向がある。それは大半が自己完結型の論文だからだ。対極にあるのが生物学の論文で、100本以上の論文を引用することもよくある。生物学では、著者たちは日々急速に増えていく研究成果に自分の研究を関連づけなくてはいけないからだ。

重要な論文はどれか？と聞かれて科学者が思い浮かべるのは、自分の研究に影響を与えた論文、あるいは、社会的な影響、経済的な影響、方法論的な影響が特に大きかった論文だろう。しかし、**最も優れた論文はどれか？**と聞かれた場合、答えはさまざまだろうし、科学者一人ひとりによって違うはずだ。

一方、**最も引用された論文はどれか？**という問いには客観的な答えがある。その答えを私たちがどのように解釈するかは別問題だ。それでも、〈多くの論文に最も引用された論文〉は、「その分野のほとんどの科学者たちから、重要かつ最良の論文だとみなされている」と私たちは期待するだろう。ただし、これと同じ方法で、科学の異なる分野どうしを比べて判断することも、違う時代に発表された論文どうしを比べて判断することもできない。

論文は引用されればされるほど注目されて、いっそう被引用回数が増えていく。〈ある時期に最も多く引用された論文〉を見れば、「以後どのようなアイデアが最も重要視されていったのか」を知る手がかりになるのだ。

この章では、長い歴史をもつ一つの分野に目を向ける。「この分野がどのような意味で、どのように進歩してきたのか」を理解するのが目的だ。まず、我々は**オキシトシン**という用語がタイトルに入っている論文を調査した。比較的小さい分野だが、オキシトシンという用語は広く知られている。とりわけ、出産時に女性に投与されるものとして認知されている。この分野のすべての論文タイトルに〈オキシトシン〉という語が含まれているとは限らないが、特にオキシトシンの役割が重要になっている論文のタイトルにはたいてい含まれている。

2019年5月時点で、このインデックスがついている項目はウェブ・オブ・サイエンス上に1万4000件以上あった。そのなかで、査読制度のある学術誌に掲載された論文の数は9211本だった。2019年5月時点、これらの論文はそれぞれ平均30回以上引用されていた。これらの引用全体の約3分の1は、タイトルに**オキシトシン**を含むほかの論文からの引用だった。この調査でオキシトシンに関する文献をすべて網羅できたわけではないが、大半は対象に含めることができた。[3]

この分野は不規則な成長を遂げてきた（図13・１）。１９５０年代から１９８０年代初めまでは緩やかな成長が続き、そのあと生産性の**バルジ（膨らみ）**が起こって１９９２年ごろにピークを迎える。それから低下して２００５年ごろに底をつき、その後急上昇に転じている。このパターンは何を意味しているのだろう？

出産ホルモンの誕生

オキシトシンの発見は、英国の生理学者ヘンリー・デールによる功績とされていることが多い。１９０６年、デールはかつて助産師が後産[*2]を促すために使用していた薬草剤、麦角（ばっかく）についての研究論文を発表した際、本筋とは別に〈下垂体の抽出物によって子宮収縮を促進できること〉を付け加えていた。[4] １９０９年、ウィリアム・ブレア＝ベルが実際に〈この抽出物を妊娠している女性に投与する実験〉を行い、「陣痛に著しい効

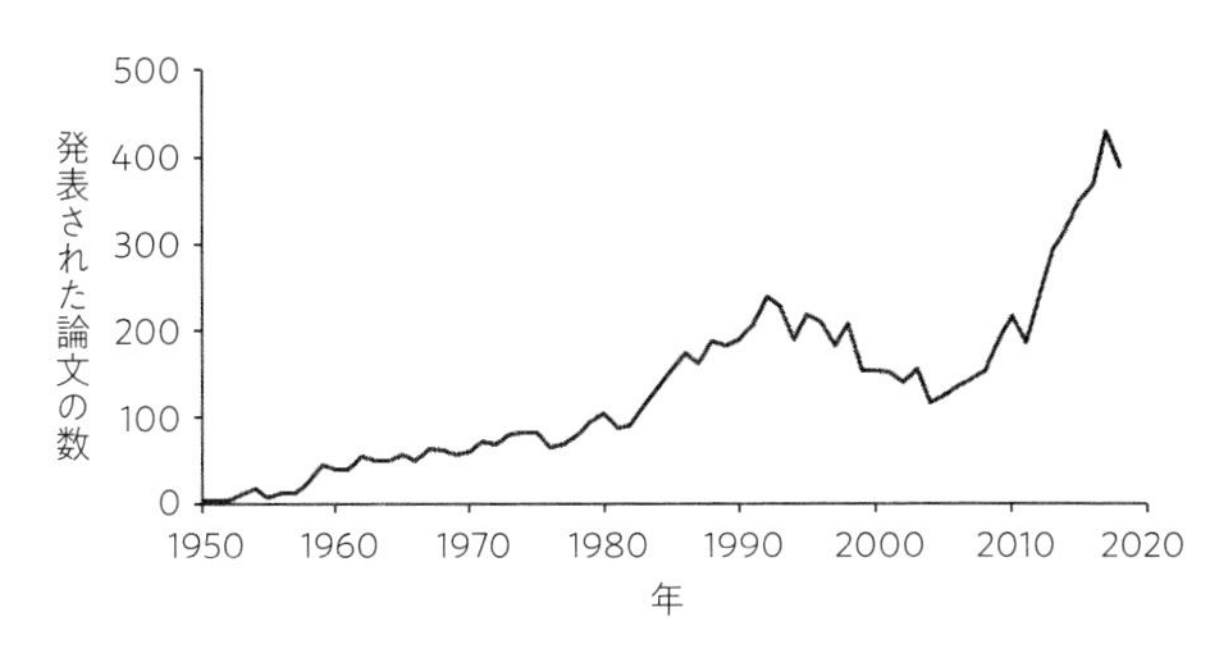

図13.1　各年に発表された、タイトルにオキシトシンが入っている論文の数。一次研究論文と総説論文を含む。

果が得られる」ということを見出した。[5] それから4年後には、この抽出物は北米とヨーロッパ各地の産科診療所で広く使用されるようになっていた。[6]

1928年、パーク・デービス社の化学者オリヴァー・カムが、さらに精製された2種類の抽出物をつくり出した。一つは血圧を上げて尿量を減らす。もう一つは子宮の収縮と乳汁の排出を促進する。[7]「これらの抽出物にはそれぞれ異なる**効能成分**（principle）が濃縮されている」とカムは仮定した。そして、一つの成分を**バソプレシン**、もう一つの成分を**オキシトシン**

＊2　胎児を出産したあと、胎盤などが体外に排出されること。

（早産を意味するギリシャ語から）と名づけ、抽出物であるピトレシンとピトシンは臨床用途に使われるようになった。

１９２８～１９５０年のあいだに、オキシトシンまたはピトシンがタイトルに入っている論文は50本ある。ほとんどがカムの仮定を検証したもので、ピトシンの子宮への効果を調べた研究か、〈ピトシンの心臓に対する効果〉を〈ピトレシンによる効果〉と比較した研究だった。１９５０年には、「オキシトシンは**ホルモン**、すなわち〈体のある部位でつくられ、血液によって運ばれて体のほかの組織に作用する化学伝達物質〉である」と認められるようになっていた。

化学物質としてのオキシトシン

１９５０～１９５９年のあいだに、オキシトシンがタイトルに入っている論文は94本あった。それらのなかで、28本の論文は少なくとも40の被引用数があり、そのうち19本は化学の論文だった。

このころの抽出物はまだ粗製だった。1955年、デレク・ルウェリン＝ジョーンズは論文にこう書いた。**分娩の開始時または促進時にこれを習慣的に使用しているところはどこもない。分娩を誘発するためにこれを単独で使用しているところもほとんどない。**[8] ジョーンズの論文は翌年に3回引用されたが、その後は一度も引用されなかった。化学者たちがオキシトシンのアミノ酸配列を突き止め、それを用いて純粋なオキシトシンの合成に成功したため、ジョーンズの論文は時代遅れになったのだ。これらの進歩における功績をたたえられて、ヴィンセント・デュ・ヴィニョーは1955年にノーベル化学賞を受賞し、彼の論文の一つがその10年間に最も多く引用された論文（944回引用）となった。[9] こうして、純粋なオキシトシンは分娩の際に習慣的に用いられるものとなった。

1950年代にはほかにも多くの進歩があった。[10] たとえば、オキシトシンは下垂体でつくられるのではなく視床下部のニューロンによって産生され、ニューロンの電気信号によって放出されると認められるようになった。これらの論文のタイトルには**オキシトシン**が入っていなかった。多くの研究者にとって、オキシトシンはまだ謎だったのだ。

効果はあるようだと考えられていたものの、その本質や起源についてはあまり理解されていなかった。しかし、デュ・ヴィニョーのおかげで、オキシトシンは実験室でつくれる**物質**となった。それにより、原理上、作用を観察する間接的な測り方ではなく、オキシトシンそのものを見て直接的な測り方ができる物質となったのだ。つまり、オキシトシンは**見える**ものになった。この顕著な特徴を得たおかげで、**オキシトシン**は目立ってタイトルに取り上げられるようになった。

薬としてのオキシトシン

1960～1969年のあいだに、オキシトシンがタイトルに入っている論文は325本あった。上位62本の論文は、それぞれ40以上の被引用数があり、そのうち17本は化学者によるものだった。研究の目的は、オキシトシンそのものより強力な薬を開発することに変わった。最も被引用回数が多かったのは、〈オキシトシンの強力な変異型の合成について述べた論文〉だった。[11]

薬理学が化学から主役の座を引き継ごうとしていた。薬理学者たちが気になるのは、薬の有用性だ――新たな薬が治療に役立つかどうか。上位24本の論文は、子宮、腎臓と膀胱、卵巣周期、心臓血管系作用、代謝効果に対するオキシトシンの影響についての研究だった。ある論文では、〈オスのウサギの性行動に対する影響〉について報告していた。

化学者と薬理学者はそれぞれ別の学術誌で論文を発表していたが、両者のあいだには共生関係があった。薬理学者は化学者に薬を供給してもらう必要があり、化学者は薬理学者に薬の生物学的特性を解明してもらう必要があった。薬は無作為につくり出されるものでもなければ治療の必要に応じてつくられるものでもない。化学者が薬を合成し、薬理学者がそれに特性評価するのだ。薬の効果を理解するためには、〈標準的な方法で測定できる明確な反応〉を得なければならない。たとえば、血圧の変化や、尿量の変化や、子宮の収縮などだ。どんな方向へ発展していくかは、〈薬にできること〉によって決まるのであって、〈薬に**してほしいこと**〉によって決まるのではない。

実際、オキシトシンにしてほしいことがあるのかどうかも、よくわからなかった。オキシトシンの欠乏または過剰にかかわる病気があるかどうかも、わかっていないのだ。オキシトシンは分娩を促進し、どうやら授乳も促しているらしい。だが、これらの点で純粋なオキシトシンの働きをこれ以上よくできるのかどうかは難しい問題だ。この問題に対する製薬会社の関心は薄い。関心があるとすれば、「オキシトシンの拮抗薬を早産の予防に使えるか」といった問題だろう。つまり、化学者も薬理学者も、商業的関心やはっきりとした目標に駆られてオキシトシンを研究しているわけではない。化学者にとっては、これは理論的な課題だった――生体分子の構造から、我々はその生物学的機能について何を知ることができるのか？　一方で薬理学者にとって、これは〈オキシトシンの潜在的な有用性〉を探ると同時に、〈「オキシトシンが体内で実際に何に役立てられているのか」を理解するための手がかり〉を探す研究でもあるのだ。

神経ペプチドとしてのオキシトシン

1970～1979年のあいだに、**オキシトシン**がタイトルに入っている論文は、

521本あった。オキシトシンの合成が可能になったことで、オキシトシンに対する抗体をつくれるようになり、新たなテクノロジーが生まれた。これにより、薬理学のみならず生理学の研究ができるようになった。

第一に、**放射免疫測定**を用いてオキシトシンを測定できるようになった。この技術により、ロサリン・ヤローは1977年にノーベル賞を共同受賞した。多くの著名な論文が、この技術を用いていた。なかでも、最も被引用回数が多かったのは、オキシトシンが脳のなかで放出されるエビデンスを報告した論文だった。[12] 放射免疫測定は、それより前にあった生物学的検定と精度は変わらないが、多くのサンプル中のオキシトシン値を一度に測定することができた。〈高い技術力を要する検定〉と、〈検定に意味をもたせるほど十分な量のサンプルの精製〉とを、同時に行えるほど資金のある研究室はほとんどなかったが、検定を専門に行う研究室は数多くあり、共同研究者のコミュニティのために、その技術を維持していた。

第二に、〈「オキシトシンに対する抗体がどこに結合するか」を、正確に視覚化できる**免疫細胞化学**〉を用いて細胞内のオキシトシンを**見る**ことができるようになった。

1970年代に最も引用された論文(被引用数756)では、「ほとんどのオキシトシン・ニューロンが下垂体に神経線維を伸ばす一方、なかには脳のほかの部位に線維を伸ばすニューロンもある」と報告された。[13]「オキシトシンは単なるホルモンではなく神経ペプチドでもあるのではないか」と推論され、多くの研究者がオキシトシンを神経伝達物質と呼ぶようになった。

ほかの上位8本の論文は、オキシトシン・ニューロンに関する最初期の電気生理学的研究について報告したものだった。これらのうち最も被引用数が多い論文は、「授乳の際にニューロンの電気バースト活動に続いて、オキシトシンが律動的に分泌される」ということを明らかにしたものだ。[14]電気生理学の導入によって、シンプルな生理学的反射と考えられていた現象に対する私たちの理解が変化したのだ。

こうした発展とともに、神経科学者たちがオキシトシンの分野を支配するようになっていった。

愛情ホルモンとしてのオキシトシン

１９８０～１９８９年のあいだに９５９本の論文が発表され、そのうちの１３５本は１００回以上引用された。最も引用されたのは、「オキシトシンが母性行動を促進する」と報告した論文だ。[15] 妊娠中のラットはケージに子ネズミを入れてもほとんど反応しなかったが、出産後には巣をつくりケージにいる自分の子以外の子ネズミも集めて世話をし始めた。交尾をした経験のないラットのメスでも、脳にオキシトシンを注射することで同様の行動を引き起こせた。当初、この驚くべき発見の正当性は疑われた。「結果を再現できなかった」と報告する論文も2本あったが、ほかの論文では同様の結果が確認され、研究は拡張された。またほかの論文では、「出産時に脳内で放出されるオキシトシンによって母ヒツジと子ヒツジとのあいだの絆ができる」と報告された――母性愛だ。[16]

その他の上位論文では、「ストレスや食物摂取、それに自慰行為によってもオキシトシンが分泌される」と報告されていた。ほかにも、ラットのメスの性行動を促進する、オスのペニスを勃起させる、食欲を抑える、痛みを軽減する、腸の運動性を高める、プロラクチン分泌を調節するなどの報告があった。

オキシトシン作動薬の開発によって、オキシトシン受容体の位置を特定し、量を測定できるようになった。受容体はオキシトシンがまったくない部位でも見られたため、「オキシトシンは本当に神経伝達物質か」という疑問が生じた。なぜなら**神経伝達物質**は、古典的な定義では〈ニューロンによって放出され、隣接するニューロンに直接作用する物質〉とされているからだ。一方、**ホルモン**は血中に放出され離れたターゲットに作用する。「脳の特定の部位で放出されるのに、脳内の離れた部位で作用する」と考えられているオキシトシンはどちらの定義にもあてはまらないのだ。ホルモンや神経伝達物質のような基本要素の科学的定義であっても、ある時代やある文脈でしか目的を果たせない。しかし、時代や文脈は変化するものなのだ。

こうした研究のほとんどは、クーンのいう**通常科学**や、ポパーの仮説検証に即していないように思える。オキシトシンの新たな役割を発見するのが目的の研究ばかりだ。あらゆる理論が発表されているが、〈決定的な結果が出ていない母性行動のケース〉を除けば、これらの理論に対する確固とした挑戦もほとんど見られなかった。仮説検証は多くの実験計画に現れていたが、科学者は外部の研究者に向かってというよりも、むしろ自分自身に向かって議論しているように思えた。これらの論文の読者は、〈著者の頭のなかで行われている議論を聞かされるただの傍聴者〉にされてしまっているのだ。科学者たちは、将来の研究の可能性を探り、異議を唱えられても反論できる論文によって、その論拠を築こうと模索していたのである。

上位44本の論文は、オキシトシンの子宮への影響に関するものだった。新たな関心の的となっていたのはオキシトシン受容体だ。オキシトシンは出産時に分泌されるが、影響の度合いは子宮内の受容体の数によって決まる。オキシトシン受容体数は妊娠末期に向けて急激に増加する。出産中のラットのオキシトシン値は容易に測定できるほど高いが、ヒトの女性の場合、オキシトシンの血中濃度はラットに比べてはるかに低い。それでも、女性は妊娠末期にオキシトシン受容体の感受性が非常に高くなるため、血中濃度が低くても問題はない。すでに受容体の感受性が極めて高くなっている女性の分娩を誘発するために、本当にオキシトシン分泌の増加が必要なのか、いまだに明らかになっていないほどだ。

バルジ

「この分野の構成がどのように変化してきたか」を見るために、ウェブ・オブ・サイエンスの論文カテゴリーを使用した。1982〜1992年の**バルジ（膨らみ）**は、主に神経科学あるいは、〈内分泌学と代謝作用〉に分類される論文による増加だった。一方、〈産科学と婦人科学〉における論文の数は一定していた（図13・2）。

1970年代後半に二つの新たな技術が導入された――**放射免疫測定と免疫細胞化学**だ。放射免疫測定によって、血液サンプル内のホルモンの測定が容易になり、免疫細胞化学によってペプチドを発現させる細胞の視覚化が可能になった。

同じ期間の類似分野を見ても同様のバルジが現れている（図13・3）。プロラクチンと黄体形成ホルモンは、オキシトシンより大きいペプチドなので抗体を増やしやすい。

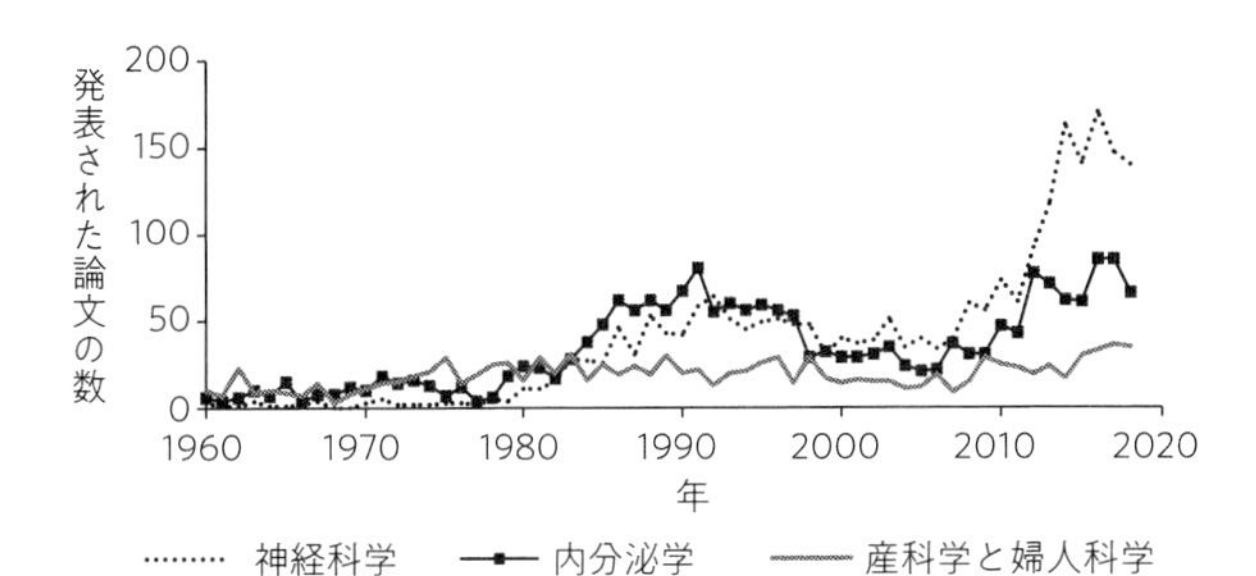

図13.2　神経科学、内分泌学、〈産科学と婦人科学〉に分類される オキシトシン論文の年間発表数。

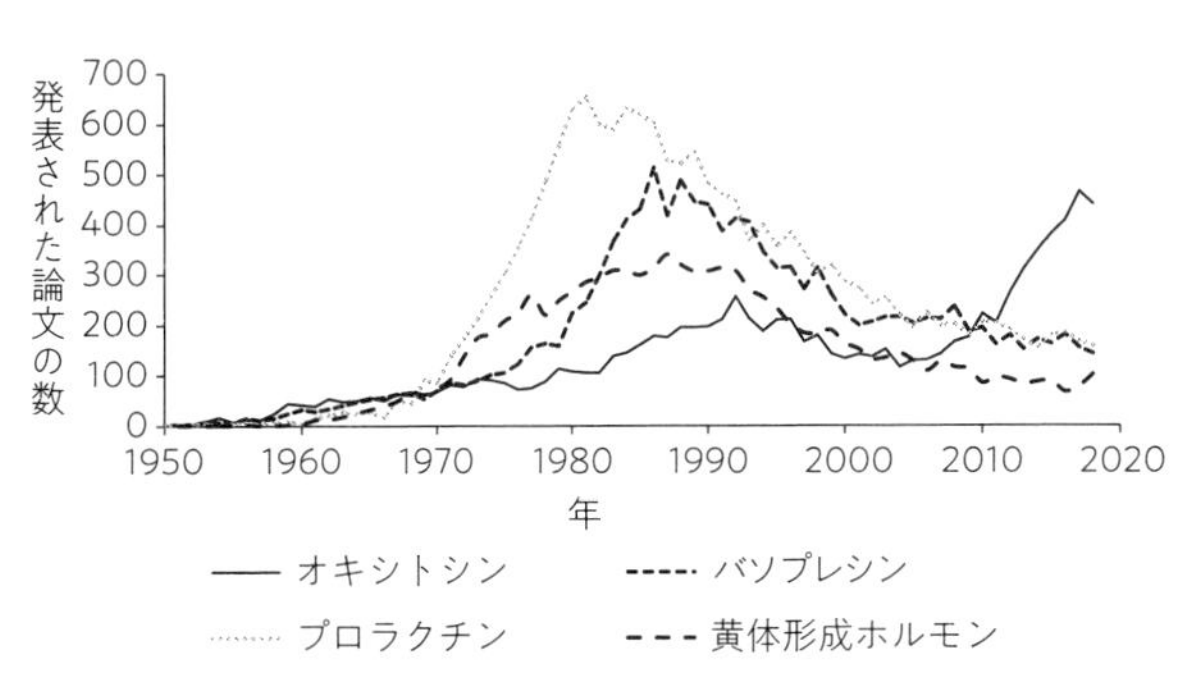

図13.3　オキシトシン、バソプレシン、プロラクチン、黄体形成ホルモンをタイトルに含む論文の年間発表数。

そして血中濃度もオキシトシンより高いため、これらの検定はより集中的に行われるようになったのだろう。バソプレシンはオキシトシンにとてもよく似ているが、多くの病気との関連があるためより重要だと考えられた。それでも、これらのホルモンやほかの下垂体ホルモンのグラフの形はどれも似ている。放射免疫測定の使用に伴い、論文発表数のバルジが見られるのだ。増加した分すべてが放射免疫測定を用いた研究の論文というわけではないが、放射免疫測定による発見がさらなる疑問を生じさせ、新たな研究を促進したことは確かだろう。

すべての事例において、2000年代初めまでにバルジは低下している。放射免疫測定が時代遅れになりつつあるのだ——測定に頼る安易な手法はやり尽くされてしまったのだ。ただし、「この分野が衰退している」と見るのは誤解である。1980年代には、多様な領域でのオキシトシンの役割を発見するべく探索的行動が盛んになった。いまでも、オキシトシンの役割は、食欲の分野、ストレスの分野といったほかの分野で探究されている。だが、これらの分野の論文ではタイトルに**オキシトシン**はめったに使われていないのだ。

抱擁ホルモンとしてのオキシトシン

１９９０～１９９９年のあいだに、**オキシトシン**の論文は１３５７本発表されていて、そのうちの91本は１００回以上引用されている。最も引用されたのは、〈ヒトのオキシトシン受容体の構造〉について報告した論文だ。しかし、上位論文のうち少なくとも55本は、〈脳内におけるオキシトシンの作用〉に関するもので、17本は、〈社会的行動、母性行動、性行動におけるオキシトシンの役割〉について述べていた。

「オキシトシンが母子の絆をつくる」という説が出てきたので、「それは配偶者との絆にもかかわっているのか」という疑問も生まれた。[17] そこで、社会的に一雄一雌(いちゆういっし)で暮らす数少ない哺乳類の一つに注目が集まった。プレーリーハタネズミのオスは、受け入れ可能なメスに出会うと、２日ほどのあいだずっと性交を繰り返し長続きする絆をはぐくむ。プレーリーハタネズミのペアは、見てすぐわかるほどの仲のよさで通常身を寄せ合って過ごしている。抱擁(ほうよう)というよりは体をくっつけ合っているのだが、出版物には**抱擁**と書かれている。子どもが生まれるとオスも子育てに参加する。そして個体によって性的な貞節はさまざまだが、夫婦の社会的な絆は一生続く。

「オキシトシンを脳に投与すればパートナーとの絆の形成を促進できる」と報告した論文が3本あった。**パートナー優先テスト**の方法はシンプルだ。メスのプレーリーハタネズミを、二つの小部屋に接続されたケージに入れる。小部屋には、それぞれ一匹ずつオスが入っている。メスは1週間前に交尾したオスとまた過ごすのか、それとも新しいオスのところに行くのか？　交尾は絆をはぐくむ——そして、オキシトシンも絆をはぐくむらしい。

こうした実験方法なら簡単に再現できるし、メカニズム研究と組み合わせることもできる。雑婚種と一雄一雌種では、異なる脳の領域にオキシトシン受容体がある。絆の形成はオスにメスとは異なる影響を及ぼす——縄張り意識が強くなりほかのオスに対して攻撃的になる。この影響にかかわっているのは、オキシトシンではなくバソプレシンだ。関連がある脳の領域も特定され、バソプレシン受容体とオキシトシン受容体の位置もわかっている。

これらの研究は非常にマスコミの関心を引いた。同時に、科学コミュニティのなかでも随一のマスコミ通である心理学者たちの心もとらえた。

信頼ホルモンとしてのオキシトシン

２０００〜２００９年のあいだに、**オキシトシン**の論文は８３６本発表されていて、そのなかに**オキシトシンはヒトの信頼を高める**と題する論文もあった。[18] これは現在までに発表されたオキシトシンの論文のなかで最も被引用回数の多い論文だ。この論文は〈オキシトシンの経鼻投与による金銭をかけた**信頼ゲーム**のプレイヤーへの影響〉を報告したものだ。このゲームでは、「プレイヤーがパートナーと信頼関係を築けるかどうか」が成功の鍵となっているのだ。

信頼ゲームによる研究は目新しいものではない。〈人々の経済的意思決定の仕方〉について研究する行動経済学の分野では定番となっている。オキシトシンの経鼻投与も同様に目新しくはない。１９６０年代には、分娩を促すために経鼻投与が広く用いられていたが、点滴のほうがより確実な方法なのでしだいに使われなくなっていたのだ。[19] この論文は、「シンプルな介入――鼻孔スプレー――によって、社会的行動障害を治療できるかもしれない」という新たな概念を生んだ。1回の使用量は24IU(国際単位)とかなり多かった。この値は、〈男性の下垂体に含まれるオキシトシンの総量〉に近く、〈分娩の促進に必要な量〉の倍以上だ。この量が、〈心理学的効果や脳機能への影響を調べるための、ヒトを対象とした何百もの研究〉において標準用量となった。

2000~2009年に発表された89本の論文は、2018年5月までに100回以上引用されている。そのなかの25本は〈ヒトのオキシトシン経鼻投与に関する研究〉だ。6本は〈オキシトシン受容体の遺伝的変異に関する研究〉で、自閉症、育児行動、ストレス反応性との関連を明らかにしている。5本は〈ヒトの血漿オキシトシン濃度に関する研究〉で、自閉症、性機能障害、うつ病、母性行動、社会的接触と関連づけられている。

49本の上位(高被引用)論文は〈動物に関する研究〉で、これらのうちオキシトシンの経鼻投与を用いているのは1本だけだ。にもかかわらず36本は〈オキシトシンの行動作用に関する論文〉で、そのうち〈母性行動に関する論文〉が7本、〈つがいの絆に関する論文〉が4本である。〈社会認識に関する論文〉は7本あり、そのなかには「〈遺伝子組み換えによってオキシトシン受容体をなくしたマウス〉は、慣れ親しんだマウスと見知らぬマウスの区別がつかない」と報告したものがある。16本はストレスに関するもので、うち8本はオキシトシンが不安軽減に役立つかを調べた論文だ。

6本の上位論文は、オキシトシンの代謝的役割に関するもので、5本は食欲、1本は骨の成長をテーマとしていた。心筋に対するオキシトシンの影響を報告した研究もあれば、「オキシトシンとその受容体が血管内で合成される」と報告した研究もあった。ヒトの出産に関する上位論文は3本だけだった。

経鼻投与ホルモンとしてのオキシトシン

2010〜2018年5月までのあいだに、**オキシトシン**の論文は752本発表され、すでに2万4215回も引用されている。これらのうち143本はヒトにおけるオキシトシン経鼻投与に関する研究で、11本は動物におけるオキシトシン経鼻投与に関する研究だ。

この期間に、食欲とエネルギー消費への影響に関する論文は85本あった。そのなかには骨、脂肪組織、胃腸に関する研究も含まれていた。心臓に対するオキシトシンの作用について述べている論文は12本あった。痛みに対するオキシトシンの役割について述べた論文は11本――痛みのメッセージを伝える脊髄のニューロンはオキシトシン・ニューロンの支配を受けている。しかし別の262本の研究では、脳へのオキシトシンの作用が取り上げられていた。たとえば、不安、報酬プロセス、恐怖、攻撃性、母性行動、つがいの絆、性行動、ペニスの勃起への影響を調べた研究だ。

「社会的行動に対してオキシトシンが影響を及ぼす」と知って、行動科学者や心理学者や精神科医がこの分野に関心を抱くようになった。しかし2009年以前は、これらのコミュニティから**オキシトシン**の論文が発表されることはほとんどなかった（図13・4）。図13・2を見ると明らかなように、こうした関心の高まりに応じて神経科学の論文が増加している。〈ヒトの行動への関心〉が後押しとなって、〈オキシトシンが行動に影響する神経メカニズムへの関心〉も高まったのだ。あるいは逆に〈神経メカニズム

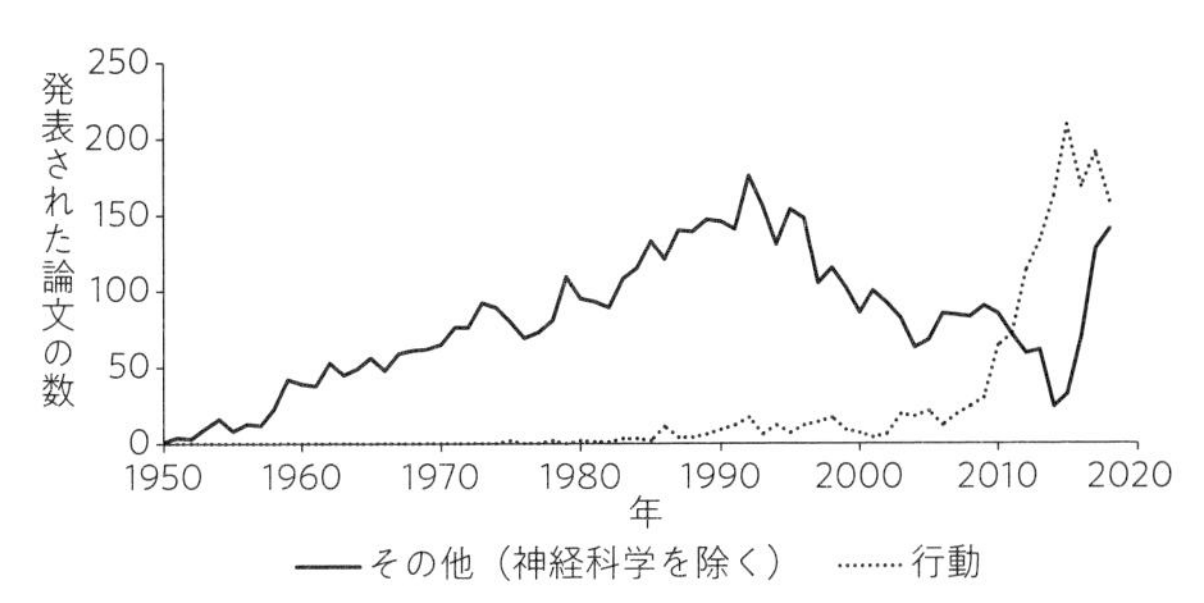

図13.4　各年に発表された、タイトルに**オキシトシン**が入っている論文の数を2種類に分けたグラフ。**行動**は、心理学と精神医学と行動科学の論文を併せた数。**その他**は、ほかのすべての分野（神経科学を除く）の研究論文の数。

への関心〉が後押しとなって、〈ヒトの行動への関心〉も高まった。これら二つのコミュニティが直接交流するケースは珍しいが、二者は共生関係にあるのだ。

オキシトシン測定への関心も再び高まった。ただし、内分泌学ではなく心理学を背景としての高まりだ。新規参入者たちは、〈血漿オキシトシンの測定には適さない市販の検定キット〉を使用しており、その問題点に対する理解も失われてしまっていた。

図13・4でも明らかなように、新たなコミュニティである臨床神経学は、〈脳の活動に対する経鼻投与オキシトシンの影響〉に注目している。このコミュニティでは、「オキ

シトシンを経鼻投与したあと脳の活動に変化があれば、オキシトシンが脳に届いたに違いない」と仮定している。〈オキシトシンの末梢作用について研究してきた研究者たち〉とは一切交流がないため、そういった研究の存在には気づいていないようだ。

データを見ると、1960年代のオキシトシンの分野を支配していたのは化学と薬理学だった。1970年代は生理学、1980年代は内分泌学、1990年代は細胞神経科学、2000年代は行動神経科学、2010年以降は心理学と精神医学によって支配されていた。一方で、図13・5を見れば明らかなように、この分野の引用行動のパターンはとても安定しているように思われる。このグラフは、1960～2009年までに発表された論文を10年ごとの線に分け、タイトルに**オキシトシン**が入っている研究論文の被引用頻度を示している。[20] どの10年間でも、約30%の論文が全引用の約70%を占めている。これはほかの分野で見られる分布とほぼ同じだ。[21] 10年ごとの線のうち4本は、ほぼ同一の曲線を描いているため、グラフの上では重なって見分けがつかないほどだ。例外は点線で表されている〈2000～2009年のあいだに発表された論文〉だ。この10年間に829本の論文が発表され、2018年5月までに3万9894回引用されて

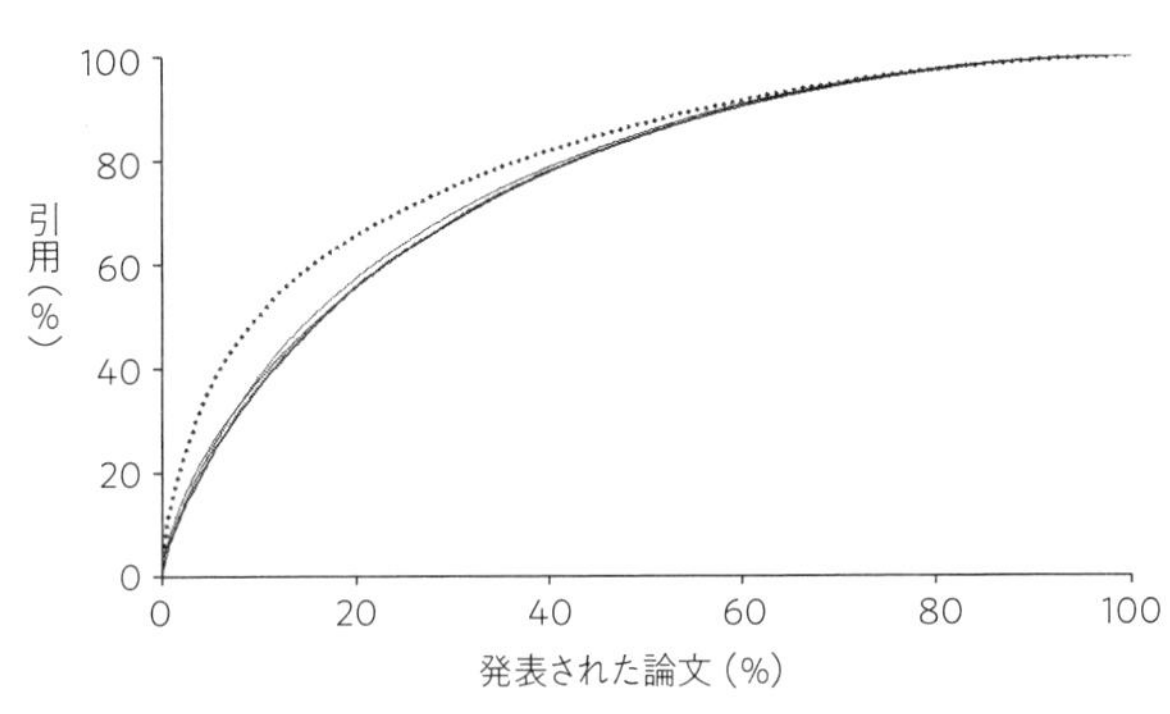

図13.5　〈**オキシトシン**をタイトルに含む一次研究論文の被引用頻度〉を、1960 ～ 2009年までの期間を10年ごとに分けた5本の線で示す。調査は2018年5月に行った。

いる。この期間に発表された論文のなかには、当分野で最も被引用数が多い論文も含まれており、上位30％の論文が全引用の75％を占めているのだ。

この分野は、数学者が**フラクタル構造**と呼ぶ構造となっている。たとえば、電気生理学のような小さい副分野を見ても、もう少し引いてオキシトシンの神経科学を見ても、さらに引いてオキシトシン全分野を見ても、もっと引いて神経科学全体を見ても、引用の特徴が同じパターンをしているのだ。異なる小さな副分野から見ても、それぞれの研究テーマから見始めたとしても、このパターンは変わらない。

このパターンは科学の自己組織化構造から生まれる。科学者は孤高の存在ではなく〈同様の方法論を用い、同様の関心をもつ人々〉とコミュニケーションをとりながら仕事をしている。科学の複雑な位相空間内で、科学者はもっぱら仲間内どうしで引用し合っている。こうした小さなクラスターが、方法論的・概念的チェックとバランスを提供しているのだ。彼らは他人の研究はほとんど直接引用せず、しばしば総説論文を通すか、その分野の**大御所**や権威を通して引用する。**大御所**や権威がハブとなって、アイデアやイノベーションをコミュニティ全体に広めているのだ。10年ごとに見ても、こうした引用行動の分布がほぼ同一で変わらないのは注目すべき点だ。

意外なのは**目標志向行動**の欠如だ。「目標をもって行動している」というより、科学者は日和見主義である。新薬も、放射免疫測定や免疫細胞化学のような方法論的な進歩も、ペプチドの経鼻投与のような新しい実験モデルも、「既存の問題を解決する」というより、新たな探究の道筋を開くことにつながっているのだ。

オキシトシンの分野は、どれだけ大きいのか？

1990～1999年のあいだに発表された1357本の研究論文は、2852人の著者によって書かれていた。このうち57人はそれぞれ10本以上の論文を書いており、合計すると584本、全体の43%を占めた。これら57人は単独著者というわけではなく、584本のうち200本以上は二人以上の共著論文だ。また、この著者たちは総説論文もたくさん書き、専門学会に招かれて研究発表も行っている。彼らは、この分野の主だった**オピニオン・リーダー**なのだ。ただし、専門は産科学、神経科学、内分泌学、薬理学、行動学など、さまざまな分野にまたがっている。このように分野にはさまざまな**領域**があるが、影響力が不釣り合いなほど大きいリーダーは、各領域にほんの一握りしかいない。こうしたリーダーのアイデアや見識だけでなく、偏見や誤解までもがコミュニティに広がっていく。

領域が大きくなると、そこでの被引用率も増加する。ほとんどの論文が密接に関連した論文を引用するからだ。新しい領域が急速に拡大している場合、へ発表される論文の数〉が〈引用可能な論文の数〉に比べて常に大きくなる。その結果として平均被引用率が高くなる。このことが〈研究の質と重要性の証〉とみなされ、新規参入者や研究助成金を引き寄せる。それがさらに急速な活動の拡大につながる。しかし、しだいに手っ取り早い見返りが得られなくなり、新規参入者が存在感を示すのが難しくなる。確立した分野での被引用率が低いのは、引用可能な文献の総体がそもそも大きく、その規模に応じて徐々に成長しているためだ。

省察

オキシトシンは乳汁射出にのみ必須だが、オキシトシンの重要性についての見解は変化してきた。オキシトシンは、かつては速やかな分娩のためのホルモンだったが、それから、性行動や母性行動にかかわる愛情ホルモン、つがいの絆にかかわる抱擁ホルモン、そして社会的行動にかかわる信頼ホルモンへと変化した。

その過程では、以下の技術的な節目となる出来事があった。

・〈精製抽出物の単離〉と〈その応用によるオキシトシンの末梢作用のいくつかの立証〉。
・〈オキシトシンの構造〉の同定。
・〈放射免疫測定と免疫細胞化学〉の開発。
・〈オキシトシン遺伝子およびその受容体〉の塩基配列の決定。

多くの発見もあった。たとえば、オキシトシンは内分泌細胞ではなくニューロンによってつくられること。その分泌は電気的活性によって決定されること。オキシトシン・ニューロンは脳内でほかのニューロンと情報伝達をしていることなど。ある意味、これらはいまでは一般に認められた事実となっているかもしれないが、不変で無条件の事実など一つもない。オキシトシンはニューロンによってのみつくられているわけではないし、ニューロンからの分泌は電気的活性によってのみ決定されているわけではない。そして、すべてのオキシトシン・ニューロンが、脳内でほかのニューロンと情報伝達するわけでもないのだ。

オキシトシンの分野が発展していくにつれて、それを導く理論も変化していった。オキシトシン受容体の発現が動的に制御されていると明らかになったことで、ハリスのアイデア（第5章）は覆された。ハリスは、脳を内分泌系の制御ヒエラルキーのトップに据えていたが、ホルモンの働きがターゲット組織における受容体発現によっても支配されているなら、その制御部位は不明確になる。分娩の際には、脳が子宮をコントロールしているのと同じように、子宮も脳をコントロールしているのだ。

ところが、この分野には、「何が重要な問いであるか」を決める包括的な理論体系もなければ、「問いにどう答えるか」、「見かけ上の答えをどう解釈するべきか」を決める規範体系もないようだった。むしろ、重要な問いは新たな実験ツールによって決定されていた。こうなったのは、新規参入者が「〈継続的に必要とされる専門知識〉に投資したい」と欲したからだ。新規参入者は、〈自分たちを快く受け入れてくれるほどには規模が小さいけれども、自分たちの論文をある程度は引用してくれるほどには大きなコミュニティ〉に入りたがるものだ。「科学者たちは将来の実用性なんて気にしていない」といっているのではない。ただ、実用性も分野の人気度に影響する多くの要因のうちの一つにすぎないのだ。また、「壮大な構想に突き動かされて研究している科学者がいない」といっているのでもない。少なくとも、〈数多くの研究を引用されている科学者〉が壮大な構想を高らかに語っている場合は、多くの科学者が触発されるはずだ。

これまで見てきた〈オキシトシンの効果の多様性〉と〈研究者たちがそれらの特性を理解しようと取り組んでいる小さなコミュニティ〉を通じてわかることがある。研究者たちはこの小さなコミュニティのなかで、重要な問題と取るに足らない問題を区別し、自分たちだけにしか見えない不調和や矛盾点に取り組んできた。これはもはや一つの分野というより、生態学的な多様性をもった活動領域なのだ。

第14章

事実はどこにあるのか？

思考は個人から個人へ伝わっていくが、そのたびに少しずつ変化していく。人それぞれに異なる連想を少しずつ元の考えにつけ足して伝えてしまうからだ。厳密にいえば、誰かが伝えようとした思考を、相手が１００％正確に理解することはありえない。そのような伝達が何度も繰り返されれば、最初の内容とは似ても似つかないものになる。そうなっても循環し続けるこの考えは、いったい誰の考えといえるだろう？　明らかに、これはもはや個人の考えではなく、集団の思考だ。個人がその真偽をどう判断しようと、また、それを正しく理解しているか否かにかかわらず、一つにまとまった結論はコミュニティのなかを回っていく。その過程で磨かれ、変化させられ、強化され、弱められつつ、ほかの結論や、概念の形成や、意見や、思考の傾向に影響を与えるのだ。

――ルドヴィック・フレック[1]

客観的な科学的事実というものは、あったとしても限りなくゼロに近い。とりわけ、〈事実だけを知りたいと望む人が満足できる科学的事実〉はほとんどないのだ。文献上での事実ならたくさんある。たとえばそれは、「実験の過程で何が観察されたか」とか「どのように実験が行われ観察結果が導かれたか」などについて述べている事柄であり、「その点では議論の余地がない」といえる。しかし、「そのような事実が何を意味するのか」を探ってみると、その解釈や評価には議論の余地があるものばかりだ。

科学者は発見や観察結果や結論について話すが、事実について話すことはめったにない。彼らが事実について話すときは、たいていレトリックの技巧として語っている。そうするのは、〈経験的観察による広範な根拠に基づいた言明〉と、〈そうではない推測による真偽の疑わしい言明〉とを区別したいときで、しばしばもどかしい気持ちを表現している。しかし、そのような事実であっても、常にそれは一時的なものであり、絶えず洗練し修正していかなければならず、それでも最終的には否定されてしまうものなのだ。これは「科学が進歩していない」ということではなく、「科学の進歩は〈絶対的な事実の蓄積〉によって成り立っているわけではない」ということなのだ。

科学の発展とは、事実を洗練し、修正し、変更を加え、再構成し、置き換える過程そのものだ。これは、〈私たちが知っている範囲〉を広げると同時に、〈知らないことがあると自覚できる範囲〉を広げるための過程でもある。たとえば、〈より効果的な方法を用いて出産を促す〉など、知っていることを実際的な目的に応用し、その成功から進歩があったと考えられるケースも確かにあるだろう。だが多くの場合、科学者にとっての進歩とは、そのように具体的に感じられるものではなく、「〈メカニズムに対する理解〉をより完全なものに近づけていく発展の過程こそが進歩だ。メカニズムを理解できれば、実験についてより確かな予測が可能になる。その予測力を生かして、科学者は実験を考案する。この発展の過程で、データの再解釈、正当性の再評価、基本概念や理論の再定式化が絶えず行われている。

科学におけるどんな話でも、実際に事実といえるのは、科学的文献のなかで述べられたことについての言明のみだ。これらを**事実**と呼ぶのは理にかなっているかもしれない。なぜなら、「その言明が確かに文献のなかで述べられているとおりであるか」についてなら、図書館に行って調べられるからだ。同じ言明を、ほかの信頼できそうな論文でもたびたび目にする機会があったら、私たちはおそらくその言明に疑いをもたなくなるだろう。しかし本当は疑いをもつべきなのだ。

オキシトシンを発見したのは誰か？

『ブリタニカ百科事典』を始め、多くの情報源には事実として以下のように記載されている。**英国の生理学者であるヘンリー・デール卿が「雄ウシの下垂体後葉の抽出物をネコやイヌなどの動物に投与すると子宮の収縮を促進できる」と発見し、1906年、子宮筋組織に影響を与える神経ホルモンの存在が実証された。**[2] ウィキペディアには、もっと素っ気なくこう書かれている。**オキシトシンは1906年にヘンリー・デールによって発見された。**[3]

デールは1906年に麦角の子宮に対する影響についての論文を発表しているのは本当だ。その論文でデールは確かに、「雄ウシの下垂体の抽出物でもネコの子宮収縮を促進できる」とも書いている。[4] ただし、デールが使用したのは下垂体全体の抽出物であり、下垂体後葉の抽出物ではなかった。デールがなぜ、下垂体の抽出物が子宮収縮に効くかどうか試したのかも、はっきりしない。デールはそれについてなんの説明もしていないし、方法論について詳しく述べてもいない。ただ、補足としてこの発見について述べているだけだ。「この発見の先取権を確立するためだけに述べた」という可能性も否定できない。というのも、デールと同世代の研究者であるウィリアム・ブレア＝ベルが、それ以前にこの抽出物の効果に興味を示していたからだ。

とはいえ、デールは**神経ホルモン**の存在まで提唱しているわけではなかった。当時はまだ「下垂体から神経由来の物質が分泌される」なんて、誰も考えていなかったのだ。**ホルモン**という概念さえ生まれたばかりだったので、デールは**ホルモン**という言葉も使っていなかった。「下垂体抽出物の子宮に対する作用は、血圧を上げる**昇圧**の原理によるもの（のちにバソプレシンと同定されるホルモンの働き）だ」とデールは考えていた。彼は1906年の論文の末尾における**付随的観察**のなかで、子宮への効果を述べているだけである。そこではこのように結論づけられている。**下垂体（漏斗）の昇圧原理が平滑筋繊維のなんらかの構成要素に作用している。それ以外にも、平滑筋繊維はアドレナリンによって、また、交感神経の軸索終末に届くインパルスによって刺激される。**[5]

1909年、デールはもっと限定した（下垂体後葉のみの）抽出物をネコに用いた実験について、若干の説明を加えたものを発表した。しかし、子宮に関する研究については1ページのみで、重大な誤りも含まれていた。[6] 同年、ブレア＝ベルとパントランド・ヒックは、「この抽出物がウサギの子宮収縮を促進する」と明らかにした。重要なのは、「交尾をしていないウサギより妊娠中のウサギのほうが効果は強く出る」と彼らが述べていた点だった。[7] デールは、これが平滑筋の一般作用であるという信念を堅持して、妊娠中に効果が強く出ることを否定し「子宮への作用には関心がない」とまで言っていたが、この考えは誤りだった。すべての哺乳動物において〈オキシトシンに対する子宮の感受性〉は、妊娠末期にかけて著しく高まる。デールがこのことに気づいていたら、「オキシトシンの効果が既知の昇圧反応の一例である」とは考えなかっただろう。

したがって、オキシトシンについて最も広く紹介されている**事実**――**オキシトシンは1906年にヘンリー・デールによって発見された**――は、デールの観察結果とは相いれなかったし、デールの主張ともまったく違っていた。[8] 実のところ、この言明には解釈の問題が絡みついていて、歴史の面から見てもおかしいのだ。クーンが自著『科学革命の構造』（1971年、みすず書房）で避けようとしていたのも、この種の誤りだった。

これは、アイデアではなく観察結果に先取権を与えようとして起きた誤りだ。すべての観察結果は、「それらが何を意味するのか」に関するアイデアと固く結びついている。デールの観察結果は、「下垂体抽出物のオキシトシン効果は昇圧原理の作用を反映したものだ」という〈最終的に反証されたアイデア〉と結びついていた。一方ブレア＝ベルは、「下垂体から分泌された成分が分娩を制御している」というアイデアを抱いていた――ブレア＝ベルはこのアイデアを探究し、妊娠した女性に抽出物を投与する試験を行ったのだ。

「オキシトシンは１９０６年にヘンリー・デールによって発見された」という何度も繰り返し語られてきた**事実**が間違いなら、なぜそのことに誰も気づかなかったのだろう？「〈オキシトシンの発見〉として１９０６年のデールの論文を引用している人たちは、実はその論文を読んでいなかった」ということは明らかだ。ただし、デール（１９０６）の引用ミスがそんなに大問題かというと、そうでもない。結局、「オキシトシンを発見したのが誰か」なんて、そんなに重大な問題ではないからだ。では、読んでもいないのになぜ、デール（１９０６）を引用するのだろうか？　これは間違いなく、著者の博学ぶりをアピールするためだろう。つまり、これもレトリックの技巧で、〈著者がこの分野の歴史に通じていて深い知識をもっていること〉を読者に知らせるのが目的だ。デール（1906）は、この分野の象徴になっていたのだ。

オキシトシンとは何か？

これまで見てきたように、オキシトシンはさまざまなアイデンティティをもっている。抽出物であり、化学物質であり、ホルモンであり、神経伝達物質であり、神経ペプチドであり、出産ホルモンであり、愛情ホルモンであり、抱擁ホルモンでもあった。

オキシトシンとは何か、単にそのときどきの流行りの考え方が変化してきたのではない。特定の研究者の関心に応じて、オキシトシンのアイデンティティが限定されてきたわけでもない。オキシトシンの技術的な意味もまた変化してきたのだ。

名づけ親であるカムにとって、オキシトシンは〈下垂体後葉の抽出物の有効成分〉であり、特定の生物学的効果によって定義されるものだった。この抽出物が産科で広く使用されるようになると、**標準化された**抽出物を制定することが必要になった。そこで1925年、国際連盟の委員会は『米国薬局方』(United States Pharmacopeia) の標準参照粉末の採用を提案した。これはウシの下垂体後葉からつくられた粉末で、0・5mgが抽出物1IU(国際単位)に相当するとされていた。一方、デュ・ヴィニョーにとって、オキシトシンはアミノ酸配列であり、これはカムのいう有効成分と同一であると仮定されていた。そうすると、オキシトシン抽出物1IUを含む粉末0・5mgのなかに、〈デュ・ヴィニョーが同定したオキシトシン〉が含まれる量はわずか2マイクログラム(μg)にすぎないのだ。[9]

オキシトシンは脳内で大きな前駆体分子の一部としてつくられる。それが酵素によって切断されて活性分子ができる。そのため、酵素が前駆体を切断するときに、オキシトシンよりわずかに短かったり長かったりする物質ができることがあるのだが、これも**オキシトシン**と呼べるのだろうか? 誰に尋ねるかによって、その答えは変わる。化学者なら、これはやはり、オキシトシンより長い、あるいは短い別のバージョンだと答えるだろう。だが、生理学者なら、「その別のバージョンがオキシトシンと同じ生物学的活性を保持しているかによる」と答えるだろう。

オキシトシンは血中に放出されたとき、酵素によって分解される。しかし、血液中には大きくて粘着性の分子――免疫グロブリン――が大量に漂っていて、オキシトシンがからめとられてしまうことがある。こうして免疫グロブリンと結合したオキシトシンには生物学的活性はない。なぜなら、体内の組織に影響を与えるためには、血液中から出て、組織のまわりにある液体に入っていかなくてはならないからだ。そうやって血液中から出られずに蓄積した結合オキシトシンの量は、**遊離した**オキシトシンよりはるかに多くなる場合がある。結合オキシトシンは、まわりを取り囲んでいる分子が取り除かれないとなくならない。しかも、遊離したオキシトシンの寿命が数分しかないのに対し、結合分子の寿命は数日なのだ。それでも、これはまだ**オキシトシン**といえるのだろうか？　生理学者ならこういうだろう。「オキシトシンは酵素によって不活性化された時点でオキシトシンではなくなるので、これも結合によって不活性化された時点でオキシトシンではない」と。この考え方なら、生物学的活性によってオキシトシンを定義するカムの考え方に沿っているし、現在も使われている国際単位の意味とも矛盾しない。

なんらかの検定によってオキシトシンを測定している人にとっては、その検定によって認められれば、それはオキシトシンであり、化学的配列が同じということになる。しかし現在、オキシトシンの測定に用いられている検定では、生物学的活性は測れない。それに、検定方法によっては、結合オキシトシンを**見分ける**ことができる場合もあれば、できない場合もあるのだ。結合オキシトシンの検定は、オキシトシンの産生量や、オキシトシンの活性を測るうえで意味があるだろうか？　たぶん、ない。というのも、人それぞれ免疫グロブリンの補体が異なっていて、補体は生理学的状態によっても生活経験によっても変化するからだ。結合オキシトシンを測定しても、ある特定の時点のある特定の免疫グロブリンの量がわかるだけだ。だから、結合オキシトシンの量を測定したとしても、おそらくオキシトシンの産生や分泌や作用に関連することは何も測れない。

ほとんどの哺乳類はオキシトシンをつくるが、有袋類はメソトシンをつくる——オキシトシンとはアミノ酸が一つだけ異なる分子だ。これは中立突然変異であり、メソトシンはオキシトシンと同じ受容体に作用し、同じ生物学的な働きをもっている。有袋類のメソトシンもオキシトシンと同様、視床下部でつくられ、下垂体後葉から分泌され、射乳と分娩を調節している。ということは、このメソトシンもオキシトシンなのだろうか？

化学者は、そうではないという。メソトシンはオキシトシンの同族体だというのだ。だが、ほかのホルモンは違う扱われ方をしている。たとえば、プロラクチンや、成長ホルモンや、インスリンだ。これらのホルモンは、哺乳類の種によってかなり異なる場合があるのに、同じ名前で呼ばれている。でも、こちらのほうがあたり前ではないだろうか？　鍬（くわ）はどんな形をしていても、土を耕すのに使えれば鍬だ。

魚類の場合も、オキシトシンのもう一つの同族体であるイソトシンが下垂体後葉から分泌される。イソトシンは産卵を調節し、ほかにも、行動や、エネルギー平衡や、電解質平衡に対して、オキシトシンに似た影響を及ぼしている。これを**イソトシン**ではなくオキシトシンと呼んでいる科学者もいる。なぜなら、「種は違っても同じホルモン系を研究している」と、この科学者たちは考えているからだ。また、「ヒトやほかの哺乳類を研究している科学者たちにも自分たちの研究を認めてもらいたい」と願っているのだろう。

とはいえ、〈ヒトの血漿中のオキシトシンを測定した研究〉および〈一般的な技術を用いた最近の研究〉だけに話を絞れば「それらの研究で扱われているものは同じだ」と自信をもっていえるはずである。そうではないだろうか？

2015年、ヒトのオキシトシンに関する最大規模の研究が行われ、対象者552人の平均血漿濃度は0・4ピコグラム（pg）／mℓと報告された。[10] 使用されたのは、「生物学的活性の測定値と一致する測定値が得られる」と、**十分に検証された**放射免疫測定だった。この手法には、〈分析性能に影響するかもしれない大きな分子〉を取り除くための、サンプル**抽出**の作業が含まれている。報告された濃度は、〈同様の手法を用いたほかの多くの結果〉と概ね一致していた。

しかし2013年には、同じくらい規模の大きい研究で、平均濃度は400pg／mℓと報告されていた。[11] このとき使用されたのは別の測定方法——酵素結合免疫測定法——で、研究者たちはサンプル抽出を行っていなかった。この場合も、報告された濃度は、同様の手法を用いたほかの多くの結果とは概ね一致していた。

これら二つの研究で報告された濃度の差は1000倍だ。これら二つの手法を用いて同じサンプルを測定した研究が4本発表されている。4本とも、「これら二つの測定方法による結果のあいだに相関関係はない」と報告している。これら二つの測定方法で測定されたものがなんであれ、それらは同じものではないのだ。おかしなことに、同時期の研究者コミュニティ二つが、どちらもオキシトシンについて研究し、どちらも名目上はオキシトシンに関する論文を何百も書いているはずなのに、まったく相関関係のない結果を報告している。[12]これは、いったいどうなっているのだろう？

これら二つのコミュニティのあいだで、うまく交流ができていないのは明らかだ。一方は、〈1970年代に開発され専門の研究所で管理されてきた技術〉である放射免疫測定を使用している。この手法には、〈分析に影響する大きな分子を取り除くためのサンプル**抽出**〉が含まれている。しかし、このような測定方法は非常に時間がかかるし、動物の体内で生じる繊細な抗体を扱わなくてはならない。こうした抗体のストックは希少になってきている。抗体をつくるにも、測定方法を改良し検証するにも、特別な専門知識が必要だ。これらの技術を開発してきた世代の科学者たちは引退し、現場を去り始めている。

もう一方のコミュニティを構成しているのは新世代の科学者たちで、彼らは〈オキシトシンとヒトの心理的特性とのあいだの相関関係〉を探している。こちらのコミュニティでオキシトシン測定のために主に使われているのは、市販の測定キットだ。こうしたキットは血中のオキシトシンではなく、試験管内のオキシトシンを測定するためにつくられており、しかも、研究者たちは手間をかけて〈妨害因子を取り除くためのサンプル抽出〉を行っていない。こうした手間をかけることの必要性を伝える人がいなくなり、心理学者のコミュニティと内分泌学者のコミュニティとのあいだの交流はほとんどないため、新しい測定方法と古い測定方法とのあいだの結果の食い違いは気づかれなかったか、無視されてしまっている。

論文は、ごく小さなコミュニティ内の科学者どうしで評価し合っているため、より広い目で見た外的妥当性は見逃されがちだ。客観的な有効性が認められていなくても、コミュニティ内のほかのメンバーが使っているからというだけで、有効な技術とみなされている。

教科書に載っている事実

では、科学の進歩のたまものである〈完全で揺るぎない事実〉とはなんなのだろう？　生理学の教科書を読めば見つかるだろうか？　教科書を見ても、〈不思議なくらい一貫していて、悲しいほどに委縮した、奇妙な選択の跡の残る説明〉が載っているだけだ。〈オキシトシンに関する事実〉として教科書に最もよく記載されている説明といえば、「オキシトシンは視床下部室傍核(ししょうかぶしつぼうかく)で産生され、バソプレシンは視索上核(しさくじょうかく)で産生される」というものだ。これは、「脳の領域を機能によって分類できる」とする、一昔前に流行った単純な考えの名残だ。免疫組織化学の発展により、細胞内のペプチドを**見る**ことができるようになり、もう50年以上も前に、オキシトシンも見られるようになった。こうした研究が始まってすぐ明らかになり、以降ずっと確かめられてきたのは、「オキシトシン・ニューロンとバソプレシン・ニューロンのどちらもが視床下部室傍核と視索上核の両方に見られる」という結果だ。しかも、視床下部室傍核と視索上核にあるオキシトシン・ニューロンは全体の約半分だけで、残りは前視床下部のいたるところに散らばっている。

なかには説明を修正した教科書もあるが、いまだに間違いが残っていて、「**ほとんどのオキシトシン・ニューロンは視床下部室傍核にある**」とか、「**少数**は別の核にもある」とか書いてある。なかには妙に細かい数字にこだわって、「ニューロンの6分の1は別の核にもある」なんて記述もある。何冊もの教科書がこんな調子だ。これらの説明について、正式に発表された分析結果は見つからなかったが、矛盾する研究結果ならたくさん出ている。

「些細なことにケチをつけすぎだ」と思われるかもしれない。教科書は、わかりやすくシンプルなほうがよくて、細かすぎる情報はどうでもいい。肝心なのはそこだ。この**事実**が間違っていようがどうでもいい。なぜなら教科書を読む人にとって、この情報は重要ではないからだ。「オキシトシンが下垂体ではなく、視床下部のニューロンによってつくられる」という知識は役に立つかもしれない。しかしたとえ正確だとしても、自分にとってなんの役にも立たず教科書のほかの部分ともなんの関係もない〈ただ細かいだけの情報〉まで知る必要はあるのだろうか？

一つ目の答えは、「教科書自体にも進化系統がある」ということだ。教科書は古い教科書から小さな変異を繰り返して進化していく。〈どうでもいいけど間違っている**事実**〉がたくさん修正されずに残っているのは、その教科書に対して淘汰圧がほとんどかかっていない証拠だ。こうして教科書ゲノムのジャンクのなかに、偽の事実が残り続ける。

二つ目の答えは、そうした〈一見すると明確で具体的な疑似事実〉は、〈ぼんやりとしていてとらえがたい条件つきの現実〉よりも覚えやすいからだ。〈学生の知識や理解度〉ではなく、単に〈教科書の内容をどれだけ覚えているか〉を調べたい教師にとっては、〈疑似事実の記憶〉は評価しやすい。理想の世界では、教科書は事実の**味見**をさせてくれるものだ。ショコラティエが選りすぐりのトリュフを差し出すように、事実が由緒ある銀の皿に載せられて、それぞれ丁寧な説明つきで提供される。だが現実の世界では、たいていの教科書において、事実はプラスチックの皿に載ったゼリービーンズのように散らばっている。理想の世界であれば、学生は教科書から「提供された**事実**が、科学者それぞれの個性あふれるアート表現である」とすぐにわかる。科学者の観察、実験、理論、解釈のプロセスを紹介する見本だ。これらの見本はトリュフのように味見されたらすぐに消えてしまうが、その味わいはいつまでも消えずに記憶に残るかもしれない。この記憶に残る味わいを求めて、「将来自分もショコラティエのような科学者になりたい」と思うかもしれないし、少なくとも、これだけのものを生み出す技能と知恵に尊敬の念を抱くだろう。そして、何より不確実性の境界線にふれ、常に変わりゆく**事実**の本質を理解するはずだ。

事実の社会的構造

学術論文のなかのエビデンスに関する言明に対しては、必ず解釈と評価が必要になる。こうした言明は一般読者に向けられたものではなく、使われている用語を著者と同じように理解していて、言明の重要度も〈同じように認識している専門家〉に向けられたものなのだ。こうした言明の解釈は、**誰が**（技術的知識をどの程度もっている人が）、いつ（文献に記載されている以外にどのような事実があるときに）、なんのためにその言明の何が読者にとって重要かを）解釈するかによる。論文を評価するには、エビデンスの確かさを測らなければならない。論文の内部的整合性——方法論の妥当性や分析の厳密さ——だけでなく、〈すでに発表されているほかの研究との外部的整合性〉も評価する必要がある。

前章では、まずオキシトシンとは何か——体のある部位の細胞から分泌され、血液によって運ばれて、ほかの部位の細胞に働きかけるホルモンであること——、そして下垂体後葉から分泌されることを紹介した。「オキシトシンの研究を行っている科学者の大半が抱いているオキシトシンの概念に、これらの説明があまり意味をもっていない」ということは、ここまでの内容で明らかだろう。ホルモンの概念も変化し、〈血液によって運ばれず、非常に局所的に作用する多くの物質〉も含まれるようになった。〈明らかに最も関心を集めているオキシトシンの役割〉は、〈脳内で放出されるオキシトシンの役割〉であり〈血中に放出されるオキシトシンの役割〉ではない。そして、「オキシトシンが下垂体後葉から分泌される」という言明をすべての脊椎動物にあてはめるためには、「〈かつて異なるホルモンと考えられていた物質〉もオキシトシンと同じものだ」と考えなくてはならない。

オキシトシンは必然的に社会的構成概念だ。オキシトシンの意味は、〈誰がこの言葉を使うか〉、〈誰に向けて説明するか〉、〈一般に受け入れられている慣習〉、〈それが適用される時や文脈〉によってそれぞれ変化する。「オキシトシンという言葉が現実世界としっかり結びついていない」という意味ではない。科学文献のなかの言明が〈誰でも図書館に行けば確かめられる事実〉であるように、〈実験結果に関する言明〉もその実験を再現することによって確かめられる(あるいは反証できる)。しかし、「これらの発見をどう解釈するか」、「実験結果によって具体化されるエビデンスの確かさをどう評価するか」、「その重要度をどう判断するか」、そういったことはすべて社会通念に依存する。科学における定義の構築に関しても同じことがいえる――定義は、「科学者がなんの目的でそれを使うか」によって変わる。これは「定義が経験的世界から切り離されている」とか、「無限に変更可能だ」ということではない。現実が複雑であるため、定義をカテゴリーに分類するには選択が必要なのだが、その選択は、「私たちが何を成し遂げたいのか」、あるいは「何をすでに理解しているのか」によるのだ。

　エビデンスを評価し解釈するためには学識が必要になる。ある学術分野の教育、研究、実践を進展させるための厳密な探究のプロセスだ。このプロセスを進めるには、用いる手法を理解し、その手法の強みと限界も認識し、系統的探査とメタ分析にかかわる事柄もよく知っておかなくてはならない。加えて、その手法の技術的な理解だけでなく、哲学的な理解も必要であり、〈科学を取り巻く社会的背景〉についても認識し、「それが科学の発展と重要性のとらえ方にどんな影響を及ぼすか」についても理解しておかなくてはならない。続く章では、〈特に注意が必要な科学文献の特徴〉として、出版バイアス、選択バイアス、確証バイアス、そして、〈統計的分析につきものの問題を含む科学の一般的な問題〉について取り上げる。

追記

オーウェンは5歳になったばかりのころに初めて、性（Sex）に関する質問を父親にしてきた。この瞬間は予想より早くに訪れた。さすがに、ステロイド受容体の構造についての説明は省いてもよさそうだが、さて、どこから始めるべきか？　オーウェンは、どこまで知っているのだろう？　事実だけを伝えるべきなのだろうか？　父親が知る限りの事実をすべて伝えて、あとはオーウェンが理解するままに任せるべきなのだろうか？　事実に、なんらかの物語的な構成を付け加えたほうがいいのだろうか？　**赤ちゃんはスグリの木の下から生まれてくるんだよ**なんて言いたくないし、説教くさい話もしたくない。西ヨーロッパの出生率とコウノトリの個体数との相関関係について言いたいことはたくさんあるけれども、控えよう。[13]

一部の事実だけを伝えるとして、どの事実を伝えるべきか？　そもそも、自分は事実など一つでも知っているのか？　カール・ポパーがいうように、**科学は固い基盤の上にあるわけではない。科学の理論の大胆な構造は、いわば沼地の上にある**のだ。[14]私たちは伝える事実を選ばなければならず、その選択には自身の偏見と先入観がにじみ出てしまう。しかも、「揺るぎない確かな事実などほぼない」とわかったうえで選ばなくてはならないのだ。

そのような状況で、父親としてオーウェンに何が言えるだろう？　すべてを話すべきなのか？　すべてを細かいところまで、混沌として、わかりづらく、いかがわしい、あいまいな点まで、説明しなくてはならないのか？　いや、まずはどんな状況下でも最も大切な問いを返そう。「なぜ、それを知りたいの？」。私たちは何度も繰り返し、自分自身にもこう問いかけなくてはいけないのだ。この質問にどんな答えが返ってくるかで、どこまで細かく、どこまで詳しい説明が求められているかが決まる。

オーウェンの答え？　オーウェンは、宿題の答えが知りたいだけだった。「え、宿題で何を聞いてこいっていわれたの？」、「えっとね、この紙に答えを書くんだって」、「紙を見せて」。用紙を見ると、いちばん上に選択欄があった。性別（Ｓｅｘ）：男／女。

この問題なら、お父さんでも手伝えるよ。

第15章

科学における組織的懐疑主義

伝統の保護も批評家の仕事の一つである——よい伝統があるところでなら。文献を着実に読み、全体像をとらえることも必要だ。そして極めて重要なのは、書かれてから時間が経ったからといって神聖視せず、時間を超越して見ることである……

——E・M・フォースター『小説の諸相』(1994年、みすず書房)のなかで引用されたT・S・エリオットの言葉[1]

第13章では、特に強い影響力があったと思われる論文のテーマに目を向けて、オキシトシン研究の歴史を紹介した。そこでは意見が分かれているテーマもあるようだった。たとえば、「母性行動の研究には異論もあったが、この研究は消えずに残った」ということを示唆した。オキシトシン測定の大規模な研究には、「測定方法が信頼できないのではないか」との声もあった。オキシトシンの経鼻投与については、「どれだけのオキシトシンが脳まで届くかについては不確実な点がある」ということも示唆した。

どの時代のどのような科学文献でも精読すると、矛盾、修正、修飾、再解釈が見つかる。その多くは実験の不確実性と方法のばらつきからくる**ノイズ**であり、科学的理解に永続的な影響をもたらすものではない。オキシトシン分野は、これまで目立った不正行為によって傷つけられることもなかったし、利害をめぐる争いが激化するということもなかった。ときおり、信じられないような報告をする論文は出てくる。しかし、そうした論文はたいてい無視される運命にある。

　オキシトシンの分野では、「オキシトシンの経鼻投与にヒトの信頼を高める効果がある」と報告する論文が発表されたことをきっかけとして、研究活動が急激に加速した。だが、この研究に対しては懐疑的な見方もあった。[2] ２０１５年にはメタ分析が行われ、**〈（オキシトシン）経鼻投与と信頼性の高まりを関連づける極めてシンプルかつ有望な結果〉は十分に再現されていない**と結論づけられた。そこでは、「この信頼仮説の状況証拠とされているほかのエビデンスにも欠陥がある」と指摘されていた。エビデンスに用いられた血漿オキシトシンの測定方法が信頼できない方法だったのだ。いくつかの小規模研究では、「（オキシトシンに関する）特定の遺伝的多型と信頼とのあいだには関連がある」とするエビデンスが報告されていた一方で、大規模研究ではこれらの結果が再現されていなかったのである。著者たちはメタ分析の結論としてこう述べている。**これら**

の累積的な証拠は、「ヒトの信頼（とオキシトシン）とのあいだに確実な関連がある（あるいはオキシトシンによって信頼が引き起こされる）」とする確固とした収束的な証拠とはなりえない。[3]

ほかにもいくつかの総説論文が、オキシトシン経鼻投与の研究を批判している。そのうちの一つは、（オキシトシン）経鼻投与の研究は一般的に統計的な検出力が不十分であり、結果のほとんどが効果を正しく伝えていないと結論づけている。[4] 別の総説論文では、「大量な経鼻投与によっても脳に届くのはほんのわずかであり、一方で末梢部位の濃度は超生理学的なレベルまで上がるため〈消化管、心臓、生殖器官などさまざまなターゲットへの影響〉が予想される」と主張されている。[5]

懐疑主義とは疑うことであって否定することではない。要するに〈より多くのエビデンス〉を求めているのだ。〈よりよいエビデンス〉、〈異なるエビデンス〉を出して、〈争点となっている解釈に裏づけを与えること〉を求めている。あるいは、〈エビデンスの内部または外部にある矛盾の解明〉を求めているのだ。「科学者が熱意をもって自分の主張を発表している」とするなら、懐疑主義者にも熱意があるはずだ。批判的な態度のなかにこそマートンの規範が力強く息づいており、「科学をよくしていこう」という力が秘められているのだ。科学の世界に突然の転機はほとんどない。こつこつと地位を強化してきた人たちは、その立場を簡単には譲らない。それでも議論する場があれば、必ず真剣に読み聞いてくれる人たちがいる。中立の立場の人や、学生、新規参入者は特にそうだ。自分たちの将来をこの分野に賭けてよいのかどうか、その決断は軽い気持ちではできないからだ。

科学の分野の多くに、〈再現性と厳密さへの懸念〉がある。しかし、オキシトシン研究の100年は、誤りや欠陥もたくさんあったとはいえ、進歩の期間だったといえるだろう。科学者にとって、進歩とは通常こういうものだ。常に理解の深さと広さが拡大していく。オキシトシンの作用について（観察研究を通して）絶えず新たなことを学んでいき、その知識をどのように応用できるか（介入研究を通して）絶えず確かめながら、基本的メカニズムの詳細な理解を構築していったのである。そのようにして、エビデンス全体を統合するような理論的ビジョンをつくってきたのだ。

どうやって実現したのか？　〈科学者、歴史学者、哲学者の多くが共有している一般的な見解〉によれば、それは科学的方法の功績だ。科学は自己修正機能により、その成果を客観的真実へと近づけていく。

これは魅力的な物語だ。シンプルで記憶に残りやすく、人を元気づける。だが、この物語には堂々巡りの循環性がある。「科学は自己修正する」と主張することは、「現在の考え方が正しくて、それに取って代わられた過去の考え方は間違っている」とみなすことになる。

主な自己修正メカニズムは、再現と反証のプロセスであり、「そのプロセスによって誤りが発見され取り除かれる」と考えられてきた。しかし、実験がそのまま再現されることはほとんどない。再現されたとしても、それが科学文献に載ることはほとんどないのだ。[6] 学術誌はオリジナリティのある論文を好むため、直接的再現研究の論文を発表したがらない。資金提供団体も同じだ。そのため、ほとんどの再現研究は**概念的**再現研究となっている――元の研究計画をそのまま再現するのではなく、結論を検証するための新たな方法をつくるのだ。問題は、概念的再現研究で予想通りの結果が出なかったとしても、簡単に失敗を方法の違いのせいにしてしまえる点だ。

ほかの科学者の研究を拡張しようとしている科学者は、しばしば以前の結果を再現することから始め、論文にもその努力について書いておくことがある。ただし、以前の結果を再現できなかった場合は、別の問題に関心を移すのが自然だろう。結果を再現できないとさまざまな憶測が生じるからだ。「技術的な能力が足りなかったのではないか」、「実験条件について不注意な混同があったのではないか」といった憶測だ。これらの可能性を取り除いていくには大変な苦労と時間が必要なわりに、見返りはほとんどない。それどころか、第4章でも書いたように〈仮説の反証〉は歓迎ではなく失望によって迎えられる。仮説を破壊した論文が引用されることもめったにない。

要するに、〈いままで大事にされてきたアイデア〉を壊してもほとんど喜びは得られないのだ。そもそも、反証自体めったに成功しない。いったん深く根づいて大事にされてきたアイデアを破壊するには、相当な努力が必要だからだ。幅広い経験的支持を得て、多くの権威からも支えられ、総説論文によって**ほぼ事実**のステータスを与えられたアイデアは、ちょっとやそっとでは押しのけられない。その構造の強さが、特定の考え方への独断的な固執と不都合なエビデンスの軽視へとつながっていく。

科学の保守主義

第一に**創始者効果**がある。〈すでに確立された見解を支持する結果〉のほうが、〈それに反する結果〉よりも発表されやすい。一般的に科学者はエビデンスを解釈する際に柔軟性を発揮するが、多くの場合、争いを避けるためにその柔軟性を生かす。

第二に、**確証バイアス**がある。科学者はエビデンスを分析するとき、自分が期待する結論に基づいて解釈を行う。そしてその結論はたいてい、ほかの科学者たちがすでに発見していることなのだ。

第三に、**ファイルドロワー問題（お蔵入り問題）**がある。科学者は否定的な結果をわざわざ公表しない。学術誌は否定的な研究の発表に熱心でないし、査読者も否定的な研究には過度に厳しい目を向けるからだ。すると肯定的な文献ばかりになり、エビデンスの全体性に対する誤った認識につながる。

第四に、否定的な研究は発表されたとしても、肯定的な研究より被引用回数が少なくなる。〈肯定的なエビデンス〉と〈否定的なエビデンス〉が混在して発表されていたとしても、一方はあまり注目されないのだ。

それでも、アイデアが覆されることはある。続いて事例研究を見ていこう。[7]

バソプレシンと記憶の仮説：議論の分析

第5章で説明したとおり、下垂体からのホルモン分泌は脳によって調節されている。このアイデアが確立されると、「ホルモンも再び脳に作用し返して行動に影響を及ぼしているのではないか」という推測が生まれた。1960年代、ダヴィド・デヴィードは、「**バソプレシン**というホルモンが記憶に関係しているのではないか」というアイデアに注目した。

バソプレシンの主要な機能は腎臓への作用だ。脱水症になるとバソプレシンが分泌され、腎臓に作用して〈尿の産生に伴う水分損失〉を最小限に抑える。しかし、バソプレシン（vasopressin）はストレスを感じたときにも分泌され、名前の由来にもなった血圧上昇（pressor）効果がある。そこでデヴィードは、「バソプレシンが〈ストレスがかかった体験の記憶力〉に影響を及ぼしているのではないか」というアイデアを追求することにした。

デヴィードの実験で、ラットは「電気ショックの前に警告のブザー音が鳴ること」、「障壁の向こうに逃げればショックを避けられること」を学習した。デヴィードは、〈ラットがこれを学習する速さ〉、〈その記憶が継続する時間〉を調べてから、「それらの学習や記憶がバソプレシンによる影響を受けるかどうか」を研究した。バソプレシンを注射すると、記憶が促進されることが明らかになった。重要なのは、バソプレシンを脳内ではなく皮下に注射した点だった。この皮下注射の効果が、「〈下垂体から分泌されるバソプレシン〉が再び脳に作用し返す」というアイデアを立証する鍵となった。

1970年代を通して、デヴィードの研究は共同研究者のネットワークにより発展し、注目を集めていった。第一線の学術誌にも研究が発表され、1970年代後半に入ると「バソプレシンの経鼻投与がヒトの記憶に有益な効果をもたらす」という報告も見られるようになった。

デヴィードの仮説の実験的基礎の核となっているのは、四つの主張の組み合わせだった。

1. 特定の行動へのバソプレシンの影響は、記憶の定着と呼び出しへの影響を反映している。
2. バソプレシンにこのような効果があるのは、バソプレシンが脳に作用するからである。
3. 下垂体から分泌されるバソプレシンは記憶に重要な役割を果たしている。
4. バソプレシンは誘発性の記憶障害の症状を食い止めることができ、ヒトへの治療効果の可能性がある。

これらの主張にはそれぞれエビデンスがあったが、納得しない人たちもいた。争点となったのは、実験に使用されたブラットルボロー・ラットだった——この種のラットは遺伝子異常がありバソプレシンをつくれない。「ブラットルボロー・ラットは記憶力が弱いが、バソプレシンを投与することで改善できる」とデヴィードは主張した。しかし、すべての研究者グループが、ブラットルボロー・ラットの記憶力の異常を確認できたわけではなかった。「〈異なる研究室で飼育されたブラットルボロー・ラット〉は、なんらかの未知の理由でその性質も異なるのか」あるいは、「研究室ごとに記憶力の測定方法が異なるのか」のどちらかであると考えられた。

デヴィードは自身の研究結果を、〈記憶への影響の証拠〉と解釈したが、この分野に新たに加わった研究者たちは冷静だった。彼らは、「バソプレシンでなくても注意力、興奮、情動性に影響を及ぼすものならなんでも、同様の効果があるのではないか」と考え始めたのだ。こういった批判的な研究者たちは、「バソプレシンの効果が特別なものではない」ということを確かめようと研究を進めた。まず、デヴィードがしたように大量のバソプレシンを皮下注射すると、血圧が急激に上がりラットが不快に感じることを明らかにした。そして、「バソプレシンは確かにラットを興奮させるが、興奮を引き起こすものはなんであれ、バソプレシンでなくとも記憶力のテストに同様の効果があること」も明らかにした。

さらに、「影響を及ぼせるほどの量の内因性バソプレシンが脳のなかに入っていけるか」という疑いもあった。脳には血液脳関門があって、血液中の大きな分子が脳に入らないように守っている。「この血液脳関門がバソプレシンの侵入も防ぐのではないか」と考えたのだ。

デヴィードはこの異論を真剣に受け止め、博士課程の学生だったウィム・メンスに、「末梢注射されたバソプレシンがどれだけ脳内に入っていくのか」を正確に測定する仕事を任せた。1983年、メンスと共同研究者たちは結果を報告した。[8] 概要の最後には、こう書かれている。**本結果は、中枢作用を引き起こすのに明らかに十分な量の脳下垂体ホルモンが血液脳関門を通過することを示している。**だが、この最後の一文の前に書かれている実際の量を見ると、この主張への信頼が揺らいでしまう。**末梢に投与された量の約0・002%が……注射（10分）後に中枢神経系に届いた。**

これを読むと、こう思えて仕方ない。著者たちは実験を行う前から「バソプレシンは記憶に影響する」、「バソプレシンは脳に入るに違いない」と思いこんでいたのではないかと。だからこそ、血液脳関門を通過して脳に入る量がどんなに少なくても「十分だ」

といえるのだ。著者たちはこの論理にとらわれてしまっていた。「極めて少量のバソプレシンしか血液脳関門を通過しない」という結果が出たとき、彼らには二つの道があった。〈デヴィードの教義と矛盾する結果〉をありのままに見据えるか。**解釈の柔軟性**をでたらめに駆使するか。彼らは後者を選んだ。

「十分な量のバソプレシンが血液脳関門を通過しているとは考えられない」という見方が優勢になるにつれ、仮説はつくり変えられていった。免疫細胞化学の出現により、バソプレシンが細胞や神経線維に見出されるようになった。これにより、〈末梢に注射されたバソプレシンが記憶に影響する仕組み〉を解明できたわけではなかったが、「バソプレシンが記憶に関してなんらかの役割を果たしているかもしれない」というアイデアを守ることはできた。

しかしバソプレシン経路の多様性が明らかになるにつれて、このアイデアは破綻した。バソプレシンは、行動の概日リズムを調節するニューロンにも、体温調節や攻撃的行動や心血管調節にかかわるニューロンにもあることがわかった。これらの発見により、「記憶力を測定していたかに見えた行動テストが、実は何も測定していなかったのではないか」と考えられるようになったのだ。

唯一、生き残りそうだったのは、「バソプレシンが患者の記憶力を改善するかもしれない」というエビデンスだった。このエビデンスはバソプレシンの経鼻投与を利用した研究によるもので、最初の二つの研究は『ランセット』(*Lancet*)に掲載された。非常に規模の小さい研究だったにもかかわらず、かなりの注目を集めた。そのうちの一つは226回引用されたが、「バソプレシンを投与された12人の患者はプラセボを投与された11人より記憶テストの結果がよかった」というものである。もう一つは175回引用されており、「健忘症の患者4人の症状がバソプレシンを投与したあと改善した」というものだった。この研究では対照群はなかった。同誌には否定的な研究2本もすぐに掲載されたが、それらの引用回数はずっと少なかった。

1992年までに、バソプレシン経鼻投与の研究は44本発表された。18本はデヴィードの仮説と一致していたが、26本は一致していなかった。仮説を支持する研究は平均76回引用されたが、否定的な研究は24回だけだった。それでも、この不整合性はしだいに流れを仮説の棄却に向かわせた。

1980年代の終わりには、この仮説は崩壊していた。ブラットルボロー・ラットの研究では、「バソプレシンの完全な欠落は認知機能に明らかな影響を与えない」ということが示唆されているようだった。バソプレシンは脳に入ったとしても極めて少量であり、行動への影響は血圧の上昇によるものと考えられたのである。バソプレシンは中枢のいたるところで作用しているエビデンスがあるため、記憶に影響しているように見えるのは、偶発的な脳の働きである可能性を排除しきれなかった。「ヒトの記憶障害の治療に役立つのではないか」との見込みも、肯定的な結果が選択的に引用される回数は多かったが、しだいに消えていった。

この仮説は、いくつかの異なるタイプのエビデンスに基づいていた。だから、一つのエビデンスだけを攻撃しても、決定打とはならなかったのだ。再現が失敗しただけでは、めったにそこで終わりとはならない。常に解釈の柔軟性を利用できるからだ[9]。それでも、1980年代初めに、それぞれのエビデンスの柱が独立した各懐疑派から攻撃を受け、批判が一本の強固なより糸となり、まとまって仮説を打破した。

この論争は、いまではほぼ忘れ去られていて、仮説の基礎となった論文も、それを取り壊した論文も、めったに引用されることはない。この論争自体、直接の関係者以外にはあまり気づかれなかった。仮説の最終的な死の宣告もなかった。仮説はいまもバソプレシン分野のゲノムのなかの疑似事実として放置されている。失墜の知らせは、会議やディスカッションなどの場で、主に科学者から科学者へ口伝えで広がっていった。批判者は仕事を終え、静かに戦いの場を去っていった。ところが、論争から遠いところにいた科学者による総説論文には、いまでもまだ記憶に対する効果が確立された教義であるかのように紹介されている。「科学は自己修正していく」という考えを抱いている人たちにとっては、受け入れがたい事態だ。

とはいえ、デヴィードの研究は〈バソプレシンの中枢での放出〉への関心を高めた。〈情報処理におけるバソプレシンの役割〉を表現するために**神経ペプチド**という用語をつくったのはデヴィードだった。「これらの働きが、従来の神経伝達物質の役割とは概念的にはっきり異なっている」とデヴィードは気づいていた。これにより、ほかの神経ペプチドへの関心も急激に高まり、脳内での情報処理に関する理解が根本的に変化していた。現在では、脳のいたるところで、およそ300種類の神経ペプチドがつくられていることがわかっている。広範囲に及ぶ行動や生理学的機能に重要な役割を果たすメッセンジャーであり、その神経ペプチドからつくられた薬は、多くの神経障害の治療に役立っている。デヴィードの仮説は間違ってはいても、とてつもなく重要だったのだ。

この話から、科学の進歩に関して、従来とはまったく異なる考え方が見えてくるだろう。「科学は絶え間ない内省によって進歩していく」という従来の考え方は、「科学の分野が共通のゴールへ向けて努力する科学者たちによって成り立っている」というイメージを生んだ。「科学者の活動には目的があり、〈その活動によって成し遂げられた成果〉をあとから見るとその意図が明らかになる」という考え方だ。この考え方は、プライスが観察した〈科学の最も注目すべき特徴〉――常に指数関数的に成長していくという特徴――をないがしろにしている。科学は内向的どころか、あふれんばかりに外向的だ。あらゆる場所で、あらゆる方向に、あらゆる方法で絶えず広がっていくキャンバスのように。これらの道がどこへ向かっているかは、本質的に予測不可能だ。

ある科学の理論が間違っていたからといって、その研究すべてが無駄だったとは限らない。デヴィードの理論は間違っていたが、それでも、「脳内でニューロンがどうやってコミュニケーションをとっているか」をめぐって、私たちの理解は一変した。おそらくオキシトシン経鼻投与と信頼についての論文も間違っているのだろう。現在では、「オキシトシンが信頼に関係している」と真剣に考える人は少ない。しかし、この発見が正しいか間違っているかは、実は問題ではない。この論文がいまも引用され続けているのは、この論文が新たな方法論的アプローチを取り入れたことによって、分野に変革をもたらしたからなのだ。

そうした意味で、これを無駄というのは的外れだ。すでにわかっていることを確かめる研究も、新たなことを何も発見しない研究も、労力の無駄だと思うかもしれない。だが、発見が大事なら、それをチェックするのも大事だ。それに、「新たなことは何もない」と確かめるには探してみなくてはいけない。大胆になろうとすれば、科学者は多くの間違いを犯すだろう。だが、大胆なアイデアがなければ、コミュニティは活性化しない。大胆なアイデアを生む熱意が、科学を成長させる——そして、成長の先にブレークスルーが生まれ変革が起こる。それがどこで起こるかはわからないが、いずれどこかで必ず起きる。情熱をもった誰かから起こり、間違いから生まれてくるかもしれない。

追記

メンスたちの論文は、現在では〈血液脳関門の有効性をエレガントに定量化したもの〉として古典となっており、その結果は別の種でも再現されている。しかし、メンスたちの論文がデヴィードと共同研究者たちによって引用されることはなかった。科学計量学で使用される用語を借用すれば、メンスたちの論文は**眠れる美女**だったのだ。ほとんどの論文は発表直後の数年に最も引用され、その後は徐々に忘れ去られていく。ところが、メンスたちの論文は、最初の8年間は年平均8回ずつ引用され、その後19年間**眠り**につき年平均3回しか引用されなかったにもかかわらず、2013年に**目覚め**、それから6年間は年平均16回も引用された。このような近年の被引用頻度の高まりは、「〈報告されている効果を説明するのに十分な量の経鼻投与オキシトシン〉が脳に到達しているのだろうか」という疑問の震源として、その存在が際立っていることを反映している。

眠れる美女型の論文には、もっと注目すべきものもある。アイデアが発表されてから実用的な転換が起こるまでのあいだに、より長い時間差が生じているのだ。第18章でも

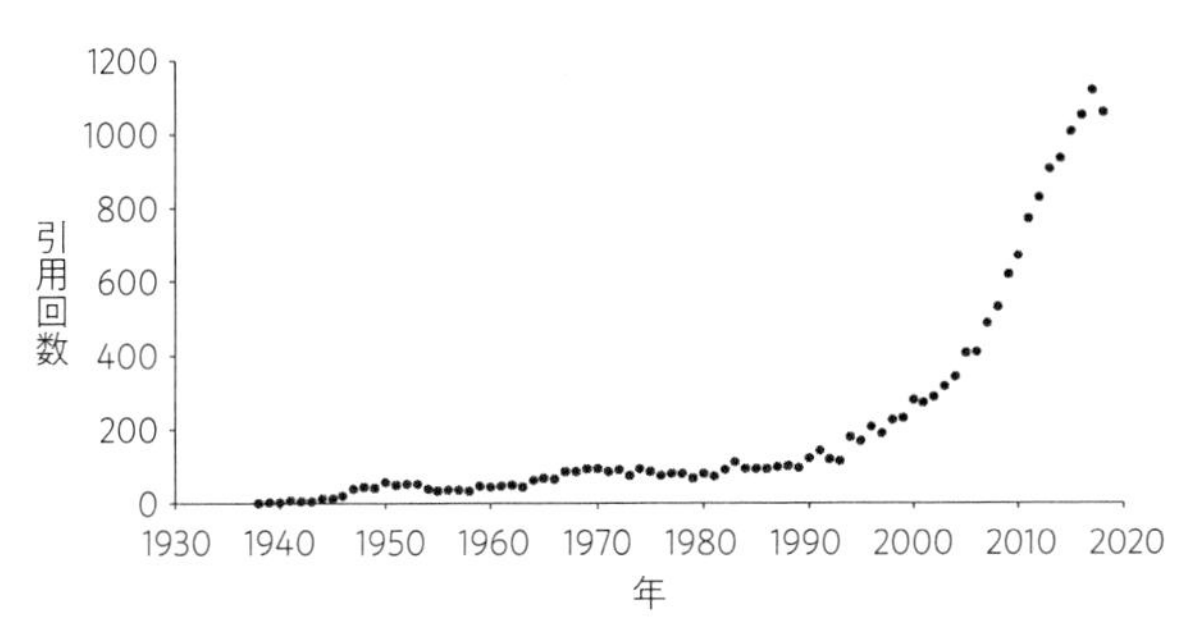

図15.1　S. Brunauer, P. H. Emmett, and E. Teller, "Adsorption of Gases in Multimolecular Layers," *Journal of the American Chemical Society* 60 (1938): 309-319の年ごとの引用回数。

取り上げるが、2014年に『ネイチャー』が発表した〈史上最も引用された論文100〉のほとんどは方法に関する論文だが、[10]いくつかの例外が含まれている。そのうちの一つが、リストの99番目にこっそりと入っている〈のちに**水素爆弾の父**として知られることになるエドワード・テラーの論文〉だ。この論文のなかで述べられているのは、今日ブルナウアー・エメット・テラー（BET）の吸着等温式と呼ばれる理論で、物質の比表面積測定の基礎となっているものだ。

1938年にこの論文を発表したとき、テラーは30歳だった。この論文は、発表直後の5年間は17回しか引用されなかったのに、

1994年以降、被引用回数が跳ね上がった(図15・1)。なんと56年ものタイムラグを経てその影響力を発揮し始めたのだ。

第16章

信用の網：引用ネットワーク

知識はどのように、そしてなぜ循環するのか？　知識はどのようにして一個人や集団の独占的な所有物ではなくなり、より広範な人々の日常的理解の一部となるのか？

——ジェームズ・A・シコード[1]

科学的知識は学術論文のなかに蓄積していく。したがって科学者の知見は、主に論文を読んだり学会発表の場で聞いたりすることで得られる。論文のなかで繰り返される〈新規性のない主張〉（まだ**事実**とまでは認められていないもの）については通常、その主張のエビデンスを読者が確認できるようになっていることが求められる。そこで論文中に引用文献目録として、一次研究や〈二次研究を要約した総説論文〉が記載されている。

どの分野でも科学文献はネットワークを形成している。各文献から引用文献へのつながりを形成する知識の網だ。文献間の関係性を描き出すには、**ネットワーク解析**が特に適している。ネットワーク解析で使用される数学は複雑だが、その基本論理はそれほど

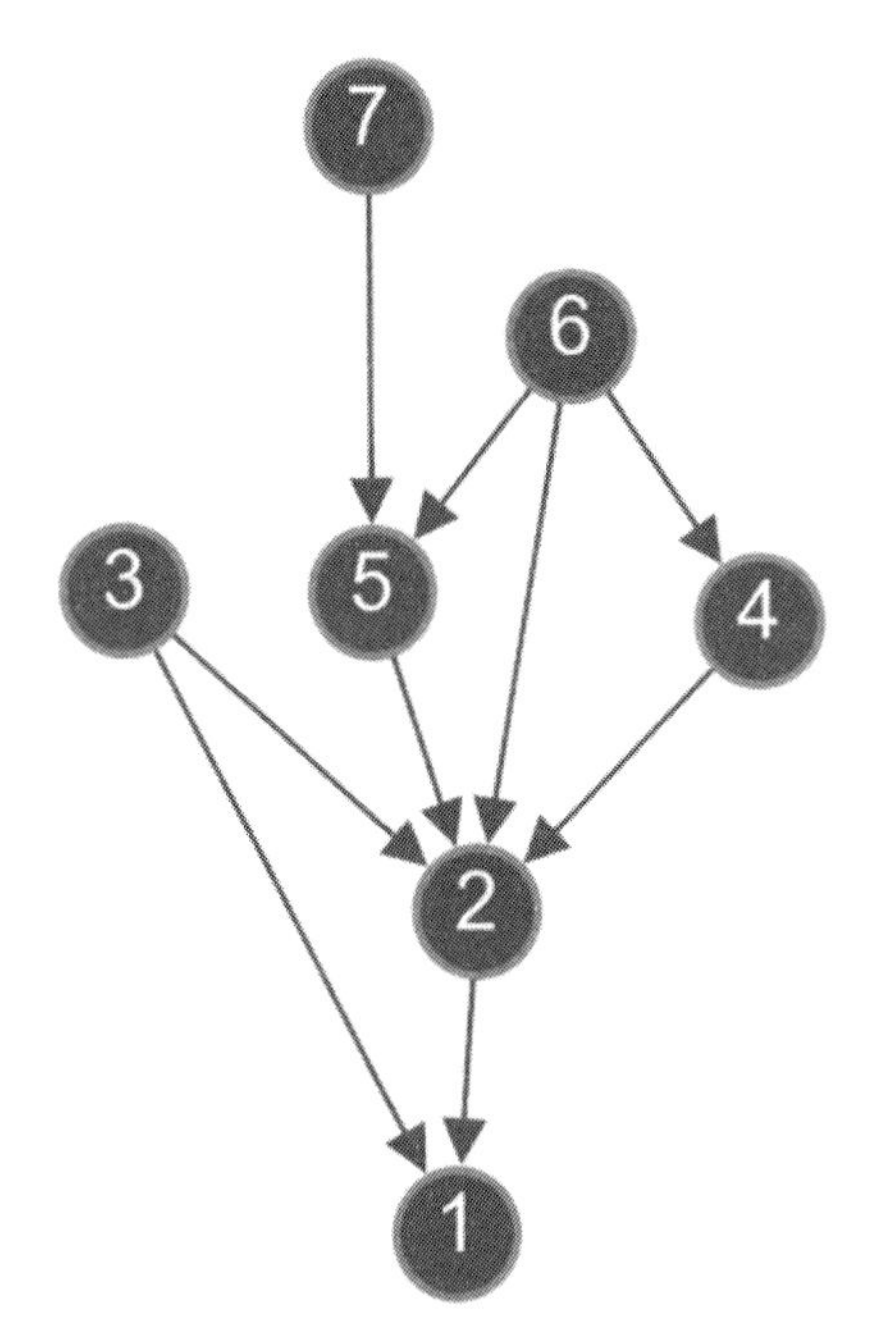

図16.1　引用ネットワークA（n = 7論文；m = 9引用）

ではない。

図16・1は、小規模な引用ネットワークの模式図だ。丸印は論文を表し、論文どうしのつながりは線で示され、矢印は関係の方向性を示している。

先に述べたように、プライスはこうした分析を利用して、「科学のコミュニケーション・システムは極めて不均衡である」ということを突き止めた。少数の論文だけが偏って多く引用されるのだ。

引用の慣習とネットワーク解析を組み合わせることによって、アイデアの拡散について研究することが可能になった。2009年、ブリガム・アンド・ウィメンズ病院の神経学者、スティーヴン・グリーンバーグがこの研究に着手した[2]。

主張個別のネットワーク

グリーンバーグはある主張に注目した。「〈筋肉消耗疾患の一種である封入体筋炎〉の患者の筋肉には、〈特別なタンパク質であるβアミロイド〉が異常に多く見られる」という主張だ。この主張は治療戦略にとって重要な可能性をもつものだった。しかも、この主張は200以上の論文に繰り返し引用されており、あたかも**事実**であるかのような印象を与えていたのである。グリーンバーグは、この主張のエビデンスを見つけようとした。

文献を探索したところ、この主張について直接調査した論文は、わずか12本しか見つからなかった。そのうちの6本はこの主張を支持し、残りの6本は支持していなかった。これらのことを踏まえると、彼の目にはエビデンスが非常に弱いように思えた。主張を支持する6本のうち最初の4本は、すべて同じ研究室の論文である点も心配だったし、そのうち2本は互いに出典を明記せずに、おそらくほぼ同じデータを報告していた。[3] グリーンバーグが読んだこれらの論文には、大きな技術的欠陥があった。特に顕著なのは、〈影響を受けた筋繊維の数を示す定量的データが欠けている点〉と〈試薬の特異度が示されていない点〉だ。[4]

グリーンバーグが知りたかったのは、「どうにも疑わしく思えるこの主張が、なぜ事実であるかのように扱われるようになったか」だった。最初の一次研究10本はすべて1992～1995年のあいだに発表されていた。そこで、グリーンバーグは「これらの研究が2007年までにどのように引用されていたか」を調べた。まず、「封入体筋炎の患者にβアミロイドが見られる」と述べている論文は242本あった。これらの論文間の相互作用を理解するために、この242本に含まれる論文どうしの引用6 7 5回をすべて記録した。それから、引用をすべて（1）主張を支持、（2）中立、（3）主張に批判的、のいずれかに分類し、**主張個別のネットワーク**を構築した。

このネットワークも通常の引用ネットワークと同様に、引用のべき分布を示していた。一次研究の引用は合計214回だったが、そのうちの94％は主張を支持する4本の研究の引用で、支持しない6本の研究を引用したのはたった6％だった。文献は圧倒的に主張を支持するエビデンスを引用し、不支持のエビデンスは軽視していた――**引用バイアス**と呼ばれる現象だ。どうして、こういうことが起こったのだろう？

グリーンバーグは、「ネットワークを介して情報がどのように広がっていくか」を分析した。それまで引用ネットワークは、〈引用文献や引用を共有する論文〉をグループ化することによって、〈学問領域や分野の知的構造〉を理解するために使用されてきた。また、文献中で〈重要な貢献を果たしている研究どうしの関係性〉を明らかにすることで、「研究分野がどのように発展してきたか」を理解するためにも使用されてきた。引用ネットワークはまた、情報科学者に〈プライスの累進的優位性モデルのような引用行動モデル〉と比較するためのデータを提供してきた。一方、グリーンバーグは斬新なことを行っていた。論文とその引用の両方を〈この主張に対する立場〉によって分類し、バイアスの伝播とその影響を追跡したのだ。

グリーンバーグは、ネットワークのなかで最も多く引用された論文トップ10に注目した。主張を支持する一次研究4本はすべてトップ10に入っていた——しかもこれら4本の論文はすべて同じ研究グループによって書かれたものだった。引用トップ10のほかの論文は、封入体筋炎の動物モデルに関する研究5本、総説論文1本で、これらもすべて、「βアミロイドの主張は正しい」との見方を示していた。これらの論文には関連する一次データは含まれておらず、どれも主張を支持する一次研究しか引用していなかった。

引用は、「文書どうしが直接どのように関係しているか」について理解するのに役立つ。だが、グリーンバーグはネットワークのなかの**パス**（**道筋**）の数も測定して、「情報がどのように広がっていくか」を理解しようとした。ここでいうパスとは、一連の論文をつなぐ引用の連鎖のことだ。たとえば、AがBを引用しBがCを引用したなら、AからCにはBを経由したパスがある。これによってアイデアの来歴をたどりやすくなる。

パスとパスの途上にある論文を数えることでグリーンバーグは、〈総説論文が科学者をエビデンスへ導く重要な役割を果たしていること〉を明らかにした。βアミロイドに関する知識は、〈すべて同一の科学者グループによって書かれた4本の総説論文〉に由来していた。オリジナルの一次データにつながるパスの95％は、これらの総説論文を介していたのだ。これらの総説論文は主張を支持する4本の一次研究を引用していたが、不支持の研究は1本も引用していなかった――βアミロイドの主張を裏づける研究に注目を集めるよう仕向けていたのだ。

1996～2007年にかけて、主張への支持は飛躍的に増加した。支持的な引用および引用パスはそれぞれ7倍と777倍となり636引用および22万0553の引用パスとなった。対照的に批判的な見解は、わずか21引用と28引用パスにしかならなかった。……批判的なデータを反証したり批判したりする論文はなく、そうしたデータは単に無視されただけであった。[5]

またグリーンバーグは、推論から始まった主張が、文献の引用というプロセスのみによって、**事実**へと変換されていくエビデンスも明らかにした。たとえば、「筋繊維へのβアミロイドの蓄積はほかの異常より先に生じる」とする主張は24本の論文に繰り返し出てくる。その主張は当初は仮説として提案されたはずだったが、ある論文では「おそらく正しいだろう」と主張され、やがて事実として記載する論文も出てきていた。だが、そのことに直接関連するデータは一切公表されておらず、単にそれを主張する論文を引用しているにすぎなかった。〈関連データを含んでいない複数の論文〉を結びつける引用の連鎖によって、この主張は**事実**になったのだ。

グリーンバーグは9本の受託研究企画書にも調査を広げ、そこでも引用バイアスとその他の引用のゆがみを見つけた。9本の企画書のうち6本では、主張を支持する一次データしか引用されていなかった。3本の企画書では不支持の一次研究を少なくとも1本は引用していた。しかしそのうち2本では、データの解釈を変えることによって主張を支持するデータであるかのようにしていた。研究費を得るために、〈バイアスのかかったゆがめられたエビデンス〉を提示していたのだ。

グリーンバーグの発見は「科学コミュニティがその主張を受け入れたのは、単に支持するエビデンスしか見ていなかったからだ」ということを示唆するものだった。その信念は、〈矛盾するエビデンスを無視した総説論文〉によって導かれたものだったようだ。さらに、〈矛盾するエビデンスを誤って解釈した総説論文〉によって信念は増幅された。このように情報の〈ドミノ倒しのような連鎖〉が引き起こされ、論文は文献を詳しく調べるかわりに〈総説論文の間違った結論〉を復唱した。こうして、〈引用を通してつながる文献の**全体像**〉は、「どのエビデンスを選択するか」ということにも、「どうエビデンスを解釈するか」ということにも影響を及ぼすのだ。

これらは気がかりな発見だ。

引用バイアスと歪曲

多くの場合、〈研究に関連する文献の数〉は膨大で、論文中ですべてについて十分に言及するのが難しく、また評価する時間も足りない。そのため、関連する文献のなかから少数のサンプルだけ抽出して言及することになる。このサンプル抽出は、文献の**系統的レビュー**（詳しくは382ページ参照）という（まれな）ケースを除けば、正式な慣習に基づいて規制されていない。エビデンスの説明は公平であってほしいところだが、そうでないことは多い。論文は〈主張を支持するエビデンス〉のみを引用し、〈支持しないエビデンス〉は無視する――**引用バイアス**と呼ばれる現象だ。[6]

主張個別のネットワークでは、**権威**とされる〈被引用数が最も多い論文〉が特に強い影響力をもつ。グリーンバーグによれば、権威とは、その論文に書かれた主張が**社会的コンセンサス**のレベルに達しているものである。つまり、引用は社会的承認の一形態として機能している。しかし、総説論文が〈主張を支持するエビデンス〉を選択的に引用しており、〈権威ある論文〉が一次研究ではなく総説論文ばかり引用している場合、誤った主張の**増幅**が起こる危険がある。その主張が多くの論文で繰り返される一方で、一次エビデンスとの関連が不透明になってしまうのだ。

引用バイアスと増幅は〈引用のゆがみ〉の主な原因だが、グリーンバーグはほかにも多くの問題を指摘している。[7]

・**引用転換**：研究結果の意味をゆがめる誤った引用。たとえば，論文Aは主張Yを支持している例として論文Bについて言及しているが，実は論文Bの結論は主張Yと矛盾している場合など。

・**引用変質**：引用のみによって，仮説を一般的事実に変質させてしまうこと。たとえば，論文AはYを真とするBの主張を引用しているが，〈その主張Yが条件つきであること〉を認識していない場合など。

・**知識への裏口**：方法やデータが公表されていない〈学会抄録など査読の対象になっていない文献〉を引用すること。

・**行き止まり引用**：主張を支持するために，まったく関連のない論文を引用すること。たとえば，論文Aは〈主張を支持している例〉としてBを引用しているが，Bにはその主張に関することは何も書かれていない場合など。

・**タイトルでっちあげ**：タイトルまたは概要で特定の主張について言明しているが，論文の本文では，その主張について実験的にも理論的にも何も述べていない。**このでっちあげの方法はうまくいくことがある。というのも，しばしばタイトルと概要だけを**

読んで本文は読まずに、主張が繰り返されるケースがあるからだとグリーンバーグは説明している。[8]

科学者たちは「公平に文献を引用しよう」と努めているかもしれないが、「総説論文でどの論文を引用するか」といった小さな選択が、将来の科学文献の全体像をゆがめ、ひいては将来の引用行動にも影響を及ぼす恐れがあるのだ。次に2本の研究に注目し、「こうした引用のゆがみが〈公衆衛生にとって特に重要な分野〉における〈エビデンスの基盤にどのように影響するか」を見てみよう。

引用バイアスと研究の低利用

2018年に、「〈飽和脂肪の摂取〉が〈冠動脈性心疾患の進行〉に因果的役割を果たす」という仮説に対する〈エビデンスの伝播〉を解明するために、〈主張個別の引用ネットワーク解析〉を用いた研究が行われた。[9] 1965～1968年にかけて、「脂肪含有量を変更した食事が心臓病の既往症がある患者にとって有益かどうか」を検証する四つのランダム化比較試験が行われた。１９８４年の時点では、公表されたランダム化比較試験は、これら４本だけだった。同じ年、専門家によるコンセンサス会議が開かれ、「血清コレステロールの上昇が冠動脈性心疾患の原因であるため、脂肪摂取量を減らすことは有益である」との結論が出された。同会議は、「〈３歳以上の子どもと成人の食事に含まれる脂肪〉は30％以下に抑え、飽和脂肪酸の摂取は総カロリーの10％未満に減らし、不飽和脂肪酸の摂取を総カロリーの10％まで増やすこと」を勧告した。具体的には**「〈臨床疾患の既往がある人〉に〈高コレステロール値の治療〉が有益であること」を示す研究が存在する**とも述べた。

すでに述べたように、当時そのような食事療法による効果の直接的なエビデンスを提示していたのは、右記の四つの試験のみだった。その一つはオスロで行われ、介入群における冠動脈性心疾患の病状が改善していた。しかし、ほかの３本では、どちらともとれる結果か否定的な結果しか出ていなかった。

つまり、オスロの研究は食事療法の有効性を支持しているが、ほかの三つは**支持していない**のだ。この評価は、それぞれの研究の責任者によって裏づけられている。四つの試験を総合すれば、〈食事中の脂肪含有量の減少〉による、信頼できる臨床評価項目——心筋梗塞の発生率、致死性心疾患の発生率、全死亡率——に対する有意な効果は認められない。

主張を支持しない三つの試験は『ランセット』と『英国医師会雑誌』（*British Medical Journal*）[*1]の誌上で発表され、支持する試験は『スカンジナビア医学専門誌』（*Acta Medica Scandinavica*）で発表されていた。不支持の三つの試験の責任者は心臓病学の第一人者たちであり、一方、主張を支持するたった一つの試験は博士論文として公表されたものだった。四つの試験のうち、〈オスロの研究と1968年の不支持の試験〉は最大かつ最長で、サンプル数とプロトコルが類似していた。この状況で、「オスロの研究のほうがほかの不支持の試験3本より信頼できる」とは判断しがたい。

1969～1984年のあいだに、これらの試験のうち少なくとも1本以上の結果について論じた総説論文は62本ある。そのうち28本は食事療法を支持する結論を出し、17

＊1　いずれも国際的評価の高い権威ある医学雑誌とされている。

本は中立、別の17本は不支持の結論を出した。しかし、支持する総説論文のうち23本は、オスロの研究のみを引用していた。つまり、矛盾するデータを評価していなかった。そのデータをわざと無視したか、そのデータの存在自体を知らなかったかのどちらかだ。

科学コミュニティの二極化

ルドヴィック・トリンクォートと共同研究者たちが2016年に発表した「私たちはなぜそれを知っていると考えるのか？　塩論争のメタ知識分析」(Why do we think we know what we know? A metaknowledge analysis of the salt controversy)のなかで問題にしたのは、「〈塩の過剰摂取に関する食事指導について現在進行中の論争〉を〈引用行動の違い〉によって説明できるのか」という点だった。[10]この論争で一方は、「塩の摂取を減らすよう勧める公衆衛生ガイドラインが、人口全体に占める心疾患の有病率を減らすのに役立っている」としている。しかしもう一方は、「塩の過剰摂取によるリスクがあるのは特定の人たち（腎臓の機能が低下している人たち）だけだ」とし、「〈それ以外の集団における塩の低摂取にかかわる悪影響〉に十分な注意が払われていない」としている。

トリンクォートたちは、食事に含まれるナトリウムと全死因死亡率や心血管疾患（CVD）との関連を調べた269本の論文を特定した。そのうえで、それぞれの論文の主要な結論が、「減塩がCVDの発生率や全死因死亡率を減少させる」という仮説を支持しているか、どちらでもないか、支持していないかに分類した。分析の結果、論文の54%は支持、33%は不支持、13%は中立だった。続いて、トリンクォートたちは引用ネットワークを構築した。特定の見方を提案している論文の著者は、同じ立場の論文を引用する割合が約50%高かった。トリンクォートたちは、このような結論を出した。

発表されている文献には、現在進行中の論争の気配はほとんど表れていない。むしろ、〈完全に別のもの〉といっていいくらい異なる二つの学問に分かれ、一方は「塩の摂取量を減らせば臨床的な結果が改善される」という仮説を支持し、もう一方はそれを否定している。[11]

対立する両陣営は、それぞれ自分たちの立場を支持するデータだけを引用していた。それぞれの陣営が、タイプの異なる研究の異なるデータを使用していたのだ。系統的レビューでさえ、どれをエビデンスとみなすべきか、よくわからなくなっていた。塩論争は二つの科学者グループの対立ではあるが、どちらも相手を無視して議論を進めている。というのも、どちらもまったく異なる結論に達するために、全然違う情報源からエビデンスを引き出していたからだ。

考察

「科学者たちは科学の規範に従い、関連するすべての文献を評価し、自分たちの主張に関係のあるすべての研究を参照する」という牧歌的な科学観がある。科学者は偏見をもたずに、方法論的厳密さにより研究を評価し、客観的な結論に至る。ときには科学者どうしの意見が合わないこともあるかもしれないが、そうした不一致も新たなエビデンスや新たな理論的説明によって解消される。明確なエビデンスがない場合、科学者は不確実性を認める。しかし、これまでに見てきた三つの例にこうした牧歌的科学観をあてはめることはできない。「科学には有効な自己修正のメカニズムがある」という考え方は、〈長期にわたる引用のゆがみ〉によって土台から壊されてしまう。三つの例はそのことを示している。

グリーンバーグの研究において、最も引用頻度が高かった四つの〈主張を支持する試験〉は、すべて同一の研究室で行われていた。これらの試験はその後何度も引用されるようになるが、そのもととなった4本の総説論文もまた、このグループによって書かれたものだった。これらの総説論文は不支持の試験を引用していなかったが、彼らは不支持の試験に気づいていなかったわけではない。少なくとも不支持の試験のうち二つは、彼ら自身が行っていたので知っていたはずだ。にもかかわらず、これらの試験を引用しなかったのである。おそらく、確証バイアスの影響を受けていたのだろう――期待に添った支持的な試験を好意的に評価し、期待に沿わないものは除外したのだ。あとに続く科学者たちは、〈総説論文や権威によって引用された支持的なエビデンス〉のみを見て、「不支持のエビデンスが存在する」とは思いもしなかったのだ。こうした文献の構造そのものが、科学者の引用行動に影響を及ぼしているように思える。科学者は科学の規範にあえて逆らっているわけではなく、〈自分たちが規範に従っていないこと〉に気づいていないのだ。

〈科学論文のなかで示される過去のエビデンスの説明〉は公平であることが望ましいが、しばしばそうではない。研究に関連する文献が膨大すぎて、十分に参照できなかったり、時間がかかりすぎて科学者が評価しきれなかったりするケースが多々ある。その結果、論文では関連する文献のうち少数のみを厳選して参照することとなる。こうしたサンプル抽出は、文献の**系統的レビュー**という（まれな）ケースを除けば、正式なルールに基づいて規制されていない。

科学文献の指数関数的増加を考えれば、科学者が知識の現状を知るために総説論文に頼りがちになるのは無理もないのかもしれない。主に臨床医学などにおける、形式的に構造化されたメタ分析では、慎重な探索方法のガイドラインに従い、包括的に、厳密に、公平にエビデンスの調査を行うよう定められている。しかし、その他のほとんどの総説論文では、そこまでは求められていない。一般的に総説論文は一次研究の文献だけでなく、過去の総説論文も広く引用するものである。そのため、総説論文が〈エビデンスのゆがめられた表現〉を取り入れてしまう危険があり、〈総説論文を引用し、その引用文献リストから一次資料を見つけるという習慣〉によって、これらが増幅されてしまう恐れもある。

この章でこれらの試験を取り上げたのは、「βアミロイドの主張が正しくない」とか、「塩の過剰摂取は安全である」とか、「心筋梗塞の回復期に食事中の脂肪含有量を変えることは賢明な治療法ではない」などと主張することではない。ただ、これらの研究を見れば、引用行動が理想から大きく乖離する場合があること――そして科学者が論文で読んだことを額面通りに受け取ってはいけないこと――を証明しているのだ。

それにしても、こうしたバイアスはどこまで浸透しているのだろうか？

第17章

意図せぬ結果：出版バイアスと引用バイアス

というのは、現在のところ知識の受け渡しには、渡す側と受け取る側とのあいだに〈ある種の過誤の密約〉といったものが結ばれているからである。つまり、知識を渡す側は、〈最も信じられる形〉でそれを渡そうとするのであって、〈最もよく調べられる形〉で渡すのではない。そして知識を受け取る側は、将来の探究よりも現在の満足を望む。だから、誤りをなくすことよりも、むしろ疑わないことを望む。名声のために著者は自らの欠点を隠し、怠惰のために弟子は自らの知力を知らない。

——フランシス・ベーコン[1]

今日、政治家やマスメディアや科学者が用いるエビデンスの質に対して、ますます関心が高まっている。同時に、エビデンスが流通する仕組みについても懸念が生じている。最も有名なのは**フェイクニュース**現象だ。主にソーシャルメディア、ネット掲示板、オンラインの**フェイクニュース**ソースから意図的に生み出されたうその話が、主流メディアや政治家のレトリックに浸透しているのである。

しかし、最近は科学文献のなかで用いられるエビデンスの質を調べる人も出てきた。

「そのエビデンスがどのように利用され、情報の拡散とともに科学コミュニティのなかの見解がどのように形づくられていくか」を調べるのだ。科学者はとりわけ**普及バイアス**に注意している。これについては、前の章でも少しふれた。「こうしたバイアスがあると、科学の誠実性を損ない、**虚構の神話**や**半端な真実**が科学文献を通して急速に広まってしまうのではないか」と懸念されているのだ。

出版バイアス

これらのバイアスのなかで最も有名なのは**出版バイアス**だ。このバイアスは、科学者が統計的に有意な（**肯定的な**）結果が出た実験を優先的に発表することによって生じる。1979年、心理学者のロバート・ローゼンタールは**ファイルドロワー問題**（**お蔵入り問題**）という用語をつくった。

「ファイルドロワー問題」とは、学術誌に載っているのは全体の5％を占める第一種の過誤を示す研究ばかりなのに対し、研究室のファイル用引き出し（ドロワー）には、全体の95％を占める〈有意ではない（たとえば、$p > 0.05$の）結果〉を示す研究が詰まっている問題だ。[2]

1980年代後半には、出版バイアスが医療に関するアドバイスに悪影響を及ぼしていることが知られるようになっていた。1987年、ケイ・ディカーシンと共同研究者たちは、ランダム化比較試験の論文を書いた318人の著者たちに、「ほかの公表されていない試験にもかかわったかどうか」を尋ねた。[3] 回答した156人の著者たちは、「公表されていない試験が271件ある」と報告した。これは著者たちがかかわった全試験の約26％にあたる。公表されなかった試験のうち178件は完了していたが、これらのうち調査中の理論を支持していたのは14％のみだった。一方、公表された試験のうち理論を支持していたのは55％だった。どうやら、著者たちは「否定的な試験の結果をわざわざ書いたり、発表したりしなくてもよい」と考えたらしい。それ以来、以下のようなさまざまなタイプの出版バイアスが確認されている。

・**時間差バイアス**：目立って肯定的な（効果量が大きい、統計的有意性がある）結果の出た試験は、否定的な結果やあいまいな結果の出た試験より早く発表される。

・**結果報告バイアス**：統計的に有意な結果または特定の主張に有利な結果のみ報告し、その他の結果は測定していても報告しない。

・**位置バイアス**：無意味な結果、あいまいな結果、主張を支持しない結果は、あまり有名でない学術誌で発表され、統計的に有意で肯定的な結果を報告した研究は、より有名な学術誌に掲載される場合が多い。

この問題は現在も解消されていない。2010年、英国国立衛生研究所（National Institute for Health and Care Research）の発行する学術誌に、医療介入研究の系統的な研究が発表された。[4] それによれば、〈統計的に有意または肯定的な結果の出た研究〉は、〈有意ではないまたは否定的な結果の出た研究〉より発表される可能性が高く、より早く発表される傾向があることが明らかになった。また、発表された研究は、いわゆる灰色文献（査読付き学術誌に投稿されていない未発表の研究を暗に指す）の研究より、大きな治療効果を報告する傾向があった。このバイアスは、系統的レビューでまとめられた結論にも影響を及ぼしていることがわかった。

２０１５年、ミハル・キチンスキーと共同研究者たちは、コクラン共同計画によって発表された〈特定の治療の有効性や安全性に関するメタ分析〉１１０６件について調べた。[5]〈有効性に焦点を合わせたメタ分析〉では、〈肯定的で統計的に有意な結果の出た試験〉のほうがその他の試験より多く含まれる傾向があった。反対に〈安全性に焦点を合わせたメタ分析〉では、**〈副作用のエビデンスを提示していない結果〉のほうが、〈副作用の存在を示す統計的に有意な結果〉よりも、平均78％もメタ分析のサンプルに含まれる確率が高かった。**

これらは不安をかき立てる発見だ。コクランのレビューといえば、生物医学会では「究極の判断基準である」とみなされているのに、「そこにもバイアスがある」とわかったのだから。考えられる説明は二通りだろう。（１）統計的に有意ではない結果、あいまいな結果、主張を支持しない結果が出た試験は、発表されなかった。（２）発表されていたのに、メタ分析では無視された。

引用バイアス

１９８０年代、研究者たちは「〈肯定的で統計的に有意な結果を報告した研究〉のほうが〈不明確あるいは否定的な結果を報告した研究〉より多く引用されている」ことに注目した。これに関する最初の系統的研究は、１９８７年のピーター・ゲッチェによる、〈関節リウマチの治療に用いられる抗炎症薬の臨床試験〉に関する研究だ。[6] ゲッチェは、「論文の著者たちが以前に行われた同じ薬に関する試験をどのように参照したか」について調べた。彼は文献を検索して〈公表されたすべての試験〉を見つけ出し、著者が「薬の効果を**肯定的**に解釈したか」「**否定的**に解釈したか」によって分類した。それから〈引用におけるバイアスのエビデンス〉を探した。引用文献リストに〈肯定的な結果を示した試験〉が不釣り合いに多く引用されていた場合に、「肯定バイアスがあった」と判断した。このようなバイアスが起こりうる76本の論文のうち、44本に肯定バイアスが現れていた。多くの著者たちは、試験薬の効果について肯定的な結果を示したエビデンスを優先して引用していたのだ。

1992年、ウフェ・ダウンスコウは、〈冠動脈性心疾患を改善するための食事療法の試験〉がどのように引用されているか調べた。[7] 食事療法の有効性を支持する試験は年均40回引用されていたが、不支持の試験はわずかに年7回しか引用されていなかった。ある特定の試験の引用回数は、試験の規模の大きさとも、掲載された学術誌の質とも関連がなかった。一流の学術誌に掲載された〈効果を支持する8件の試験〉は年平均61回引用されていた。一方で同様の一流学術誌に掲載された〈不支持の試験10件〉は、年8回しか引用されていなかった。ダウンスコウは結論として、こう述べている。**こうした療法の予防効果は、試験報告書、総説論文、その他の論文において、支持的結果のみが引用される傾向があり誇張されている。**

引用バイアスは、現在では〈十分に裏づけられた現象〉と考えられている。2012年、アンヌ＝ソフィー・ジャノたちのチームは、2010年1～3月のあいだに〈コクラン系統的レビュー・データベースで発表された242件のメタ分析〉を調査した。[8] この調査は、心血管疾患、感染症、精神医学など、幅広い研究分野をカバーしている。242件のメタ分析は、470件の試験を参照していた。主要評価項目で統計的に有意な結果を示した試験は、統計的に有意な結果を示さなかった試験よりも、平均して2倍以上多く引用されていた。

2017年には、ブラム・デュイクスと共同研究者たちが、引用バイアスに関する52件の研究を総括している――生物医学の文献におけるバイアスの研究が38件、社会科学が7件、自然科学が6件、複数の分野にまたがる研究が1件だった。デュイクスたちは、こう報告している。**私たちが行ったメタ分析により「肯定的な論文が否定的な論文よりおよそ2倍の頻度で引用されていること」が明らかになった。引用するかどうかは、根本的なデータに基づくのではなく、著者が導き出した結論に基づいて決定されているようだった。**[9] 続いて、デュイクスたちは衛生仮説に関する文献を調査した。衛生仮説とは、若年期の衛生状態と、その後のアレルギー発症とを関連づける推測のことである。[10] この仮説を支持する研究は、支持しない研究の約3倍の頻度で引用されていた。

多くの報告では、〈統計的に有意な結果が優先されるバイアス〉が示唆されているが、ブライアン・ハッチソンは、肺炎球菌ワクチンの有効性に関する試験では、逆の現象が起きていることを発見した。[11] この試験では、文献のレビューにおいて、不支持の試験が支持の試験の2倍の頻度で引用されていたのだ。このケースから、統計的な有意性自体が重要なわけではないとわかる――「結果が望ましい主張に沿っているかどうか」が大事なのだ。

一般的に推奨されているのは、従来の総説論文の手法であるナラティブ・レビューではなく、系統的レビューを使用することだ。[12] 系統的レビューは、〈現在のエビデンスを網羅的に要約し、そのエビデンスを批判的に評価することを試みる方法〉によって、焦点を絞った問題に取り組む。このレビューでは、明確な探索方法を用いて、発表された関連文献すべてに加えて、可能であれば発表されていない結果も収集する。ランダム化比較試験の系統的レビューは現在、エビデンスに基づく医療には欠かせない重要なものとなっている。系統的レビューでは研究の質を評価するために明確な基準を適用している。こうした基準の進歩により、試験の質や信頼性が徐々に改善されてきている。

このように系統的レビューは断固としてバイアスを排除しようとしているが、臨床医学の領域外ではほとんど用いられていない。そして、グリーンバーグが明らかにしたように(第16章)、一次研究よりナラティブ・レビューを優先的に引用することは、バイアスを増幅させる可能性がある。[13]

引用のゆがみ

１９８０年、ジェーン・ポーターとハーシェル・ジックは『ニューイングランド・ジャーナル・オブ・メディシン』（*New England Journal of Medicine*）誌上で、「麻酔薬による治療を受けた患者が依存症になる可能性はまれ」（Addiction Rare in Patients Treated with Narcotics）と題する5文のレターを発表した。少なくとも1種類の麻酔薬の処方を受けた患者1万１８８２人の記録を調べたところ「依存症例は４件しか見つからなかった」というのだ。

病院では麻酔薬が広く使用されているにもかかわらず「依存症歴のない内科患者の場合、依存症の発症はまれである」との結論に達した。[14]

これは非常に大きな影響力を秘めた発表だった。完全な査読付きの学術誌ではなく、レターとして発表されたものなので、決定的な発見としてではなく、興味深い見解の一つとして受け取られるべきものだった。

ところが、2017年に『ニューイングランド・ジャーナル・オブ・メディシン』に発表された別のレターで、パメラ・レオンと共同研究者たちは「ポーターとジックのレターが1981〜2017年のあいだに608本の論文に引用されていたこと」を報告した。レオンたちは、これらの論文を1本ずつ読んで、レターがどのように引用されていたかを確認した。すると、439本(72%)の論文が、このレターを、「オピオイド(麻酔薬)による治療を受けた患者において依存症はまれである」という主張のエビデンスとして用いていた。重要なのは、レターを引用した論文のうち491本が、〈このレターの患者が病院に入院していたこと〉を報告していなかった点だ。つまり、患者は病院という〈適切に管理された安全な環境〉で、常時慎重に見守られていたはずなのだ。レオンたちは、このように結論を述べている。

1980年に学術誌に掲載された5文のレターが、「長期オピオイド療法を受けた患者において依存症はまれである」という主張のエビデンスとして、何度もかつ無批判に引用されている。この引用パターンは、長期オピオイド療法に関連した依存症リスクについて処方者の懸念を和らげる論調をつくり出すことによって、北米におけるオピオイド危機を助長したのではないか。今回の発見は、不正確な引用により生じうる結果を浮き彫りにし、過去に発表された研究を引用するときは不断の努力をもって調査することが欠かせないと強く示している。[15]

グリーンバーグの用語でいえば、これは**引用転換**の一例だ。引用の連鎖のなかで、元の研究の意味が損なわれてしまっている。

ときには引用文献リストが、論文から論文へ単にコピーされることもある。こういうことがどれだけ頻繁に行われているか調べるのは難しいが、オランダの統計学者ピーター・クローネンバーグは、〈400回以上も引用されている実在しない論文〉を発見した。[16] その幽霊論文は、こんなふうに引用されていた。

Van der Geer, J., Hanraads, J. A. J., Lupton, R. A. 2010. The art of writing a scientific article.
（科学論文の書き方）*J Sci. Commun.* 163（2）51-59.

これは、もともとエルゼビア社が、ある学術誌で「どのように引用文献を表記すればいいか」を説明するため、様式ガイドに仮想の例として記載したものだ。これが２０１９年までに４８０回以上も引用されていることを、ウェブ・オブ・サイエンスの検索によって確認できた。ほとんどは会議の議事録の抄録に引用されていた。これはあくまでも「引用文献をどのように表記するか」を例示していたに過ぎないのに、「引用文献の具体例だ」と多くの著者たちは誤解してしまっていた。この文献は79本もの学術誌の論文に登場している。そのうちの13本は引用文献を通して関連があり、おかしなことにこれらの論文のなかで、「ルチンという化合物が血液を薄め毛細血管透過性を低下させ血圧を下げる」という主張を支持するために、この文献が使われているのだ。この文献は単に論文から論文へとコピーされてしまっていると考えられる。

エビデンスの低利用

「利用可能なエビデンスがどのくらい活用されているか」を知るため、カレン・ロビンソンとスティーヴン・グッドマンは、「過去の臨床試験がどれだけの頻度で、のちに同様の試験を行った著者たちによって報告されているか」を調べた。[17] まず１５２３件の試験を同定し、それらが同様のテーマのほかの試験において、どれだけ引用されているか追跡した。調査の結果、引用されていたのは関連する試験のうち約４分の１だけで、引用された試験に登録されていた対象者数も全体の約４分の１にしかならなかった。奇妙にも、実施された試験数がいくつあっても、引用された試験数は中央値で２件だった。科学者は「より遠くを見るために先人の肩に乗る」とはいっても、肩は二つで十分らしい。乗れそうな肩は、ほかにもたくさんあるのに。ロビンソンたちは以下のように結論を述べた。倫理的に妥当ではない試験、資源の浪費、誤った結論、試験参加者への不必要なリスクなどが、潜在的に生じている恐れがある。

考察

科学コミュニケーションのシステムは、私たちが考えていた以上に脆弱なようだ。「何を発表し、何を引用するか」という研究者の判断によって、このシステムは大きな影響を受ける。個人——おのおのの研究目的、専門知識、有限の記憶、そして生まれつき誤りやすい傾向をもつ個人——による決断が、ほかの人たちの信念に影響を及ぼすのだ。それも私たちがまだ完全には理解していない方法で。

エビデンスが公表されなければ、ほかの人たちは一つの見解を批評する機会を失うかもしれない。引用バイアスがいたるところにあるなら、科学者は選択された一部のエビデンスのみに基づいて物事を理解していることになる。「すでにあるエビデンスを十分に活用していない」としたら、研究にかかる時間や資金が無駄になっている恐れがあるし、科学の主張の正当性に問題があるのではないかと思えてくるが、解決策を見つけるのは容易ではない。問題はますます増えていっているようにも見えるけれども、それは単に、問題を認識する力が強くなってきているからかもしれない[18]。こうした認識力の高まりが、科学者の行動に自己修正を促す原動力となるかもしれない。

第18章

影響力の大きい論文：引用率、引用のゆがみ、誤った引用

２０１４年、「史上最も引用された論文１００のリスト」が『ネイチャー』誌上で発表された。[1] 被引用回数でその論文の重要度や質、影響力がわかるのであれば、選びぬかれたなかでの頂点に立つこれら１００本の論文について語ることが許されるはずである。

まず注目すべきなのは、これらの論文のうち32本が、２０１４年のインパクトファクター（ＩＦ）が３以下の学術誌に掲載されていたという点だ。たとえば、『スカンジナビア臨床検査学研究』(*Scandinavian Journal of Clinical and Laboratory Investigation*)(IF 1.5)や、『カナダ物理学雑誌』(*Canadian Journal of Physics*)(IF 0.9)などである。『ネイチャー』(IF 41.6)はリストに４回しか出てこない――『サイエンス』(*Science*)(IF 37.2)より1回多いだけだ。『ランセット』(IF 53.3)は1回だけで、『ニューイングランド・ジャーナル・オブ・メディシン』(IF 79.3)に至っては1回も出てこない。最も多くリストに入っていた学術誌は、『ジャーナル・オブ・バイオロジカル・ケミストリー』(*The Journal of Biological Chemistry*)(IF 4)の8回で、7回の『フィジカル・レビュー B』(*Physical Review B*)(IF 3.8)が続いている。リストには57の学術誌の数が挙げられている。

ベスト100の論文のほぼすべてが**方法論文**だった。なかでも優位な位置にあったのは、1951年に発表された、オリバー・ローリーと共同研究者たちによる〈生体サンプル内のタンパク質を測定する簡単な方法〉を説明した論文だった。[2] 生化学者はサンプル内の特定の物質の含有量を確定しようとするとき、サンプルの大きさに関連づけて考えなくてはならない。最も粗削りな方法としてはサンプルの重さを量る方法〉が用いられるが、より信頼性を高めるには〈タンパク質の含有量を測定する方法〉のほうがよい。そのため、ローリーたちの論文は30万回以上引用されていた。また別のタンパク質の測定方法についての論文もリストの第3位に入り、15万回以上引用されている。

多くの革新的な方法論は、すぐに一般の研究室に取り込まれ平凡な手法になっていく。しかし、なかには興味深い軌跡をたどるものもある。『ネイチャー』のリストで61位にランクインしたのは、『利き手の判断と分析：エディンバラ利き手検査』(The Assessment and Analysis of Handedness: The Edinburgh Inventory)という論文だ。[3] 1971年に発表されたこの論文は、発表後5年間で58回しか引用されていなかったのに、2018年には1年間だけで1500回近くも引用された。「どんな人でも作業ごとに右手と左手を使い分けていること」を明らかにした学術論文だ。左利きと右利きを〈決定的な違い〉として分けるのではなく、利き手の度合いを測定するために10項目から成るアンケートを作成している。この論文が、どうしてこんなに引用されるようになったのか。

それは、このアンケートが、脳の画像検査に使われるようになったからだ。対象者が左利きか右利きかをカテゴリー別に区別するために用いられているのだ。

とはいえ「この革新によって脳の画像研究が黎明期を脱することができた」というわけではないだろう。だから、被引用率と影響力を同一視することには慎重であるべきかもしれない。

幾千もの論文がナンセンスを引用し、ナンセンスを生み出し推定する

マタイ効果によって、金持ちはより金持ちになり、よく引用される方法論文はますます引用されるようになる。多くの研究者が特定の方法を用いるのは、それが単純であり

ほかの多くの研究者が同様の研究でその方法を用いているからである。しかし、医師であり科学者であるジョン・ヨアニディスは、「複雑な問題を過度に単純化する研究ツールは悪影響を及ぼす恐れがある」と指摘している。〈誤解を招く方法の利用〉が増幅されて大量の論文が発表されると、幾千もの論文がナンセンスを引用し、ナンセンスを生み出し推定するのだ[4]。

２０１０年、アンドレアス・シュタングは、〈メタ分析において非無作為化研究の質を評価するために広く使用されているニューキャッスル・オタワ・スケール（ＮＯＳ）〉を批判する論評を発表した。手加減なしの解説は、こう締めくくられている。

結論として、〈ＮＯＳスケール〉は、せいぜい〈妥当性が未知数な品質スコア〉を提供するか、あるいは〈無効な品質項目〉まで含んでいると考えられる。したがって現行のバージョンは、症例対照研究とコホート研究のどちらについても、メタ分析において品質ランキングを決定する尺度としてふさわしくないと思われる。エビデンスに基づいた総説論文やメタ分析でこのスコアを用いることは、非常に恣意的な結果を生み出す可能性が高い。[5]

そして2018年にシュタングと共同研究者たちが着目したのは、〈このシュタングの論評（2010）がウェブ・オブ・サイエンスによると2016年までに1250回引用されていること〉だった。[6] シュタングたちは、そのなかから100本の論文をランダムにサンプル抽出し、「シュタングの論評がどのように引用されていたのか」を正確に調べた。100本のうち96本は系統的レビューだったが、2本を除くすべてが、〈シュタングの論評（2010）の明確なメッセージ〉とは正反対の誤った引用を行っていた。あたかもシュタングの論評が〈系統的レビューにおけるNOSスケールの使用〉を支持しているかのように描写していたのだ。どうやら、初めに数本のメタ分析においてシュタングの論評が誤って引用され、その後、ほかの論文の著者たちが元の論評を読みもせずに引用をコピーしたらしい。

こうした引用のコピーはよくあることなのかもしれない。ある研究では〈引用文献の記載内容の誤植が繰り返されて拡散するさまを実証的に説明する計算モデル〉が開発されている。それによれば、「ある論文を引用した人のうち、実際にその論文を読んだ人は約20％しかいない」と推定されている。[7]〈論文を誤って引用した著者〉は、誤引用された論文を読んでいたかもしれないが、単にほかの論文から引用文献をそのままコピーしたにすぎない可能性もある。いずれにしても、この推定値は、引用の正確さ（引用文献がその内容と一致する表現で引用されているか）に関する研究についてのメタ分析結果とも一致している。そのメタ分析では、医学雑誌の論文の約12％に〈深刻な引用の誤り〉――「引用文献の内容をかなり不正確に伝えている」か、あるいは「元の文献からまったくかけ離れたことが書かれている」といった誤り――が含まれていると推定している。[8]

ウェブ・オブ・サイエンスで調べたところ、2019年5月までにシュタングの論評（2010）は3271回引用されていた。シュタングの論評（2010）を引用した論文のなかで最も被引用回数が多かったのは、2013年に発表された『代謝的に健康な過体重と肥満は良性な症状か？』（Are metabolically healthy overweight and obesity benign conditions?）と題するメタ分析だった。[9]この論文のなかでシュタングの論評

（2010）は以下のように引用されている。

メタ分析における非無作為化研究の質を評価するためにニューキャッスル・オタワ・スケール（NOS）を適用した。

これは典型的なシュタングの解説（2010）の引用例だ。実際の内容はまったく無視されている。この論文は結論で**体重増加に健康なパターンなどない**と述べ、その結果はより大規模なメタ分析に貢献した。グローバルBMI死亡率コラボレーション（GBMC）が行った、この大規模なメタ分析は、2018年に『ランセット』で発表された。[10] GBMCの研究は、過体重（体格指数（BMI 25～29.9））と肥満（BMI>30）の両方とも、「全死因死亡率の増加と関連がある」と報告し、「この関連は四大陸いずれにおいても広く一致している」と主張した。この結果は**あらゆる集団における過剰肥満スペクトラム全体に対処するための戦略を支持している**とGBMCは述べている。

GBMCの研究の執筆委員会には61人の著者が名を連ね、膨大な数の研究者や研究団体が参加している。この研究は『ランセット』に掲載されたが、珍しいことに〈政策提言のために観測されたエビデンスに頼ること〉に警告を発する注釈が添えられていた。[11]そこには、「〈体重を減らせば死亡率や罹患率が減るか〉といったことを扱った大規模な試験はほとんどないこと」が指摘され、「〈減量と心血管系発症との関連〉が見つからなかったため約10年で中止になった試験があること」が書かれていた。

2019年にはキャサリン・フリーガルのチームがGBMC研究の方法論を激しく非難した。[12]「GBMCは目的の結論に達するために、系統的アプローチではなく、故意に選択したデータを使った」と批判したのだ。GBMCは1000万人以上が参加した239件のプロスペクティブ研究（前向き研究）から、事前に個々の参加者のデータを選び出していた。さらに、〈ベースライン時に病気が報告されていた症例〉、〈喫煙歴のある症例〉、〈追跡調査の最初の5年間の発症〉をすべて取り除くことによって、データの60％以上、致命的な症例の75％以上を除外していたのだ。これらの制限の結果、「過体重は死亡率低下と関連がある」という結果が覆され、〈肥満と死亡率上昇の関連性〉が強化されることになった。フリーガルらは、こう結論を出した。**選択プロセス、デー**

タの妥当性、データ解析、解釈に大きな欠陥があることから、GBMCの結論は、臨床的判断や一般的な公衆衛生に関する行動指針としては懐疑的に見るべきである。「過体重は〈実質的な死亡リスクの上昇〉と一様に関連があるため、いかなる状況においても対策するべき」という誤った結論が広まれば、幅広い病態において、不当な治療努力や潜在的な害をもたらすだけでなく、資源の浪費をもたらす可能性がある。

GBMCの論文では、「この結果は、2015年に韓国の成人1280万人を対象に行われたイ・サン＝ウクらによる研究の分析結果とも概ね一致している」と述べられているが、フリーガルらは、「この主張も正しくない」と述べている。イらの研究のサンプル数は、GBMCの全239データセットよりも大きいが、これはGBMCのメタ分析に含まれていない[13]。イらは、「過体重と死亡率上昇とのあいだに関連はなく、中等度の肥満（BMI 30〜35）は非常にわずかな上昇と関連があった」と報告している。GBMCで用いられたのと同様の制限を適用したとしても、過体重の対象者において死亡率上昇との関連は、まったく見られなかったのである。こうした結論は、単純な公衆衛生上のアドバイスと一致しなかった。女性、とりわけ若い女性の最適BMIは男性より低い。しかし、最適ＢＭＩは年齢とともに増えていき、若い女性を除けば、両性別、全年代において、最適ＢＭＩは現在の標準体重（BMI 18.5 ~ 24.9）と定義されている数値より高かった。

フリーガルらが暗に主張していたことは、「ＧＢＭＣがあらかじめ念頭にあった結論に到達するために分析する研究を選別していた」ということだ。ＧＢＭＣの結論は〈30年以上前に取り入れられたＢＭＩによる現在の肥満の定義〉を支持しており、「この結論を裏づけるために、矛盾するエビデンスが誤って引用されている」というのだ。[14]

ＢＭＩは単純な測定方法で、過体重と肥満を定義する区切りも覚えやすくて単純――公衆衛生のアドバイスの指標としてはうってつけだ。２０１３年1月5日、『エコノミスト』誌（*Economist*）に、オックスフォード大学で数値解析を教えるニック・トレフェゼン教授のレターが掲載された。そのなかでトレフェゼンは「人間の体重は成長するにしたがって直線的に増加するわけではない」と述べている。

みなさん（と国民健康サービス）が肥満かどうか判断するために使っているボディ

マス指数（ＢＭＩ）は、奇怪な測定方法です。私たちが生きている世界は三次元なのに、ＢＭＩは体重を身長の二乗で割った値で定義しています。これは１８４０年代、計算機ができる前の〈ごく単純な式でなければ使い物にならなかった時代〉に考案された代物です。こんな根拠のない定義のせいで、大勢の背の低い人たちが実際より「自分はやせている」と思いこみ、大勢の背の高い人たちが実際より「自分は太っている」と思いこんでいるのです。[15]

ここで我々は、「ＧＢＭＣの研究とフリーガルらの研究のどちらが正しいか」について判決を下そうというのではない。私たちは証人であり裁判官ではない。フリーガルらが自分たちの仮説に先行投資していたことは指摘したが、それについて尋問したわけではない。言いたいことは「論文の質は、被引用数、掲載された学術誌、著者数、著者名によって判断することはできない」という点だ。近道はないのだ。〈論文に書かれているエビデンスの確かさ〉は、読者が判断しなければならない。そして、その判断も永久不変ではなく、「新しいエビデンスが出てくるかどうか」に左右される。「エビデンスの確かさを正しく判断できるかどうか」は、「読者が著者のバイアスをどれだけ見抜けるかどうか」ということにもかかっている――同時に、読者が「自分自身のバイアスをどれだけ自覚し、それらを補正できるか」にもかかっている。まさに学識が試されているのだ。

第19章

発表された研究結果のほとんどは誤りか？
実験計画法と結果分析の弱点

2005年、ジョン・ヨアニディスは「なぜ発表された研究結果のほとんどは誤りなのか」(Why Most Published Research Findings Are False)という衝撃的なタイトルの小論を発表した。[1] ヨアニディスは主張が誤っている可能性が高いケースとして、〈研究の規模が小さいとき〉、〈効果量が小さいとき〉、〈多くの関連を検証しているとき〉、〈検証された関連数よりも事前選択されたものが少ないとき〉、〈計画、定義、結果、分析方法に柔軟性があるとき〉、〈金銭その他の利害が絡んでいるとき〉を挙げている。

研究の規模が小さいとき、主張は誤っていることが多い

小規模な研究の信頼性が危ういのには、いくつか理由がある。ここでは、念力の実験を想像してみよう。ある動物——ウサギ——を思い浮かべながらコインを3回投げたとする。結果はHTH(Head＝表、Tail＝裏)だったとする。次に別の動物——リス——を思い浮かべながらコインを投げたら、結果はTTTだった。〈3回連続で表〉とか〈3回連続で裏〉というのは意外とよくある——4回に1回の確率だ。だが、リスを

思い浮かべたときにTail（尻尾）のTが偶然に3回続くと、人は仮説を立て始める――ウサギのときはそうはならなかったのに、リスのときはふわふわした尻尾（tail）を思い浮かべるからコインもTばかり出るのだ。そこでまたリスを思い浮かべながらコインを投げてみる――五分五分の確率でTが出たらTTTTとなり、あなたは自分の仮説を本気で信じ始める――もう1回だけ投げてみよう――また半々の確率でTが出て、TTTTTだ。まったくの偶然でTTTTTとなる確率は、たった32分の1――有意な結果と認められる閾値P＜0.05に余裕で収まる。今度はウサギを思い浮かべながら、あと何度かコインを投げてみよう――すでにHTHという結果が出てしまっているから、これから有意な結果は出ようがない。というわけで、リスを思い浮かべたらめでたく有意な結果が出て、ウサギを思い浮かべたら有意な結果は出なかったことになる。

こうなったら、もうあなたは仮説にてこ入れして、自分を納得させてしまうのだ。つい、もう1回コインを投げたくなるだろう。また五分五分のチャンスでTTTTTTになった――偶然でこうなる確率はわずか64分の1だ。たとえ6回目がH（外れ値）だったとしても、あなたはこう考える。6回目を投げるときだけ、気が散ったんじゃなかったっけ？　ほら、さっき電話が鳴ったし。いまの結果はなかったことにしちゃえ。

では何がいけないのか、順番に見ていこう。

1．仮説が前もって定められていなかった。パイロット実験[*1]の結果から仮説を思いついたにすぎない。[2]

2．パイロット実験の結果が確定試験の一部として扱われ、統計的検定の結果にバイアスがかかっていた。パイロット試験と確定試験を分けて報告している論文はほとんどない――「パイロット実験を行ったのに報告していないか」、「パイロット実験を行っていないか」（これはありそうにないが）、「パイロット実験の結果をあたかも確定的な仮説検証実験の結果の一部であるかのように一緒くたにしてしまったか」のいずれかだ。

3．ちょうど統計的有意性が出たところで研究をやめた。よい結果だけが出たところで勝ち逃げするために、それ以上コインを投げなかった。$P<0.05$の閾値ぴったりの文献が過度に多いことから推測すると、これは一般的に行われていると思われる。[3]

4．効果が明らかに選択的。リスを思い浮かべたら有意な効果があるのに、ウサギを思い浮かべてもなんの効果もない。これは学術論文によくある論理の欠陥だ。二つの処置を直接比較することなしに二つの処置の違いを断定している。[4]

5．外れ値が「不都合である」という理由だけで捨てられている。正当な理由で外れ値を廃棄する場合もあるが、その場合は、それについて明記し説明する必要がある。だが、めったにそうされていない。外れ値があったのに捨てられたことを見抜くためには、報告された n 値に〈説明されていない相違〉がないかどうか見るほかない場合が多い。3247人の科学者を対象に調査を行ったところ、15％が過去3年以内に**観察結果やデータ項目を、「それらが不正確である」という直感をもとに分析から省いたことがある**と認めた。[5]

最後に、〈実験の論理的根拠〉を事後に構築することだ。念力に関して〈過去に肯定的な結果が出た実験を記した文献〉を徹底的に探す。〈リスの尻尾の顕著な特徴〉について言及する――子どもの絵本などでイメージが行き渡っている、感情的、文化的な

＊1　小規模の予備実験。

含意があるなど。それから、「顕著に感情が高まると、脳の活動に影響が生じる」という過去の研究に言及する。脳のいくつかの部位（扁桃体あたりがよさそう）を挙げ、それらが〈感情や志向性や運動制御にかかわっていることを示すｆＭＲＩ研究〉についてもふれておく。こうやってもっともらしい仮説をつくり示唆に富んだタイトル――『意志の力と心的イメージの特徴』――をつけて発表だ。

効果量が小さいとき、主張は誤っていることが多い

効果量とは、単に〈対照群の測定結果と介入後の測定結果の差の大きさ〉を意味する。しかし、ここでの効果量には特別な技術的意味があって、標準化された効果量を指している。測定結果の分散に応じて測られた効果量なのだ。したがって、効果量が小さいといっても、「効果の絶対的なサイズが小さい」というわけではなく、真の効果がまったくない場合と比較して予期される変動と比較したサイズについて述べている。

小規模な研究が予想外の結果を報告した場合、効果量が大きければ、それは真の効果

である可能性が高い。しかし、小規模な研究で報告される効果量は、真の効果量より大きく見せかけられていることが多い。これは、いわゆる勝者の呪いだ。たとえ真の効果があったとしても、小規模な研究では、偶然に真の効果より大きな効果を示すデータが出ない限り、統計的に有意だと判断されないだろう。[6]

ただ**有意な真の効果**を得るためだけに研究の規模を大きくすればいいわけではない。研究には信頼性や再現性も必要だ。そのためには実験の前に**検出力分析**をしなくてはならない。科学者はこの分析によって、「ある有意水準で特定のサイズの効果を検出する確率を高めるには、どのくらいの規模のサンプルを用いればよいか」を計算するのだ。実験の検出力が適切であれば、結果の再現も可能なはずだ。だが、適切な検出力をもつ実験は非常に少ない。[7]

多くの関連を調べているとき、主張は誤っていることが多い

これは先に説明した**多重比較**の問題だ。科学の多くの分野で見られる問題であり、た

くさんの変数がかかわっている研究で驚くべき結論が出てきたときは、この問題の発生が疑われる。たとえば、『子どもは母親の食べたものしだい』(You are what your mother eats)と題する、かなりマスメディアの注目を集めた研究がある。「朝食にシリアルを食べると男の子を妊娠する可能性が高くなる」という結論が広く報じられたからだ。[8]この論文の著者たちの結論は、もっと考え抜かれていた。「受胎時の母親のエネルギー欠乏状態が過酷な環境のシグナルとなり、男の子孫という生物学的選択の決定につながった」と、この結果を解釈したのだ。「この研究には潜在的な比較対象が多すぎる」と即座に非難が集まった。朝食をシリアルにすることに関するP値[*2]は0・003という目を見張る値が報告されているが、多重比較を考慮に入れれば0・28まで弱まるのだ。[9]

「エネルギーが欠乏した環境では男の子が生まれる確率が高まる」という考え方については、その後研究が行われた。オランダで〈1944~1945年に発生した飢饉(ききん)のあいだに受胎した子ども〉の出生記録が調査されたのだ。この研究では、エネルギー摂取量と男女比のあいだに関連は見られなかった。[10]

検証された関連の数よりも事前に選択されているものが少ないとき、主張は誤っている可能性が高い

科学者は〈事前に選択した一つの仮説〉を追求するのではなく、広範囲にアプローチして多くのことを試し、多様なデータを集め、それらのあいだの関連を見つけようとすることが多い。そうすることで、潜在的に多くの仮説を探究している。ほとんどの場合、それらの仮説は結果が出るまでは明言されなかったり思いもよらなかったりするものだ。これらに仮説検証の統計を誤用すると、偽陽性の結果が出てしまう可能性が高い。

＊2　示したい主張を否定した仮説（帰無仮説）――ここでは「朝食にシリアルを食べても男の子と女の子が同じ確率で生まれる」という仮説――が正しかった場合に、そのデータより極端な結果が得られる確率。

計画、定義、結果、分析方法に柔軟性があるとき、主張は誤っていることが多い

これにはありとあらゆる問題のある慣行が含まれているので、どこから始めたらいいかわからない。露骨に言えば、「複雑な研究の最後に、データからどのようにして〈結果を有意に示す方法〉を無理やり絞り出したか」ということである。そのためにデータセットをいくつか除外するかもしれないし、データを分けてサブセットにしたり、データどうしを組み合わせたりするかもしれない。効果が生じたかどうかを判断する基準を再定義するかもしれない。好ましいP値を得るために、異なるタイプのテストを次々と試すかもしれない。このとき、その関連性を想定した根拠について考慮されることはほとんどない。

「人々がいかにあいまいな情報を巧みに解釈して、自分の願望と一致する結論を導き出してしまうか」については、多くの論文で実証されている。2011年、それらの研究に着目したジョゼフ・シモンズと共同研究者たちは「心理学の論文では、いかに異な

る基準を使って観察結果が分類されているか」について考察した。そして、コンピューターシミュレーションや実験によって、誤った仮説に対して〈統計的に有意なエビデンス〉を得る（そして報告する）のが、受け入れがたいほどにたやすいことを明らかにした。[11] 改善策としては、必ずしも「統計的有意性を放棄すればよい」というわけではない。データを集める前に、「そのデータをどのように分析するか」を正確に決めておけばよいのだ。[12]

金銭その他の利害が絡んでいるとき、主張は誤っていることが多い

公表される研究では、しばしば（必ずではない）〈研究の資金提供者が好む結果〉が支持される。このことは、〈製薬会社が資金提供を行う治験〉では十分に裏づけられている。[13] この問題は、こうした試験の質が悪く、不正だから生じるのではなく、多くの試験が支持的な結果に有利なように計画されているために生じる。たとえば以下のような方法がある。「有効性の測定方法を慎重に選択する」、「臨床試験薬をベストな代替手段と

ではなく劣った競合手段と比較する」、「比較する投与量を選択する」、「非常に小さな差異でも見つけられるほど大規模な試験を行う」、「最も治療に反応しそうな患者を選択する」、「肯定的な研究を選んで発表する」などである。

こうした方策によって、業界が出資した3種の抗精神病薬の直接比較試験で次のような事例が起きている。それらの研究によれば、オランザピンという薬はリスペリドンという薬より優れていて、リスペリドンはクエチアピンという薬より優れていて、さらにまたクエチアピンはオランザピンより優れているというのだ。[14]

このような確執は、公平なはずの系統的レビューにも影響を及ぼすことがある。ある研究では、〈砂糖入り飲料と体重の増加に関するレビュー〉に注目している。〈食品業界から資金提供を受けている著者〉が書いた系統的レビューは、〈そのような資金提供を受けていない著者〉によるレビューよりも、「これらのあいだに明らかな関連はない」と結論づける割合が5倍も高かったのだ。[15]

著者が利害の対立を公表している論文では、バイアスの可能性を発見しやすい。しかし、これまでにも述べてきたとおり、利害の対立はどの著者も抱えているのだ。誰もが自分自身のエビデンスの解釈の擁護者であり、特定の主張に投資している。すべての論文、レビューにバイアスの可能性があるのは避けがたい現実だ。唯一の防衛策は、率直にバイアスがありうると認めることだろう。著者は潜在的なバイアスを意識しつつ、それを補うために客観性を維持しようと努めなくてはならない、また、読者は常に批判的に目を光らせていなければいけない。

統計は、単なるデータの定量的記述だ。正式な統計的**検定**を始めたのは、ロナルド・フィッシャーだった。フィッシャーは古典的著作『実験計画法』(１９７１年、森北出版）のなかで、「科学的主張を批判するとき、批判者は必ず実験結果の解釈が間違っているか、実験計画に欠陥があるかのどちらかを主張する」と述べている。このことはどのつまり同じところに落ち着く。実験計画に欠陥があれば、どのような結果の解釈にも欠陥があるのだ。実験は当然、行う前に計画しなければならない。よい計画を立てるには、どのような結果が出るか考えておく必要があるし、偶然の差異のなかから**真の効果**を見つけ出す方法も考えておかなければいけないだろう。このために、プロの統計学者が重要な役割を果たす。しかし、フィッシャーは強く主張している。関連する問題は、統計学者の専門的な技術すべてから切り離すことが可能である。そのようにして切り離した場合、人間の論理的思考力を正しく使いこなすための問題にすぎなくなる。……統計学者であっても、科学的推論の原理に基づいて明晰に思考する義務からは逃れられないし、同様に、ほかの思考する人たちも、その義務からは逃れられない。[16]

フィッシャーの時代、そしてその後長い期間、科学者が利用できる技術的アプローチは数少なく、大量のデータを収集し分析する手段もほとんどなかった。実験には多大な時間がかかったため、慎重に計画しなくてはならなかった。科学者が特定の目的のために自分で装置を製作したり、学部の工作室で製作してもらうために設計したりすることはよくあった。そのため、当時の科学者たちは実験で使う器具について非常によく理解していた。ほかの科学者たちに装置を見せ、意見や批評を求めることもあった。彼らの装置はシンプルで透明性が高く、それが報告する効果は、十分に大きく容易に再現可能なため説得力を有した。古い時代の文献には、こうしたしっかりとした信頼性のある観察結果と、考え抜かれた実験計画の例が豊富に収められている。

対照的に、現代の科学者は自分たちが使っている装置や方法についてよく理解していない場合が多い。装置は購入し、方法はほかの論文からそのままコピーしているのが現状だ。実験の目的に合わせて装置が設計されるのではなく、装置の能力に合わせて実験が計画されている。ときには、特定の目的に合わせてつくられた装置や方法を、そぐわない目的のために使ってしまうことがある。方法や装置が多様化し、方法や装置を使う目的も多様化した結果だ。方法や装置を理解しない人ばかりになったため、方法論の精査も一貫性を欠いたものになっていった。

これは統計的方法についてもいえることだ。統計学を専門とする編集者を用いている学術誌はほとんどないため、文献には統計上の欠陥があふれている。懸念があまりにも強くなり、学術誌のなかには仮説検証統計学と*P*値の記載を禁じ、著者に効果量と信頼限界だけを報告するよう求めているところもあるほどだ。[17] ほかにも別の根拠で統計的有意性についての主張を却下するところもある――*P*の値が0・05より大きい、あるいは信頼区間に0が含まれているという理由だけで**差異なし**、**関連なし**と結論を出すのは正しくないからだ。とはいえ、必ずしも統計的有意性に限らず、有意性という概念を用いることは、科学にとって文献に含まれるノイズに圧倒されないためには不可欠とも思える。[18]

科学者が仮説検証統計学にこだわるのは、一部には、「それによって**仮説主導の科学**を追っている」、すなわち「カール・ポパーの精神にのっとっている」という誤解があるからだ。実は、これほど真実からほど遠いことはない。ポパーにとって科学とは〈仮説によって突き動かされるべきもの〉であり、〈仮説を構築する必要に駆られて実験が突き動かされる事態〉など想定もしていなかったはずだ。「科学とは、〈仮説を反証しようとする試み〉によって大胆な仮説をテストすることである」とポパーは主張した。仮説検証統計学が反証できるのは帰無仮説のみだ。そんななんにもならない仮説が大胆であるわけがない。

1970年代に『生理学雑誌』(*Journal of Physiology*)に掲載されていた論文には、一つや二つ*P*値が出てきたかもしれないが、一つも出てこないのがほとんどだった。現在では、50個以上の*P*値が出てくることもよくあり、ときには、それらに関する説明を含む記述統計学がまったく含まれていないケースがある。信頼水準とともに効果量を伝えることは、P 値を提示するのと等価になる場合があるのも事実だ。その場合は、P 値を除外することが理にかなっているように思える。明らかに一定の効果があるなら、それを「有意な効果である」と主張するのは単に余分であるだけでなく、その重要性を強調するための修辞的な演出である。データが強調されれば、その差異がどれだけ大きいか、その有意性のより深い意味について注意が向けられることになる。

もちろん、仮説検証統計学には重要な使い道がある――〈透明性をもって事前に考えた仮説〉を、〈透明性をもって事前に設計した実験〉によって、〈透明性をもって事前に立てた計画〉のとおりに検証する場合だ。

これまでにも述べてきたとおり、古い時代の科学は模範的であり、その多くはポパーも認めたであろう意味での仮説主導型であった。しかし、初期の臨床試験や生物医学研究はそうではなかった。それらは〈健全な計画を立てるためのメカニズムの理解〉なしに介入を試みたものであったからだ。医学の質は、〈優れた試験計画の原則〉が認識されるにつれ変容してきた。優れた試験計画は、メカニズムを完璧に理解していなくても、〈因果関係を推定するための妥当な根拠〉をもたらす。現在では、「最も信頼がおける臨床試験は大規模な多施設共同治験であるべき」とされている。〈客観的に無作為化された試験〉として、〈明確な結果判定法〉を事前登録し、〈適切な対照群〉を置き、透明性のために〈主要な結果〉と〈統計分析の方法〉を事前に公表し、全体を通して〈適切な盲検化〉で行わなければいけない。このような大規模な試験には莫大な費用がかかるため、〈エビデンスが不明確でとりわけ重要な問題の解明をするとき〉にだけ行われねばならない。それでも、このような〈模範的なデザインに基づく原則〉は、ほかの多くの研究に浸透している。

しかし、この基準をそのまますべての研究分野に適用できるわけではない。それぞれの分野に対応した質の基準が必要だ。優れた実験計画とは、定められた一式のルールではない。論理的思考を要する一つの学問分野なのだ。

第20章

基礎研究の社会的、経済的影響

「教育や健康は国富を費やすものだ」という不条理な考え方がある。お金そのものに価値があるというのは、なんと的外れな考えだろう。教育や健康は国富を費やすものではなく、私たちの富そのものだ。科学者であること、知識や理解の創造者であることは、最も重要で永続的な意味での富の創造者であることなのだ。[1]

――ガレス・レン、『*The Heart of the Brain*（脳の心臓）』

第1章の初めに、こう書いた。**もし科学者の誰かに、「科学者って、どんなことをしているのですか？」と尋ねたら、こう答えるかもしれない。「私たちは、世界に関する知識と理解を広げる仕事をしているのだ」と。**そろそろ、この答えがどんなにおかしいか気づくのではないだろうか。シェフなら料理をつくり、大工なら家具をつくり、医師なら病気を診断して薬を処方し、弁護士は法廷で弁論をする。このように、おそらく全員が目に見える生産活動を言葉にして自分の仕事を説明できるだろう。それぞれ特定の方法で、ほかの人たちに影響を与える生産活動だ。同様に科学者の仕事を説明すると、こういうふうになる。学術誌に論文を書き、ほかの科学者たちを説得して、その重要性を認めさせる。これは、ある意味、私たちの知識と理解を広げるかもしれない。料理が私たちを満足させてくれるかもしれない（し、させてくれないかもしれない）ように、家具が家を美しくするかもしれないように、薬が病気を治してくれるかもしれないように。だが、多くの人が、シェフや、大工や、医師の生産活動の影響をその目で見ることができるのに対し、科学者の生産活動の影響を見ることができるのは、ほかの科学者だけだ。科学者の生産活動を評価するには、論文を見るしかない。このように論文の経済的影響や社会的影響を測ろうとする試みは、最近ますます一般的になってきている。しかしこの試みは、これから見ていくように非常に議論の余地のある別の物語を構築することになる。

第13章で紹介したオキシトシンの歴史を思い出してみよう。結局、オキシトシンが最も重要である点はなんだったのかわからなかったとしても無理はないかもしれない。その問いは、「オキシトシンはなんのために役に立つのか」と言い換えれば明確な答えが得られる。

オキシトシンは、少なくとも70年前から、〈標準的な分娩の管理〉に欠かすことのできないものになっている。先進国では出産するほとんどの女性が、分娩を容易にするため、後産の排出を助けるため、あるいは分娩後の出血を防ぐために、オキシトシンを投与されている。こうしたオキシトシンの活用方法を改良していくために、科学者たちは休みなく研究を続けている。２０１８年だけで、19本の論文が〈分娩室で用いられるオキシトシンの臨床試験結果〉を報告している。それらでは〈オキシトシン使用に関する適用や禁忌〉が考察され、〈代替薬との比較〉がなされている。

そのうち『ニューイングランド・ジャーナル・オブ・メディシン』に掲載された論文では、２０１８年に世界保健機関によって行われた、大規模な多施設共同ランダム化臨床試験の結果が報告された。この試験には、23カ国から3万人近くの女性が参加した。[2]調査されたのは、分娩後の出血についてだった。主に分娩後の子宮の収縮不全によって起こる深刻な症状で、子宮収縮を促す薬によって予防できる。この50年間で、ほとんどの国で母体死亡率が大幅に減っているのは、標準的治療薬としてオキシトシンが使われているのが主な理由と考えられている。それでも、発展途上国を中心に、世界では

２００３〜２００９年のあいだに、40万人以上が分娩後の出血により死亡している。オキシトシンの有効性を完全に保つためには２〜８℃で保管しなければならない。多くの国では、こうした管理が非常に困難なため、オキシトシンの使用が進んでいないのだ。

前述の試験では、オキシトシンと、〈長時間作用するオキシトシン作動薬であるカルベトシン〉を比較し、「カルベトシンとオキシトシンのどちらも、分娩後の出血の予防に同等の効果がある」ということを明らかにした。オキシトシンと違って、カルベトシンは気温が高いところでも保管できるように製造できる。低温管理をする必要がないので輸送費や保管費が低く抑えられ、使われずに廃棄される量も減る。カルベトシンなら、世界のより広い地域、さまざまな環境で使用できるのだ。

カルベトシン自体は新しいものではない。「１９８１年に初めてブタに対して用いられた」と記載されている。医学・生物学文献データベースのパブメド（PubMed）には、カルベトシンに関する論文が１８９本掲載されている。40年以上にわたって、化学的性質、生物学的活性、安全性が実証されているのだ。

〈基礎科学における観察〉から〈出産する何千人もの女性の命を救うための治療〉に至

るまでの道のりは、長く険しいインパクト転換の軌道をよく例示している。第13章で紹介した調査のなかでは、カルベトシンの189本の論文はまったく見えてこなかった。これらの論文は被引用回数が少なく、遠くにかすかに見えるわずかな希望を追っていた少数の人たちにしか知られていなかったのだ。

最近、数年間に発表された論文のなかにも、同様のインパクトを秘めている論文があるかもしれない。たとえ、出産する女性の命を救えるほど重要な論文があったとしても、私たちにはまだどれが重要な論文かわからないのだ。オキシトシンは痛みを止め、体重を減らし、自閉症、骨粗しょう症、心臓の病気に効果のある新しい治療法を提供してくれるのか、それとも、そんな効果は一切ないのだろうか？　あるいは、まったく別の効果があるのだろうか？　見識がある人ほど、「わからない」と答えるはずだ。見識ある人は誰も、「オキシトシン研究が新たな治療法に結びつく」とは言っていないはずなのに、そうした可能性を宣伝する論文はますます増えている。

現在、あらゆる分野の科学者が、「研究による**社会的影響と経済的影響**を最大限に高めなければならない」というプレッシャーにさらされている。一見、これに反論する理由はほとんどないように思われる。国民が研究費を負担している以上、その半強制的な投資に対して科学者が何を行ったのか、その見返りはなんなのか、見返りは投資より大きくなるのか、知りたがるのは当然だろう。

しかし、実際にこの要求に応えるのはかなり難しい。科学の社会経済的効果はさまざまな領域に現れるため、ほとんどが非常に定量化しづらく、見識ある人が「本来の価値をまともに反映している」と同意するような形で定量化することは不可能なことが多い。ましてや〈無作為に選ばれた二人〉が同意する形で価値を判定することなどほとんど期待できない。たとえば、〈出産時の死亡リスクから母親を救うこと〉の価値を、どうやって計算し定量化すればいいだろう？　〈パンを焼くオーブンを改良し、二酸化炭素の排出量を減らすこと〉の価値は？　〈驚異の新事実を明らかにし、この世界とこの世界の外についての理解を広げること〉の価値は？　測定基準の問題点は、「測定できるものを測定し、測定できないものは無視している」という点だ。私たちが測定基準に悩まされるのは、なんらかの目的のためだ。その目的とはたいてい、「何を残し何を捨てるかを決めること」だ。だが本来は、まず目的を決めてから、その目的にふさわしい測定基準を選ぶべきなのだろう。

〈人々の活動の価値を決める測定基準〉が導入されそれが理解されると、確実に起こりそうなことがある。関係者の行動が変容するのだ。もちろん、これは広い意味で重要なことだ。研究の成功を測定することで、研究の成功を増進させる。しかし、測定基準が成功そのものではなく成功の代用物を測定するものだった場合、行動変容は本来測定したかった成功そのものではなく、その代用物を目指す方向へ進んでしまう。

影響評価書

英国では、各大学に研究資金が配分されるとき、一部は影響評価書に基づいて割り当てられる。影響評価書は、過去の研究活動から生じた経済的利益を主張するものだ。さらに、現在、多くの研究助成機関は、〈より多くの研究が特に必要とされる優先分野〉に沿って研究助成の申請を行うことを要請している。これらの機関は、〈利益の見通しとそれを達成するための戦略が記された**影響評価書**〉を申請書に添付することを求めている。

近年、このような意味での影響に注目しているのは資金提供者だけではない。学術誌は、社会経済的影響力がある論文を選んで宣伝している。学術機関も、プレスリリースによって社会経済的影響を宣伝している。科学者も常に〈関心のある一般大衆へ向けた講演〉をする機会があれば積極的に利用してきた。科学の催しが盛んになるにつれて、その機会は豊富になりつつある。とりわけ希望に満ちたメッセージで聴衆の心をとらえられる科学者にとってはうってつけである。科学者が一般大衆と交流することは研究助成機関によって義務づけられており、科学者が構築しなければならない影響プランの一部として期待されるのだ。

これは真実がゆがめられた環境である。科学者が偽りの希望を売り歩いていたら、科学への尊敬の念は失われていく。主張の重要性を誇張してばかりいたら、科学全体の信頼性が揺らいでいくだろう。科学者が〈書いたり話したりする言葉〉を真剣に受け止めてもらいたかったら、誇大広告のように言葉を飾るのは危険だ。にもかかわらず、そうした大げさな言葉は学術誌でも使われ、学術機関や助成機関からもてはやされ、マスメディアによって広められている。

　現実は複雑だ。オキシトシンがすぐに臨床応用されたのは、〈生理学的に適切だと基礎科学によって立証できる状況〉に限定して使用することが可能だったからだ。低用量で使用できるのは、「関連時には子宮がオキシトシンに対して非常に敏感になっており、低用量であれば**ターゲット以外**への副作用を最小限にできる」と基礎科学によって立証されているからだ。オキシトシンの脳内での複雑な働きが問題にならなかったのも、「この投与量なら脳は血液脳関門によってオキシトシンから守られる」と基礎科学によって立証されていたからだった。

　ところがオキシトシンの中枢作用である脳への作用は、まったく別のタイプの治療につながる応用への期待を生んだ。これは基礎科学によって理解が広がらなければ、考えも及ばなかったはずの応用だ。少なくとも三つの異なる分野で、オキシトシンはこうした希望となっている。いずれも、現在の治療では解決困難とされている重大な健康状態にかかわるものだ。一つ目は、「オキシトシンの〈食欲調節とグルコース恒常性への関与〉により、〈体重管理と糖尿病への介入治療〉が可能になるのではないか」と期待されている。二つ目は、「〈オキシトシンの社会的行動への関与〉から、自閉症スペクトラム障害を含む〈社会的行動の問題にかかわる多様な症状の治療〉が可能になるのではないか」と期待されている。三つ目は、「〈痛みの伝達に関するオキシトシンの役割〉から、〈難治性疼痛の問題に対する新たな治療法〉となるのではないか」と期待されている。片頭痛の治療につながる可能性のあるエビデンスも見つかっている。可能性はほかにもまだある。オキシトシンは骨再形成や心臓発達においても役割を果たしているため、「これらの分野でも治療に役立つのではないか」と期待が高まっている。性機能障害の治療にも役立つ可能性がある。だが、これらはすべて希望であり、希望はしばしば偽りで実現しない。効果的な新治療法として病院で使われるようになる薬がある一方で、その何倍もの数の希望が途中で打ち捨てられているのだ。

応用への転換には、気の遠くなるような困難が伴う。オキシトシンは多くのシステムに影響を及ぼしているが、意図せぬ副作用を起こさずに、一つだけの症状に効く治療法をどうやって編み出せばいいのだろうか？　副作用は、しばしば望ましくない影響を及ぼしてしまう。化学者は**リード化合物**[*1]をつくって巧みな工夫をしている。より安定していて、選択的で、バイオアベイラブルな（生物学的に利用可能な）リード化合物にすることで、たとえば、膜組織を通過しやすくなったり、胃腸で分解されづらくなったりするのだ。基礎神経科学者は、いままでは〈薬を脳の特定のターゲットだけに届ける手法〉を考え出しつつある。一方で生物学者が回避策として考えうるのは、「オキシトシンそのものではなく、〈オキシトシンを産生する細胞〉をターゲットとし、より多くのオキシトシンを分泌するように刺激する」とか、「〈オキシトシンが作用する細胞経路〉をターゲットとする」といったようなことである。これらすべての可能性が基礎研究の対象であり、実際に臨床への転換が可能なのは一つだけかもしれないし、一つもないかもしれない。どれが効くのかがわかれば、世界中の研究者の学際コミュニティの総力を結集して、その転換を飛躍的に加速することができるだろう。しかし、どれが効くのか、そもそもうまく効くものがあるのかどうかも、いまはまだわからない。だから、私たちは選択肢をオープンにしておかなければならない。常に広い分野の最前線の知識や理解を押し広げ、絶好の機会をうかがう。考えもしなかった新たなチャンスが生まれるのを期待して待つのだ。そうしたチャンスは、一見なんの関係もないほかの分野の基礎科学から生まれてくるものだ。基礎科学とはそういうものであり、これが基礎科学のなくてはならない役割なのだ。再びアーサー・ヒュー・クラフの詩にぴったりの一節がある。

希望が偽物なら、心配も気のせいかもしれない。
あなたが霧のなかにいて見えていないだけで、
まわりではあなたの戦友が敵を追い払い
あなたが気づかぬ間に、勝利を手にしているかもしれない[3]

まっすぐ前へ進む道を見つけることだけが、進歩の方法ではない。いったん袋小路を見つけたら、そこに入れないようにしておくことも同じくらい重要だ。ひょっとしたら何年も経ってから、あとに続く人が迷うかもしれないのだから。製薬会社もそのことを

＊1　医薬品の原料となりうる化合物で新薬候補化合物ともいう。有効性など新薬に必要な指標を化学合成により改良するもとになる。

よく知っている。「製薬会社が基礎科学者と共同研究を行うのは支持的な結果を得たいがためだ」というのは誤解だ。彼らにとって何よりも重要なのは、〈失敗に終わる運命にある研究〉をできるだけ早く見極めることなのだ。

もういうまでもないが、基礎科学と実際の利益とのあいだのつながりは予測不可能で、二つはしばしば遠く離れている。それでも最終的には、すべての利益をある程度まで左右するのは、基礎科学の進歩なのだ。

このことを、エイブラハム・フレクスナー（１８６６～１９５９）は１９３９年の小論『役に立たない知識の有用性』（The usefulness of useless knowledge）のなかで主張していた。フレクスナーは医師ではなく教育者で、米国とカナダの医学教育の改革に貢献した人物として最もよく知られている。小論の冒頭で、フレクスナーは慈善家ジョージ・イーストマンとの会話を紹介している。当時、イーストマンは有用な科目の教育推進のために莫大な富を注ぎこむことを検討していた。フレクスナーから、「世界で最も有用な科学者は誰だと思うか」と尋ねられ、イーストマンは「マルコーニ[*2]」と答えた。それに対して、フレクスナーはこう述べている。

ミスター・イーストマン、当然、マルコーニの名前が挙がりますよね。ですが、無線の分野におけるすべての進歩に真に貢献したのは――根本的に貢献した人物を正確に挙げるとしたら――1865年に、電磁場についてのあの深遠な空間を隔てて作用する数式を導いたクラーク・マクスウェルでしょう。……1887、1888年まで残っていた科学的問題――無線信号を運ぶ電磁波の発見、実証――を最終的に解決したのはハインリヒ・ヘルツでした。……マクスウェルもヘルツも、自分の研究の有用性にはまったく関心がありませんでした。おそらく、そんな考えは頭をかすりもしなかったでしょう。二人とも現実的な目的など立てていなかったのです。法的な意味での発明者は、もちろんマルコーニです。ですが、マルコーニが何を発明したでしょうか？　彼は単に最後の技術的詳細を整えて、〈いまでは時代遅れとなり、世界のどこでも使われなくなったコヒーラという受信装置〉をつくっただけなのです。[4]

＊2　グリエルモ・マルコーニ（1874〜1937）。イタリアの電気技術者、無線電信発明者。

研究の社会的影響

1910年、フレクスナーは米国の高等教育の状況について辛辣な批判を発表した。大学教育における講義の役割について強く非難したのだ。[5] 大学は講義によってほかの方法では管理しきれないほど大人数の学生集団をひとまとめに安く管理して、講師に研究する時間を与えている。研究は大学の資産をほぼ独占し、〈大学教育のより大きな目的〉のかわりに、〈高度に専門化した調査の手法や関心〉を優先していると述べた。フレクスナーの著書に目を止めたカーネギー財団が資金を出し、フレクスナーはカナダと米国の医学教育の研究を始めた。2年後に発表されたのがフレクスナー・レポートと呼ばれる報告書だ。[6]

フレクスナーは米国の医科大学すべてを訪れ、入学条件、学部の規模と教育、財源と収益、研究室の質、研修を行う病院の利用方法を調べた。そして、「大学は医学教育の科学原理を実現しようとしているが、ほとんどがそうするための手段をもっていない」と結論づけた。「ほとんど規制されていない多数の営利目的の大学が、ふぞろいで概して質の悪い医師を過剰に大量生産していた」というのだ。

「当時、私立の医科大学を支配していた商業倫理は、医学教育に必要な学術的価値とは相いれないものだった」とフレクスナーは述べている。現代の生活において、予防医薬、衛生学と公衆衛生学は圧倒的に重要である。医療専門職は、至高の目的のために社会のなかで分化されるべきであり、利益のための単なるビジネスであってはならない。[7]

フレクスナーは医科大学の大半を即座に解体することを提案し、広範囲に及ぶカリキュラム刷新について提言を行った。「医学教育を〈事実の暗記〉に任せてはならず、〈研究科学者の特徴である批判や分析のスキル〉を身につける訓練の場にしなければならない」と主張したのだ。

科学者は決定的な状況に直面すると、そこにあるすべての事実を理解する目的で、その状況を観察する。そうすることで、行動の指針が見えてくる。つまり、仮説を立てられるようになるのだ。科学者は仮説に基づいて行動し、その行動の実際の結果によって、理論は反証されたり、裏づけられたり、修正されたりする。理論と事実のあいだを、科学者の思考はシャトルのようにすばやく行き来する。理論は〈現象を理解し、関連づけ、コントロールすること〉を可能にする程度に、役に立ち重要である。……医師もまた、決定的な状況に直面する。……患者の病歴、健康状態、症状がデータを形成する。したがって医師もまた、作業仮説を構築している。その仮説が現在では診断と呼ばれているもので、その仮説から行動の指針が見えてくる。……病気の進み具合は、自然からの論評であり批評だ。……だから、科学の発展も、医療の科学的（合理的）実践も、用いているのはまったく同じ技法なのだ。[8]

フレクスナー・レポートは、米国の医学教育を根本から変えた。少数の資金力のある医科大学に集約統合し、**科学的知識とその進歩こそ現代の医師を特徴づける精神である**との理念を掲げることとなった。

後年になって、〈医学部カリキュラムがすし詰めで融通が利かなくなった要因〉として、このフレクスナー・レポートが非難されるようになった。[9] だが、これはフレクスナーが意図したことではない。医学部カリキュラムの**ばかげた詰めこみすぎ**をフレクスナーは、はっきりと批判していたし、硬直化の危険性も警告していた。また、医師と患者の関係性や、医療の人道的側面もないがしろにしていたわけではなかった。新しいカリキュラムの配慮のなさにいら立ったフレクスナーは、1925年にこう書いている。

米国の科学的医学は——若く、精力的で、実証主義っぽくはあるが——いまはまだ嘆かわしいことに文化的、哲学的背景が不十分である。[10]

また、フレクスナーは予防医学をないがしろになどしていなかった。「病気は一般的に好ましくない環境が原因で生じることを医師は忘れてはならない」、「健康をもたらす社会状況を促進する義務も医師にはある」とフレクスナーは述べていた。

「高等教育とは単に事実を伝えていくのではなく、思考の技術を伝えていくことであり、〈社会的、文化的、哲学的意識を背景にした広い意味での知識〉を身につけさせることだ」というのが教育に携わる多くの人にとっての根本原理となっている。その価値がないがしろにされているとしたら、それは多くの領域で測定基準が不適切だからだ。知識の深さを測定するのも難しいが、知識の広さを測定するほうがより難しく、思考の質を測定するのはさらに難しい。それでも、大学で行われている研究が、〈その大学で学生が受ける教育の質〉に極めて重要な貢献をするようになっていない場合、間違いなくその大学の研究の仕方か教育の仕方に極めて不適切な点があることは間違いない。

さまざまな形式の研究は確かに、多くの領域に社会的影響を及ぼしている。政策にも、関連する問題への国民の意識や理解にも、あらゆる生活分野での種々の制度の構造や働きにも影響している。しかし、最も直接的で、普遍的で、ほぼ間違いなく最も重要な社会的影響といえば、高等教育そのものへの影響であり、卒業生の批判的分析能力への影響であるのに、このことはしばしば忘れられてしまうのだ。

経済的影響

科学の一部の領域では、経済的な見返りを計算することができる。応用科学でなら、大学は特許、子会社、産業界とのパートナーシップに目を向けることができる。しかし、基礎科学ではどれも難しい。なぜなら、研究から利益が返ってくるまでに長い時間差があり、基礎科学が具体的なイノベーションに結びつくまでには、長く険しい争いに満ちた道を通らなくてはならないからだ。

経済的利益の総計を出すには複雑な計算が必要になる。医学研究の直接利益は、〈健康上の利益〉から〈それをもたらすための医療コスト〉を引いたものだ。この計算をするためには、〈健康上の利益〉に金銭的価値をつけなくてはならない。もう一つの間接的な利益を構成するのは、研究および〈研究によって刺激された行動〉によって増加した国民所得だ。医学研究の場合、製薬業界とのあいだに強い共生関係がある。医学・バイオテクノロジー分野の学術文献によれば、公的研究と民間の研究開発は互いに補完関係にあり、対立するものではない。公的研究は民間研究を刺激し、逆もまた然りなのだ。通常、どちらの研究も経済の生産性を向上させる。

英国では2006年に、英国医学院と医学研究審議会とウェルカム・トラストが、〈英国の医学研究から得られる利益とコストを比較する研究〉を行った[11]。主に米国で行われた先行研究――いわゆる例外的利益に関する文献――では、〈基礎研究への公共投資に関連する経済的・健康的利益〉が強調されていた[12]。この結果は英国にもあてはまるのだろうか？　この結果を厳密に、透明にテストするには、どうしたらよいのだろうか？

「研究のエビデンスが臨床診療に役立つようになるまでには平均17年かかる」と、複数の研究によって見積もられている。したがって、利益の研究も長い目で見る必要があるだろう。この研究では、1975～2005年のあいだに行われた心血管疾患に関する研究の経済的利益を推定した。17年間の時間差を考慮に入れたうえで、「心血管疾患に関する公的・公益研究に100ポンド投資するごとに、年39ポンドに相当する利益が永続的に生じる」という結論が出された。このうち9ポンドは〈健康改善による利益〉からもたらされるもので、残りの30ポンドはより広く経済に利益をもたらす**スピルオーバー（波及効果）**からのものだ。

この研究では、〈医学研究から生まれた臨床的介入でその有益性が評価されているもの〉を特定している。臨床的利益は一般に、**質調整生存年（QALY）**を単位として測定される。1QALYは、完全に健康な状態で生存できる1年に相当する。これは以下のように計算される。〈特定の臨床的介入を受けた患者の残存寿命〉を推定し、それぞれの年ごとに〈日常生活を送る能力〉、〈痛みや精神障害からの解放〉によって測られる

QOL（生活の質）スコアによる重み付けを行う。QALYは英国国立医療技術評価機構によって一般的に適用されている式を用いて、2万5000ポンドの金銭的価値に換算された。この研究では、1985〜2005年のあいだの特定の介入から得られたQALYの総価値を推定した。最良推定値は（2005年の相場で）690億ポンド、予測の上限は910億ポンドで、下限は550億ポンドだった。同じ期間の、これらの利益に関連した医療コストは、160億ポンド（110億〜170億ポンド）に達した。したがって、直接純利益は約530億ポンドであった。

この報告では、助成金を分析することによって、〈公的・公益資金からの心血管疾患研究への支出〉も推定されている。2005年の相場に換算して、〈心血管疾患研究への年間の資金提供〉は、1975年は1億4400万ポンドだったのに対し、1992年は1億2100万ポンドに減少し、この期間の総支出額は20億ポンドだった。この20億ポンドの研究コストを、530億ポンドの純利益と関連づけることができる[13]。

医学研究は世界的な事業であるため、これらの利益を完全に英国だけの研究によるものとすることはできない。英国の貢献比は、〈心血管疾患に関する英国の臨床ガイドライン内の引用〉を分析し、先行研究による知見と組み合わせることで推定できる。これによると、〈英国の心血管疾患研究に起因する英国の医療利益の比率〉は、だいたい10~25％のあいだで、中央推定値は17％となり、およそ90億ポンドに相当した。

とはいえ、英国の研究すべてが公的、公益資金によるものではない。同じ期間に、〈英国国内の心血管疾患研究に対し製薬業界が提供した資金〉は、公的・公益資金を大幅に上回っている――1992年の中間地点で2・4倍だ。このことを考慮に入れると、心血管疾患研究に対する公共投資は、17年の時間差を経て、永続的に9％の投資リターンをもたらすとわかった。

しかし、これは健全には見えても、やはり大きなリターンではない。スピルオーバーとは、〈同じ部門の別の組織への投資に対するリターン〉と、〈ほかの経済分野すべてへのリターン〉から成る。計算方法は以下のとおりである。(1)まず〈公的・公益研究開発と民間研究開発との関係〉を分析し、それから〈民間研究開発と国内総生産の関係〉を分析する。(2)経済学の文献を用いて、公的研究開発の社会的利益率を推定する。これにより、「公的・公益医学研究により、追加で利益率30％の経済的利益が生じる」

と推定される。この推定値の不確実な範囲は大きく（20〜67％）、エビデンスは主に米国の研究によるもので、そのうち医学研究に特化したものは一部にすぎないため、英国の研究や医学研究への適用は暫定的なものである。しかし、これは入手可能なエビデンスのなかでは最良であり、その後の研究でも同様の結論が得られている。[14]

応用研究は基礎研究の上に成り立っており、研究による経済的リターンは狭義にとらえたとしても相当な額になることを考えると、この事業に関して国庫がどのような役割を果たすべきか疑問が生じるだろう。このような投資は民間市場に任せて、リターンも民間に還元するべきではないのか？　答えは単純で、基礎研究の場合、本質的にどこにリターンが生じるかは予測不能であるため、民間投資家に回収させることはできないのだ。英国では、1980年代のマーガレット・サッチャー政権が、この点を明確に見抜いていた。サッチャー政権は公共支出に大鉈（おおなた）を振るったが、研究も容赦なくその対象にされた。当時、研究のほとんどは政府出資の研究機関で行われていた。そこでサッチャー政権は、どの研究が経済的利益を狙った応用研究で、どの研究が根本的な基礎研究なのか、特定に乗り出した。このとき、基礎研究を行っていた科学者たちは不安に駆られたが、その不安の一部については見当違いだった。というのは、「未来の発展がかかっている基礎研究を守るのは責任ある政府の義務である」との認識が示されていたからである。それを踏まえたうえで、「商業と密接に関連した研究については民間セクターのほうがその投資価値を判断するのに適している」として、それら商業的研究すべてからは手を引いた。[15] しかし、これは「すべての基礎研究への資金提供が維持される」という意味ではなかった。コンピューターサイエンス、物理学、生物学への資金提供は減少し続けている。[16]

応用研究はその隙間に入りこみ、少なくともこの点では、サッチャーの大鉈がもたらした不運だった。除外された応用研究の一つに、スクレイピーの研究があった。スクレイピーはヒツジに特有の病気で、ヒトでは同等の病気が発見されておらず、この研究を続けても、牧羊業者以外には利益を見込めなかった。牧羊業者は小さなコミュニティで、組織化されておらず、環境的利益も社会的利益も文化的利益もないがしろにされていた当時は、経済的に軽視されていた。ところが、数年後に牛海綿状脳症（狂牛病）が英国で猛威を振るった。狂牛病の感染性因子は、スクレイピーの感染性因子と近い関係があった。しかし、英国のスクレイピーに関する専門知識は、かつては世界随一であったのに、すでに過去のものになってしまっていた。狂牛病は人間にまで広がり始め、パニックのなか英国の畜牛は大量に処分された。

引用ネットワーク

この種の分析により、基礎科学の影響を広く認識できる。だが、引用ネットワークを用いれば、〈基礎研究の特定の構成要素から、特定の結果へ至る道筋〉を追うことができる。たとえば、〈二つの新薬が規制当局の承認を得るまでの研究の道筋〉を特定した調査がある。二つの新薬とは、がん治療に用いるイピリムマブと、嚢胞性線維症に用いるイバカフトルだ。[17] イピリムマブは免疫エフェクター細胞を活性化し、それまで治療困難だったがんの患者を持続的寛解に導く。イバカフトルは、嚢胞性線維症に侵された遺伝子の変異を修正する。この病気に対する最初の標的療法だ。研究者たちは、臨床試験と〈規制当局に提出される情報に引用された文献〉から調査を始め、二つの薬の成功に貢献した記事、著者、研究機関のネットワークを再構築していった。イピリムマブの場合、承認までのプロセスには５６６の機関や部門に所属する７０６７人の科学者がかかわっており、研究期間は１００年以上も要していた。イバカフトルの場合、２５１６の機関や部門に所属する２８５７人の科学者がかかわっており、研究期間は59年だった。

これまでに述べてきた多くの理由により、これらの引用は発見に対する科学者たちの貢献を完全に把握できているわけではないし、把握できた貢献すべてが等しく重要な役割を果たしているわけでもない。それでも、引用ネットワークを分析すれば、重要な発見や、概念的洞察や、効果的な統合や相互コミュニケーションに寄与した拠点を特定できる。イピリムマブの場合、46年間に４３３本の論文にかかわった15人の科学者と七つの機関が、ネットワークの31％をつなぐ拠点としての役割を果たしていた。イバカフトルの場合、47年間に３５５本の論文にかかわった33人の科学者と七つの機関が、ネットワークの半分をつなぐ拠点となっていた。

これらのデータは、「〈医学（治療）の重要な進歩を支える知識基盤〉が、いかに多くのさまざまな現場で働く多様な科学者たちからの貢献によるものか」を、数値で示している。これを見れば、「将来の治療法の進歩のためには生命科学への幅広い公的支援が必要である」とわかるので、政策立案者にとって有益な情報となるだろう。的を絞った資金提供戦略も有用かもしれないが、未来の治療法の基礎となる新たな知識の広がりをつくらずして、そうした戦略がうまくいくことはありえない[18]。

この本の冒頭でもたとえたように、科学の進歩は川に似ている。たくさんの支流がある川がどこへ流れていくのか、それはただ小川を見ているだけでは予測できない。フレクスナーも、同じたとえを使っていた。**科学はミシシッピ川のように、遠くの森の、かぼそい小川から始まっている。やがて、何本もの支流の水かさが増していき、数えきれない源流が流れこむ、一本の荒れ狂う大河となって、土手をのみこむのだ**[19]

もしロワール川の力強い流れを維持し、いつまでもブドウ園に水を引き、コミュニティをつなぐ動脈であってほしいのなら、そしてまた、アーティストの想像力の源泉であり、人々の敬愛の対象であり続けてほしいのなら、川の支流を、できる限り広範囲の土地に導き、産業による窃取や、短期的な乱開発から、守っていかなければならない。細い小川、一本一本の重要性を見抜くのは、難しいかもしれない。それでも、それらが集まった流れをせき止める危険性は、容易に予想できるだろう。どのような影響がもたらされるか、完全に理解するには人の一生ほどの時間がかかるとしても。

好奇心主導の研究

学術科学者に研究の動機を尋ねたら、「好奇心」という答えが返ってくることが多いだろう。もちろん例外もあって、シャリーやギルマンのように、ひたすら視床下部の放出因子を突き止めようとしている人たちもいれば、製薬業界のように、特定の病気のための特定の治療法を開発しようとしている場合もある。コンピューターサイエンスや臨床医学といった分野の応用科学者には、明確な目的があるのだ。それでもなお、好奇心主導の研究を理解するために、応用化学と基礎科学の共生関係について考えてみる価値はある。

世界規模の製薬業界には、圧倒的な数の科学者を含めて、自由に活用できる膨大な資力がある。その資力は、学術的な生物医学研究のための資金とは比べものにならないほど大きい。しかし製薬会社は一枚岩で目標志向であるため、〈学術研究で行われる基礎研究〉に依存している。〈製薬業界で行われる基礎的研究〉にも極めて優れたものがあるが、業界には限界がある。株主は、基礎研究への投資に対しては不信感をあらわにする。基礎研究からの利益は囲いこむのが不可能で、経済界のどの分野に利益が現れるか予測できないからだ。そのため、製薬業界は厳密に目標を絞り、可能な限り短期間のうちにリターンが得られるよう働いている。

とはいえ、薬を開発するときには必ず、予測できなかった影響が生じる。どんなに資力がある製薬企業でも、潜在的な有用性や副作用をすべて調べ尽くすことはできないはずだ。そこで〈学術的な科学研究に存在する専門知識〉に頼る。そこでは好奇心に駆られた科学者たちが、一見、有用性のなさそうな疑問に答えるために、日夜、専門知識を磨いている。製薬業界と基礎科学者の協力関係が生じるのは、たいてい〈業界の研究室にない専門知識〉を基礎科学者がもっていたときだ。そうした専門知識は、まさに明白な経済的目的がないからこそ、はぐくまれてきたものだった。

学術科学者にとって、業界との協力は研究の目的ではないが、好奇心の赴くままに研究させてくれるなら資金提供は大歓迎だ。そして、努力が目に見える形で認められるのも、もちろん喜ばしい。

「科学がどのように成長していくか」は、多様な淘汰圧に支配されている。〈多様な見解のいずれによっても重要性を秘めているように見える発見の島〉には、正の淘汰圧によって花が咲くだろう。しかし、負の淘汰圧は弱いため、〈誤った痕跡を消すために費やすコスト〉は、〈そうすることによって得られる利益〉を上回ってしまうことが多い。したがって科学の進歩は、自己修正のメカニズムによって進んでいくわけではなく、単に〈新たな分野への継続的な拡大〉によってもたらされるものなのだ。

第21章

引用の迷路

生物学を専攻する博士課程の学生はみな、「この難解な自分の研究が、重大な病気に対する理解を一変させる手がかりに結びつくのでは」という野望を抱いているものだ。だが、そのような大発見は予測できないし、予測できたら大発見とはいわない。そうした大発見はたいてい、好奇心主導の研究や、最重要視されていた分野とは関係のないところから生じる。このことは科学者にはよく知られている。ここで言いたいのは、「予期しなかった発見がたとえ重要性を秘めていたとしても、ほかのさまざまな条件がそろわなければ誰にも気づかれないままになってしまう可能性がある」という点だ。

1974年、カーディフにあるテノバスがん研究所で博士課程の学生だったスティーヴ・ヒラーは、男性ステロイドホルモンとして知られるテストステロンの放射免疫測定法を開発していた。放射免疫測定法の開発の第一歩は、ホルモンを認識する抗体を得ることだ。この場合では、〈大きなタンパク質――ウシ血清アルブミン（BSA）――と接合したテストステロン〉を大量にラットに注射して、テストステロンに対する抗体の産生を促進しようとしていた。そこでヒラーは、「〈テストステロンに対する抗体が大量に体内にある状態〉がラットにどのような影響を及ぼすか」について考え始めた。〈免疫性を与えられたラットの体内で産生されるテストステロン〉は、すべて抗体と結合し作用しなくなるはずだからだ。

この研究の結果にはさまざまな結果を予想することができるが、博士課程の学生にはすべての可能性を調べる余裕などない。ヒラーは、1961年に『ネイチャー』に掲載されたヴィレンドラ・マヘシュとロバート・ゴールドブラットの論文から刺激を受け、一つの可能性を選んだ。その論文では、「〈スタイン・レーベンタール症候群（現在は多囊胞性卵巣症候群として知られている）の患者の卵巣〉には異常なステロイド合成が見られる」ということが報告されていた。[1]多囊胞性卵巣症候群は、「出産年齢にある女性の10～20％がかかっている」と推定される珍しくない病気だ。これは低受胎の主な原因となり、根本的な治療法はない。マヘシュとゴールドブラットは、「ステロイド合成の異常がこの症候群の原因ではないか」と述べていたが、発表当時、二人の論文は注目されなかった。当時は、多囊胞性卵巣症候群に対する関心が現在より低かったのだ。

ヒラーは、〈テストステロンに対する免疫性を与えられたラット〉のメスの卵巣を調べた。すると、すべてが多囊胞性卵巣の症状を示していた。1974年にヒラーはこの発見を『ネイチャー』誌に発表した。[2]

2019年5月、私たちはウェブ・オブ・サイエンスで**多嚢胞性卵巣とテストステロン**の論文を検索したところ、3653本の論文が見つかった。それらの論文は4万3159本の論文に11万5937回引用されていた。〈卵巣におけるステロイドホルモン合成の乱れと多嚢胞性卵巣症候群との関連〉は、現在では広く認識されているのだ。

では、優れたアイデアを思いついて巧みな実験を行い、論文を『ネイチャー』で発表した若き博士課程の学生は、さぞかし有名になったのだろうか？

そうでもなかった。ヒラーの論文はたった17回しか引用されていなかった。優れたアイデアを思いついて巧みな実験を行い、論文を『ネイチャー』で発表しても、論文が多くの人に読まれて注目されるとは限らないのだ。テストステロンと多嚢胞性卵巣症候群への関心が高まったのは、1995年ごろからだった。ヒラーが『ネイチャー』で論文を発表してから20年、マヘシュとゴールドブラットの論文からは30年も経っていたのである。

ヒラーはいま、そのときの経験を苦笑いして思い返しているだろう。重要な問題は四つあったと思われる。

1. その分野でヒラーは――彼の指導教官も――まったくの無名だった。ヒラーが働いていたのは、がん研究所で、不妊治療専門医とはかかわりがなかったのだ。重要な発表をするときは、その話を聞いてほしい人たちと知り合いになっておく必要がある。
2. タイミングが悪かった。ルイ・パスツールの名言に**観察の分野では、準備ができている人にのみチャンスが訪れる**というものがあるが、この**準備ができている人**とは研究者のことだ。しかし実際は、論文を読む人も準備ができている必要がある。誰もいない森のなかで木が倒れたとしても、その音を聞く人はいないだろう。
3. 発見が影響力をもつには、十分な数の人がそれに関心を抱いて、しかもそれを追跡調査する手段をもっていなくてはならない。ヒラーは自分の研究を追跡調査できなかったし、彼の指導教官にもその気はなかった。ある論文が発表されたあと、続いて20本もの論文で理解の穴を埋め、欠点を解決し誤りを正すことで、最初の論文の被引用回数が増える場合もある。論文の著者自身が自分の研究を追跡しなかったのに、ほかの誰がわざわざそうしようとするだろう?

4. タイトルに問題があった。ヒラーが論文につけたタイトルは、『能動的にT－3－BSAに対する免疫性を与えられたラットにおける多嚢胞性卵巣の発現』(Development of polycystic ovaries in rats actively immunized against T-3-BSA)だ。いまになって、ヒラーはしまったと思っているはずだ。「T－3－BSA? そんなもの誰も知らんだろう。普通にテストステロンって書いておけばよかったな」と。

第22章

科学における確信、期待、不確実性

すべての科学的言明は永遠に暫定的なものであり続けなくてはならない。言明は裏づけられるかもしれないが、その裏づけもすべて、ほかの言明と相対的なものであり、やはり暫定的なものである。確信という主観的な経験、主観的な信仰においてのみ、私たちは絶対的な確信を得ることができる。

――カール・ポパー[1]

科学的エビデンスは、しばしば不正確で、常に不完全で、いつまでも異なる解釈をする余地がある。「科学の無二の特徴や究極の強みとは、その確実性ではなく**不確実性**にこそある」と、多くの人は信じている。〈絶え間ないデータの探究〉と〈矛盾する解釈間の対立〉によって、〈それらを解決するための実証的な試み〉が導き出される。

議論や論争は科学論文につきものだが、そうした対立の解決が簡単にいくことはほとんどない。たいてい言い争っている科学者どうしは、違うものの見方をしているので、解決策が見つからない。それぞれに、〈ある種のエビデンス〉や〈ある種のエビデンス源〉をほかのものより優先する傾向があるのだ。

科学者が自分で集めたエビデンスや、最も慣れ親しんでいる方法を最重要視するのは当然だろう。しかし、社会的な関心もまた〈エビデンスの解釈の仕方〉に影響している。そうした影響には、科学資金の優先度や、学術誌での発表の優先度や、科学機関の方針などがある。個々の科学者へのプレッシャーは多様で、広範囲にわたる。

科学社会学者の多くは、イデオロギー、経済、職業的・個人的利害関係による影響に着目してきた。それに対して基礎科学者たちは、そのような利害関係が科学におよぼす深刻な影響をあまり真剣には受け止めてこなかった。影響の要因は多様で、影響自体も変わりやすく相反しており、〈一般に受け入れられている科学の規範〉とあからさまに矛盾している。そのため、〈さまざまな科学者が入り交じって協力している科学コミュニティ〉のなかで、社会的な関心が大きな方向性をもっていることを、基礎科学者は見失いがちなのだろう。この点で、基礎科学者は特別な強みをもっている。「自分たちの発見や理論がどこへ向かうのか一寸先はわからない」というのを、強みといえればだが。

科学とイデオロギー

科学の歴史を研究すれば、イデオロギーによる影響は容易に見て取れる。ヨーロッパや米国では、20世紀前半にかけて人種差別的なイデオロギーが優生学の台頭を促し、イデオロギーに基づいて知性の本質を理解する根拠をつくった。こうした嘆かわしい歴史についてはすでに詳細に論じられているため、本書では取り上げない[2]。

ヨシフ・スターリン時代のロシアにおいて、生物学は一世代のあいだにゆがめられた。遺伝学を否定し、ネオ・ラマルキズムに傾倒したイヴァン・ミチューリンの活動が推進されたためだ。ミチューリンは、「植物も動物も、環境圧のみによってほんの数世代で形状や機能を変化させられる」と信じていた。この考えは、スターリンのもとで生物学の頭脳として働いていたトロフィム・ルイセンコに引き継がれた。ルイセンコは遺伝子の存在までも否定していた人物だ。1948年の講演でメンデルの遺伝学を支持する人たちを**人民の敵**と表現して、ソ連における生物学者の粛清を開始し、かつては優秀だったソ連の生物学を完全に破壊した。

ルイセンコは、「接ぎ木雑種形成と環境条件のコントロールによって植物を遺伝的に改良できる」と主張し、スターリンから農業の近代化を任され自身の理論を実践した。[3] 独自の**種の生命の法則**に基づいて、植物の種子どうしを近くに植えるよう農民に指導した。「そうすれば、密集して生えた若木が犠牲となって枯れても、将来的に若木は密集して生えなくなる」と考え、農薬や殺虫剤の使用を禁じたのだ。こうした〈壊滅的に誤った理論の適用〉によって農作物は不作となり、飢饉によって膨大な数の人が亡くなった。それが原因でやがてルイセンコは糾弾され、1965年に失脚した。

〈ルイセンコの理論を支えていたエビデンス〉は、「改ざんされ、操作され、都合よく選別されていたのではないか」と後年疑われている。ルイセンコは、**特定の結果がほしければ、それを得ることができる、私が必要とするのは〈私が必要とする結果〉を出す人だけだ**と述べていたとも伝えられている。[4]

「〈エビデンスの客観的価値〉に基づいて結論を出すべきであって、〈結論の主観的価値〉に基づいてエビデンスを選り好みすべきではない」とはいうまでもないことのように思えるが、この原則はあちこちでないがしろにされているようだ。

あとになって考えると、ルイセンコのエビデンスのなかには信頼できないものもあったが、信頼できるものもあった。実際、西側の生物学者のなかにもルイセンコの説を真剣に受け止めた人たちもいたのだ。当時、進化生物学の第一人者であったJ・B・S・ホールデンもそうだった。ホールデンは、ノーベル賞受賞者のピーター・メダワーが、私が知るなかで最も賢い人物と頻繁に評していた人物だ。[5] 1940年にホールデンは、「植物や動物においては、〈後天的に獲得される非遺伝的メカニズム〉が知られている」と指摘している。[6] たとえば、メイン州のC・C・リトルと共同研究者たちは1910年から、〈乳がんに対して特定の易羅病性をもつ、複数の異なる系統のマウス〉を繁殖させていた。[7] ある系統では、〈少なくとも2年以上生存したメス〉の90%が乳がんを発病し、別の系統では5%しか発病しなかった。〈乳がんになりにくい系統のマウス〉は、〈乳がんになりやすい系統のマウス〉と同じケージで飼育されても乳がんになりやすくならなかったため、「易罹病性は遺伝する特性である」と考えられた。ところが、〈乳がんになりやすい系統の仔マウス〉を生まれたときに母親から離して、〈乳がんになりにくい系統のメス〉に育てさせると、その仔マウスが乳がんを発病する確率は大幅に減少した。そして、この部分的な免疫性も子孫に引き継がれたのだ。

現在では、「マウスの乳汁のなかに、乳がんの原因となる化学物質が含まれていた」とわかっている。この化学物質は子宮のなかで、あるいは乳汁を通して、仔へ伝わっていく。１９３６年、ジョン・ジョセフ・ビットナーは、このような**染色体外の**因子をろ過によって乳汁から取り除けることを発見した。この因子は、のちに電子顕微鏡法によって、ウイルス粒子であることが判明した。これは、〈エイズウイルスを引き起こすようなほかのレトロウイルス〉と同様に逆転写酵素活性をもっており、そのウイルスゲノムにはホルモン応答配列が含まれているため、妊娠中にウイルス複製を増進する。

ルイセンコは、〈接ぎ木によってトマトが品種改良できた四つの事例〉を挙げて、「果実の形状を変化させる伝染性病原体が存在する証拠だ」と断言していた。トマトはとりわけウイルス病に弱く、接ぎ木によってウイルス病に感染する可能性がある。しかし〈病気に対する免疫をもったウイルス〉が接ぎ木によって伝染する可能性もある。そのためホールデンは、「葉の黄斑（おうはん）のような病理学的効果を伝えるものから、生長に影響するものまで、幅広い伝染性因子があってもおかしくない」と考えたのだろう。[8]

現在では、遺伝子発現が環境要因によって支配され、その影響は個体の一生にかかわることがわかっており、**発達プログラミング**あるいは**初期発育プログラミング**と呼ばれている。「このような影響は、〈DNA配列の変化〉によって生じるものではなく、〈特定組織における特定遺伝子の発現レベルを微妙に変化させる生化学的修飾〉から生じる**エピジェネティックな遺伝**のメカニズムによって、世代を超えて伝達されることがある」ということが部分的に解明されている。これらの効果は、まだ十分には理解されていない。「エピジェネティックな修飾がどのように制御されているか」、また「どのような制御メカニズムがコード化され継承されるのか」もわかっていないのだ。こうした影響は完全に非特異的なものである可能性が高い。というのも、〈繊細な適応的調節に必要とされるメカニズムの精巧さ〉といったものが、まったく見られないからだ。このようなエピジェネティックな変化は親から子へ伝わる（こともある）が、変化は永続的ではない。一部は**前適応**であると考えられる。前適応とは、新生児の表現型が生まれる環境の特性に合わせて**準備される**ことだ。これは、同じ環境から親が影響を受けているために生じる変化で、こんなふうに引き継がれる特性の範囲は、非常に限定的だと考えられている。メカニズム自体が不確実かつ不安定であり、適応値もはっきり確かめられておらず、推測の域を出ない。[*1]

ルイセンコが〈遺伝子以外による遺伝〉を仮定したことが間違いだったとはいえない。また「そのようなメカニズムがある状況下では子孫に利益をもたらす場合もある」と主張したことも間違いとはいえない。そして、その〈遺伝子以外による遺伝メカニズム〉を社会の利益のために役立てようとしたこともまた、間違っていたとはいえない。しかし、彼が〈遺伝子の存在を否定したこと〉は間違いだった。また彼が、「西側の科学者たちが、社会的・イデオロギー的利害に引きずられて誤った科学的結論に達している」と信じこんだことが間違いだったのだ。そして、〈エビデンス全体の客観的価値〉ではなく、思いこみに基づいて結論を選んだことこそが、根本的かつ深刻な悲劇的なまでの間違いだった。「自分にとって好ましい結論に合致しない」というだけでエビデン

＊1　遺伝子の「エピジェネティック」な変化としてたとえば、「まったく同じゲノム情報をもった一卵性双生児が異なる環境下で育つと違った存在になる」といったことがあげられる。このような環境下で得た形質は子へは遺伝しないと考えられてきたが、一部次世代に継承されることが近年わかってきた。

スを否定するのは、完全な間違いだったのだ。[9]

利害の対立

金銭的な自己の利益がかかわってくる応用化学の分野では、利害の対立の問題が生じる。たとえば、臨床試験の多くは、〈さまざまな異なる状態〉に対する薬の効果を評価する。そのための資金を提供しているのは、たいていその薬の製造業者だ。企業が自ら試験を行うことはできないので、医師に試験を依頼する必要がある。〈確立された権威をもっていて、患者と接することができる医師〉が望ましい。ほかに〈公的資金による試験〉もあるが、こちらの試験は一般的に〈企業が資金を出す試験〉とは異なる理由で行われる。たとえば、〈薬物治療のコスト効率〉を確かめるためや、「特定の患者群に効果があるかどうか」を確かめるためだ。このような場合には、製薬会社が二の足を踏む方法で試験を計画しなければならないケースもある。

〈製薬会社が資金を出した試験〉において〈薬を支持する結果が出る割合〉は、〈公的資金による試験〉においてよりだいぶ高い。その例はベン・ゴールドエイカーの著書『悪の製薬：製薬業界と新薬開発がわたしたちにしていること』（2015年、青土社）のなかで列記されている。[10] それを見ると、「商業的資金提供者の利益がこんなにも臨床研究の結果をゆがめているのか」と思えるだろう。サー・イアン・チャーマーズもそのような感想を抱き、ゴールドエイカーの著書の表紙に言葉を寄せている。**業界の利益が患者の利益より優先される事態を医療従事者たちが許しているがために、どれだけ多くの人が苦しみ命を失っているか。それをこのショッキングな本はありのままに描いている。**

チャーマーズは、1991年に設立されたコクラン共同計画の創立者の一人だった。これは「研究結果を照合・分析して保健介入に関する情報を伝え、エビデンスに基づく決定を助ける」ということを目的につくられた組織だ。20年間に、120カ国の3万1000人の専門家が協力してネットワークを築き、5000本以上の総説論文やメタ分析をコクランライブラリー上で発表した。〈高水準の厳密性と客観性を備えた組織〉として国際的に評判が高く、営利団体からの資金援助は一切受けていない。[11]

ゴールドエイカーは『悪の製薬』の冒頭で、「業界による資金提供がどのように薬の臨床試験のエビデンスの信用を損なっているか」について一例を紹介している。

２０１０年、ハーバード大学とトロント大学の３人の研究者は、五つの主要な薬効分類の薬を対象としたすべての臨床試験を見出し……「結果が肯定的かどうか」、「業界から資金提供された試験かどうか」といった重要な二点について評価した。その結果、合計５００件を超える試験のなかで、業界が資金提供した臨床試験の85%は肯定的結果だったが、公的資金による試験では50%しか肯定的ではなかった。これは非常に大きな違いだ。[12]

エビデンスは慎重に見ることが重要だ。引用された研究では、５４６件の臨床試験を調査し、そこには最終的に２２０件の〈業界によって資金提供された試験〉が含まれていた。その２２０件中１８８件（85%）が肯定的だったのだ。[13] 一方、公的資金による試験は36件で、そのうち18件（50%）が肯定的だった。

これは厄介な問題だ。〈結果がわかっている公的資金による試験〉は36件しかなかった——そしてこれらは、五つの薬効分類にまたがっていた。いや、実際のところはそうではなく〈公的資金による試験〉のなかにはプロトンポンプ阻害薬（胃酸を抑える薬）のような一般的な薬の試験は一件もなかった。しかもほとんどは、五つの薬効のうち〈抗うつ剤が属す分類に関する試験〉だけだったのだ。この五つの分類のうち、業界の資金による試験が最も少なかったのが、この抗うつ剤が属する分類だった。つまり、この研究は当初の印象ほど大規模なものではなく、最終的には〈業界の資金による試験220件〉と〈公的資金による試験はたった36件〉が比較されたものとなった。そのうえ、〈業界の資金による試験〉と〈公的資金による試験〉は、それぞれ〈異なる分類の薬〉を主に試験していたのだ。

異なる点はほかにもあった。業界の資金による試験は多施設臨床試験である場合が多い。多施設臨床試験は、よい試験計画に欠かせない重要な要素だ。また、業界の資金による試験の97%は成人だけ、もしくは子どもだけをサンプルとしているのに対し、公的資金による試験の33%以上は、サンプル集団に成人と子どもの両方を含んでいた。〈業界の資金による試験〉と〈公的資金による試験〉は、対象としている薬効分類が違うだけでなく、試験の内容もだいぶ違っていたようだ。

さらにまだ違いはある。〈業界の資金による試験〉では、最終結果のサンプルサイズの中央値は191に達していた。一方公的資金による試験のサンプルサイズの中央値は、たった23だった。これこそ、〈非常に有意（significant）な違い〉といわざるを得ない――統計学的な意味におけるsignificantだけでなく、この単語の意味する「重要な」、「意義深い」、「著しい」というあらゆる意味においても。その理由は、「どのようにして**肯定的な**結果が出た試験とそうでない試験を分類したか」を見ればわかる。

> 結果は、統計的に有意で……試験薬物の有効性や安全性を支持していれば良好とされ、試験薬物の有効性や安全性が統計的に有意でなければ不良とみなされた。[14]

ある臨床試験が**不良**とされたのは、「薬の効き目が比較対照薬より悪かったから」でも、「効果に差がなかったから」でもなかった。「効果に**統計的有意差**がなかったから」

という理由で不良と判定されたのだ。統計的有意性は、サンプルサイズにとても敏感である。業界の資金による試験のほうが、ずっと検出力が強かったのだ。というのも、サンプルサイズが大きいため、真の効果を検出するのに適していたのだ。

したがって、この研究は〈業界の資金による試験の不都合な点〉を暴くエビデンスを提示しようとしたものの、実は、まったくそんなものは示せていないのだ。全体的に、業界の資金による試験は公的資金による試験よりも規模が大きく、質も高かった。この点については、業界の資金による試験と公的資金による試験の比較ではよくあることだ。これは、業界の資金提供者と公的資金提供者の資金力の差を考えれば、驚くべきことではない[15]。しかし、そもそもこれらの試験はタイプがばらばらで、異なる薬物を調べているのだから、結論にほとんど妥当性はない。

こう書くと、読者は驚くかもしれない――なんだって？　ベン・ゴールドエイカーの本があてにならないっていうのか？　彼の言っていることが、すべて間違いだって？

もちろん、そんなことは言っていない。私たちは〈ゴールドエイカーの全体的な主張の是非〉についても、〈最初の章で提示されている具体的事例〉についても何も言っていないし、彼の結論について賛成や不賛成を表明してもいない。実際、本書の著者の一人ガレスは初めて『悪の製薬』を読んだとき、すぐに同書を10冊も買ってきて友人たちに配った。それはそのとき「『悪の製薬』が重要なテーマを扱っている」と考えたからだし、いまでも「真剣に受け止められるべきテーマだ」と考えている。だったら何が言いたいかというと、「〈意図的に選んだエビデンス〉だけを引用したり、議論をすり替えてライバルを攻撃したり、〈自分の主張を支持するエビデンス〉と〈支持しないエビデンス〉とを比較するときに二重の基準を使ったりするのは、怪しげなホメオパシーや、いかがわしい薬の擁護者たちだけではない」と言いたいのだ。

ここで述べているのは、ゴールドエイカーが著書の冒頭で「自分の結論を支持している」として引用したエビデンスについてだ。そのエビデンスを注意深く見てみると、それは〈ゴールドエイカーの結論を支持するエビデンス〉などではなかった。だが、これは驚くべきことでも珍しいことでもない。人間は——忘れがちだけれども、科学者も人間だ——よくそういうことをする。だから物事を真剣に判断するときは、すみずみまで厳密に犯罪捜査のように細かく調べなければならない。

科学者は、〈義理立てしなくてはならないような友人〉をつくってはならない。言い換えれば、友人と敵の区別なく、相手のエビデンスや論法の欠陥を見つけ出さなければいけない。これは相手を非難するために行うのではない。科学のサイクルを回すために行うのだ。つまり疑問とエビデンスと結論のサイクルを回し、結論に疑問を投げかけ、それに答えるエビデンスを探し、よりよい結論を導くのだ。よりよい結論は、より多くのよりよいエビデンスによってもたらされる。科学は、私たちが事実と呼ぶ〈宗教的教義にも似た不変の結論〉で終わるものではない。〈私たちが事実として扱ってしまいがちな事柄〉に対して問い続ける、終わりのないサイクルなのだ。それは、ある一点を中心として回転するサイクルではなく、予測できない不確実な動きをするものだ。その動きを、私たちは進歩と呼んでいる。

オープンマインド思考

現代のイデオロギーの影響を見抜くことは難しい。というのも、イデオロギーの影響は科学的思考だけでなく、あらゆる思考に浸透しているからだ。たとえば、「個人は自分の行動に責任をもつ」と考える人たちがいる。彼らは「社会的権威主義と経済的自由競争主義の組み合わせによって、最善の状態を実現できる」と考えている。一方で、「個人の選択は社会的状況によって制限されるため、自由選択の余地はほとんどない」と考える人たちもいる。彼らは「貧しい人を貧しいからという理由で罰してもなんの益にもならない」ととらえ、「社会的自由と公平な富の分配の組み合わせによって、最大の利益が達成できる」と考えている。こうした考え方は深く根づいていて、エビデンスの解釈の仕方にも影響を及ぼす。

問題はそれだけではない。私たちは複雑で難解なアイデアを伝えようとするとき、たいてい隠喩や比喩をたくさん使う。複雑な話に感情的な特徴を与えて、記憶しやすくするためだ。２０１１年、ポール・シボドーとレラ・ボロディツキーは、「人がエビデンスから結論を導き出すときに、隠喩がどのような影響を及ぼすか」について調べた。ある実験では、〈たった一語の言葉を変えること〉による影響を調査した。けだものまたは**ウイルス**という言葉のうちどちらかが含まれる以下の文を、対象者に読んでもらった。

犯罪はアディソンの街を荒廃させる〈けだもの／ウイルス〉だ。5年前のアディソンは健全で、脆弱なところなど見当たらなかった。ところが不幸にも、最近5年間の街の防犯システムは弱体化し、犯罪が多発するようになっている。現在は、年間5万5０００件以上の事件が発生している。1年あたり1万件以上も増加しているのだ。アディソンが早急にかつての強さを取り戻さなければ、より深刻な問題の発生が懸念される。[16]

この文を読んでもらったあと、対象者に以下の質問をした。**犯罪を減らすために、アディソンの人たちはどうしたらいいと思いますか？**という質問と**アディソンにおける警察官の役割はなんですか？**という質問だ。回答を分析し、警察官の役割を（1）犯罪の抑止と見ているか、（2）犯罪者の逮捕と見ているか、で区別した。

文のなかのたった一語が変わるだけで、違いが現れていた。〈**ウイルス**という言葉が使われていたほうの文を読んだ人たち〉は、〈**けだもの**という言葉が使われていた文を読んだ人たち〉より、〈犯罪の抑止を重視する割合〉がかなり高かった。この差は、〈対象者の政治的傾向（共和党か民主党か）から予測される差異〉よりも大きかったのだ。

近年、行動経済学者は多様な状況で私たちの思考や行動に影響を与える、さまざまな**ヒューリスティックス**（**発見的方法**）（意思決定の際の認知的負荷を軽減する精神的な**ショートカット**）や**認知バイアス**（思考の系統的誤り）を確認している。心理学者は、「論理的思考の形式が人によってどのように異なるか」を調べるため、積極的オープンマインド思考スケール（actively open-minded thinking scale）を開発した。この思考尺度は質問表を用いて、「被験者が自分の意見と異なる意見をどれだけ積極的に考慮するか」を以下のような項目を測定することによって、評価するものである。〈現在抱いている信念に反するエビデンスへの感受性〉、〈結論を先延ばしにしようとする姿勢〉、〈内省的思考の傾向〉（**問題について長く考えれば、その問題を解決しやすくなるか**といった質問がある）といった項目である。この思考尺度を用いれば、「個人がヒューリスティックスやバイアスにかかわる課題をどのように実行するか」を予測しやすくなる。また、「その人が迷信や陰謀論を信じてしまうような**推論の罠**にはまりやすいかどうか」も予測できる。

最近になって、この思考スケールを開発した研究者たちは、〈短縮バージョンのテストを使用した複数の研究〉で、「オープンマインドと信心深さとのあいだに、かなり高い負の相関が見られる」ということに気づいた。[17] このこと自体は驚くべきではない——長いバージョンのテストでも常に負の相関は見られる——が、短縮バージョンのテストを使った研究では特に相関が強く出ているのだ。

実は、ある特定のタイプの質問が大きな相関を示す原因だった。たとえば、**新しい情報やエビデンスを得たら、必ず信念（belief）を見直すべきである**といった項目だ。当初、研究者たちは、このような項目の受け取り方が、信心深い回答者と非宗教的な回答者とで異なることに気づかなかった。なぜなら、研究チームのなかに信心深い人が一人もいなかったからだ。非宗教的な回答者であれば、「これは仮定上の信念（belief）なのだろう」と考える。「こっちのジュースのほうが、そっちのジュースよりおいしい」くらいの問題だ。だが、信心深い回答者にとっては、これは〈神への信仰（belief）について問いかける項目〉だ。実質的に、信心深い回答者と非宗教的な回答者は、〈使われている言葉〉は同じでも、〈受け取り方はまるで違う質問項目〉によって評価されていたことになる。これでは、回答を正しく比較できていたとはいえない。

この問題が見過ごされてきたのは、「信心深さはオープンマインドと逆相関するだろう」と研究者たちが予想していたためだ。信心深い人たちにとって、霊的な信仰は特別な信念であって、ほかの信念にかかわるオープンマインドとはけっして相いれないのだ。研究者たちはそのことを考えもしなかったため、短縮バージョンのテストで高い相関が出ても調査してこなかった。

この論文は「〈論理的思考のバイアスを測る試み〉そのものが自らの確証バイアスにむしばまれていた」という事態を果敢にも認め、「このような事態を避けるために今後どのように尺度を改良していくか」について説明し、結論としてこう述べている。AOT（積極的オープンマインド思考スケール）に関する私たち自身の研究が、「〈善意のみから研究を行う科学者〉のなかにさえ、いかにイデオロギー的バイアスが浸透してしまうか」を示す事例研究となった。

社会学者のなかには、「科学は目的と関心に導かれて進歩していく」と考えるのがいちばんだ、という一見わかりやすい信念を抱いている人たちもいるようだ。科学者は、この考え方にいら立っている。こうした考え方は、〈科学社会学の現代的な理念〉によって培われてきたものだ。その理念とは、「科学社会学は科学を評価するのではなく、科学を説明することを目指すべきである」「それは受動的観察によってなされるべきで、〈科学者が語ったり書いたりすること〉を理解しようとするのではなく、〈科学者の目的や関心を明らかにすること〉によってなされるべきだ」というものである。

しかし、「どこにどう投資するか」といった、〈主に自己の経済的利益が優先されるような人間の活動分野〉でさえ、意思決定が〈合理主義的な理解〉に合致するとは限らない。意思決定は認知的制約の影響を受ける。認知的制約は、「私たちがどのような情報を利用できるか」、「ときに応じてその情報をどんなふうに使いこなせるか」に影響する。さらに、個人の興味や関心は複雑で多面的で影響されやすく、無限に変わっていく可能性がある。単純にいって、「既定の目的の達成に対して個人がどの程度の価値を置くか」は、人によって異なり時と場合によっても変わってくるのだ。

第23章

学術誌とインパクトファクターの科学に対する不健全な影響

どんなとらえ方にせよ、小説を定義する最も簡単な方法は、常にその小説が読者に対してどのような要求をしているか考えることだ。物語への好奇心か、登場人物への人間的感情や思い入れか、プロットを理解するための知性や記憶力か。

――E・M・フォースター[1]

初期の学術誌は、主に学会が発行していた。当時は〈科学の活動のために欠かせぬ手段〉と考えられていて、利益を生み出すために苦労していた。〈科学者とその所属機関の利害〉が共通の目的で結ばれた共同事業の一部だったのだ。科学者は論文を書き、それに対する報酬は得ていなかった。ほかの科学者がその論文の審査を行い、やはりそれに対する報酬は得ていなかった。このプロセスは編集者によって管理されていたが、編集者も報酬は得ていなかった。そうして発行された学術誌を、著者も審査員も編集者も、自分や〈自分が属する研究室〉のために、あるいは〈所属する機関の図書館〉を通じて、代金を支払って購入していた。

20世紀のなかばに商業出版社が、この興味深い経済モデルに目をつけた。彼らには、

〈学術誌から利益を生み出す可能性〉が見えていたのだ。１９５１年、ロバート・マクスウェルはペルガモン・プレスを設立し、新しい学術誌を次々と発行し始めた。[2]

通常、学会誌は低価格で会員に配られていた。また、高い評判を維持するために、論文の発表には厳しい基準が設けられていた。発表される論文は完成していて、方法論も妥当かつ信頼できるものでなくてはならなかった。そのため、著者も「自分の論文が受理されるはずである」とそれなりの自信がなければ、めったに論文を提出しなかった。

商業出版の新しい学術誌のアプローチ方法は異なっていた。狙いは、たとえ目が飛び出るような価格でも〈図書館で定期購入してもらえるような学術誌〉を出すことだった。そのための戦略の一つは、〈学術誌の守備範囲の拡大〉だった。とにかく多くの人の目にとまるよう、質を犠牲にしてでもたくさんの学術誌を発行するのだ。１９５９年にはペルガモンから40誌の学術誌が出ていたが、１９６５年には１５０誌になった。マクスウェルは、「築いたばかりの自分の王国を発展させるには、科学者たちからの信頼を得なければならない」と気づいていた。そこで査読制度を採用し、学術誌の運営を学者たちに任せ、得られた信頼をもとに学会と契約を結んで学会誌を代理出版し、経営の幅を広げた。「科学界での評判の高さにも商業的な価値がある」と見抜いていたため、マクスウェルが出版した学術誌のうち『セル』（*Cell*）や『ランセット』のような何誌かは、非常に権威のある学術誌の仲間入りをした。[3]

マクスウェルの主な関心はビジネスの拡大にあった。そして、DNA構造の発見とともにライフサイエンス・ブームが訪れ、これからさらに新しい分野がどんどん生まれてくると予見した。「新しい分野が一つ生まれるごとに〈それに応じた新しい学術誌〉が出せるだろう」と考えたのだ。マクスウェルは心理学、社会科学、コンピューターサイエンスにまで手を広げた。「科学が広がっていく限り、どこにでも新しい学術誌を出すチャンスは転がっている」とマクスウェルは考えた。そして確かに、科学はあらゆる方向へ急速に広がっていったのだ。一方で、ほかの出版社との競争も激しくなっていた。とりわけオランダの出版社エルゼビアがすばやく事業を拡大していた。しかし、競争は価格のダウンにつながらなかった。1988年には、『ブレイン・リサーチ』（*Brain Research*）――神経科学の分野のなかで最大手となっていたペルガモンの学術誌――の購読料は5000ドル以上（2019年には現金払いで約1万5000ドル）になっていた。１９９１年、４００誌の品ぞろえを誇るペルガモンは約8億ドル〈現在の価値に換算するとほぼ15億ドル〉でエルゼビアに買収され、エルゼビアは世界最大の学術出版社となった。そして、エルゼビアはさらに学術誌の購読料を値上げした。２０１７年時点でエルゼビアは２５００の学術誌を出版し、年間約50万本近い論文を掲載して、営業利益率は31％に達している。[4]

高い評判の重要性

しだいに図書館員も慎重になってきた。高額な購読料で予算が圧迫され、購読する学術誌を厳選しなければならなくなったのだ。とはいえ、デジタル化以前には、科学者は所属する機関の図書館を頼りに紙の学術誌を読んでいた。それに、論文を発表して広く知ってもらうにも、紙の学術誌以外に道はなかったし、ましてや、それより安価な方法などなかった。そして、すでに科学者自身のキャリアは、〈論文を発表する学術誌の評判の良し悪し〉と密接に結びついてしまっていたのだ。

新たな計量書誌学の出現で、〈図書館が合理的に購読する学術誌を選ぶための解決策〉が提示されるかと思われた。「〈掲載された論文の被引用頻度〉を測定すれば、学術誌の影響力が明らかになるのではないか」と期待されたのだ。こうして**学術誌のインパクトファクター**が生まれた。これは〈学術誌の質の評価基準〉でもなければ、〈掲載された論文の質の評価基準〉でもなく、影響力の指標——〈図書館員の決定を助ける現実的な基準〉のはずだった。

ところが、たちまちインパクトファクターは「質の測定基準である」と考えられるようになってしまった。それに伴って、次のような事態が生じた。(1)学術誌に「インパクトファクターを高めなければならない」という圧力がかかるようになった。(2)個々の科学者が、〈論文を発表している学術誌のインパクトファクター〉によって評価されるようになった。(3)科学者が、高インパクト学術誌に論文を掲載するためだけに努力するようになった。そして、インパクトファクターさえ高ければ、図書館はその学術誌を購読せざるを得ない状況になったのだった。

ペルガモンとエルゼビアがまず拡大に重点を置いて、それから高い評判を築いていこうとしたのに対し、ネイチャー・パブリッシング・グループは反対の戦略をとった。つまり、最初から高い評判を築くことに焦点を合わせたのだ。1869年に創刊された『ネイチャー』は最も歴史ある学術誌の一つであり、一般に広く認められることで評判を築いてきた。個人購読者の広い基盤をもち、一般読者層が非常に厚い雑誌だ。1960年代の英国では、大通りに面した書店のマガジンラックに並べられていた。とても幅広い学問分野の人たちに科学に対する興味を抱かせる、短く簡潔で焦点を絞った記事を提供した。最も有名なものの一つは、1953年にクリックとワトソンが発表した〈DNAの構造に関する報告〉だ。1ページのみの、まさに明快で簡潔な文章の見本だった。抑制の利いた文体で書かれた結論が忘れられない印象を残す。**私たちが仮定した特異的な対合は、「遺伝物質の複写システムが存在しうる」ということを直ちに示すものなのだ、と気づかされた。**[5]

「『ネイチャー』で記事を発表する」ということは、「将来重要になるかもしれない発見を知らせておく」という意味をもっていた。1970年代の科学者はよく、『ネイチャー』のことを「単なる新聞紙だ」と軽んじるように話していたが、実はそこで記事を発表することは誰もがうらやむ栄誉になっていた。「〈すべてを詳しく説明するための**真剣な**発見の公表〉は、『ネイチャー』で簡潔に発表したあとに、**きちんとした**学術誌で行えばいい」と考えられていたのだ。

しかし、〈幅広い読者を対象とした科学雑誌の出版〉は、堅実なビジネスでもなければ、利益の上がるビジネスでもなかった。そのため『ネイチャー』もしだいに研究機関からの購読料を主な収益源とし、〈より長く内容の濃い専門的な論文〉を掲載するようになっていった。やがて一流の学術誌としての評判を築き上げたが、プロの編集チームを社内に抱えている様式は変わらなかった。1970年にはワシントンDCにオフィスを構え、続いて、パリ、東京、ミュンヘン、香港にも進出した。

現在では一連の『ネイチャー・レビュー』（*Nature Reviews*）も刊行しているネイチャー・パブリッシング・グループは、2005年にドイツの出版グループであるシュプリンガー・サイエンス・ビジネス・メディア、そしてホルツブリンク・パブリッシング・グループと合併した。新会社シュプリンガー・ネイチャーは、**ネイチャー**の名を冠した出版物を次々と世に出した。広く知れ渡ったこの名称によって、刊行当初から一流とみなされることを狙ったのだ。「名声とは根気よく評判を高めていくことで得られるものだ」という世間一般の通念は無視された。また、「学術誌は〈専門家の査読によって保証された科学的な質〉のみに基づいて論文の掲載を決めるべきだ」という通念も無視された。『ネイチャー』に投稿された論文の9割以上が査読にまわされることはない。その分野の専門家ではない社内の編集スタッフによる「本誌のインパクトファクターに貢献しそうかどうか」という独自の意見によって論文が却下されているのだ。この狭き門をくぐり抜けたほんの数%の論文だけが、外部の専門家による査読にまわされる。現在、**インパクトファクターの高い**学術誌や、そのようなステータスを目指す学術誌のほとんどが、この方式を採用している。

こうしてネイチャー・グループは、企業の商業的利益のために、〈科学の重要度と質の裁定者〉としての役割を利用するようになっていった。そして、しだいにその役割は、「科学はかくあるべき」といったことを規定するものとなっていったのだ。こうした〈科学的活動の商業的乗っ取り〉は、既存の学術機関が関与しないところで始められ、彼らが気づいたころには明らかに進行していた。乗っ取りはインパクトファクターの利用から始まっていたのだ。

インパクトファクター

学術誌のインパクトファクターとは、「その学術誌に掲載された論文が平均して何回引用されたか」を測る評価基準で、毎年すべての学術誌について算出される。たとえば、ある学術誌の2018年のインパクトファクターを出すときは、〈対象年の前2年間（2016年と2017年）に同誌に掲載された論文〉が〈対象年2018年に引用された回数〉を、〈対象年の前2年間（2016年と2017年）に掲載された論文の数〉で割る。したがって、ある学術誌に2016年には100本、2017年にも100本の論文が掲載され、それら200本の論文が2018年に合計400回引用されたとすると、その学術誌の2018年のインパクトファクターは2となる。

インパクトファクターは分野によって大きく異なる。数学のような分野では、論文引用数が非常に少ないので、必然的にインパクトファクターは低くなる。一方で急成長を遂げている分野もある。これらの分野では、次々と新しく生まれる論文が、〈相対的に少数の一次文献〉を引用するのでインパクトファクターが高くなる。

最近まで学術誌はすべて紙に印刷されていたため、紙面のスペースは限られており、論文に含める引用数に制限があった。この制限がなくなった最近の論文では、当然引用数が増えている。また分野によっては、長い伝統のもとに古い文献が蓄積されてきている。それに比べて、新しく生まれたばかりの分野では、最近の論文を引用するしかない。古い論文の引用はインパクトファクターに影響を与えないので、〈長く伝統のある分野を扱う学術誌〉は不利となる。

こうした格差に加えて、インパクトファクターの尺度をゆがめる多種多様な慣行がある。[6] 短い記事──レター、論説、論文の解説、ニュース──は論文としてカウントされないが引用されることがあるため、学術誌はこうした短い記事をたくさん出してインパクトファクターをつり上げるケースがある。一部の編集者は論説を書いて〈直近2年間に自誌に掲載された論文〉を大量に引用していた。極端な例としては、毎年の論説に〈前年に掲載されたすべての論文〉を引用しているところまであった。より一般的な慣行として、学術誌側から論文の著者たちに「その学術誌に掲載された論文を引用文献に含めるように」とさりげなく、あるいはあからさまにプレッシャーをかけるようになってきている。あまりにも行きすぎた操作は、該当する学術誌に対する制裁措置といった脅威によって阻止されてきたが、こうした慣行すべてが擁護できないものだったわけではない。論説や解説は、論文の背景を明らかにする貴重な手段だし、過去に発表された論文が見過ごされているようなときに、編集者が著者に注意を喚起するのは妥当なことだと思われる。〈質の評価基準としてインパクトファクターを用いることの愚かしさ〉に気づいていながら、皮肉にも自誌の利益のために利用した編集者には、同情を禁じ得ない。

しかし、〈学術誌がインパクトファクターをつり上げるために使うもっと悪質な方法〉がある。同一の分野のなかでも〈特に引用されやすい領域〉があり、学術誌はそのような領域の論文を優先するようになってきている。「より被引用回数を稼げそうだ」と思われる論文のみ採択基準を下げるのだ。つまり、質より被引用率を優先し始めているのだ。たとえば、臨床ガイドラインは、かつては「学術的価値がほとんどない」と判断されていたため、渋々掲載されるものだった。しかし、ガイドラインというものは必然的に被引用率が高くなる。そこで、学術誌は競ってこれを掲載するようになった。そして最終的に編集者たちは、〈ある種の総説論文の被引用率がしばしば高くなること〉に気づいた。総説論文の役割は〈科学のある分野の認知度を広く伝えること〉なので、これ自体は驚くには値しない。とりわけ、その分野の権威が書いた総説論文の被引用率は高くなる。そこで、〈かつては一次研究論文しか受けつけてこなかった学術誌〉も総説論文を積極的に求めるようになった。特に〈学術誌の編集委員会の委員たち〉に総説論文を書くように求めた。その結果として「学術誌に総説論文を書く」という目的のために、それができる編集委員がどんどん採用されるようになっていった。

インパクトファクターについての誤解

学術誌はインパクトファクターをもとに宣伝を行っているため、著者たちのあいだにも「インパクトファクターは質の評価基準なのだ」という認識が広がってしまった。ここでは、典型的な三つの誤解を挙げる。

誤解1：〈高インパクトファクターの学術誌に掲載された論文〉のほとんどが、高被引用率の論文である。

インパクトファクター20という（非常に高インパクトの）学術誌があるとしよう。これは**正直な**インパクトファクターであり、ニュース項目による大量の引用拡散などといった手法によりゆがめられていないものとする。この学術誌を、もっと影響力が控えめなインパクトファクター4（評判の高い定着した学術誌の多くは、たいていこのくらいのインパクトファクターだ）の学術誌と比較してみよう。ここで被引用のべき分布（第16章）を思い出してほしい。

オキシトシン分野の分析（第13章）では、50年を五つに分けたいずれの10年においても、論文の約20％が全被引用の60％を占め、60％の論文は全体のたった20％分しか引用されていなかった。同様の関係が、あらゆる階層の科学――すべての分野、すべての学術誌、すべての著者による出版物――において見られる。

「インパクトファクターが20の学術誌が毎年100本の論文を掲載すると、そのインパクトファクターがついた年には４０００回の被引用件数がカウントされている」ということになる。一方、掲載数が同じでインパクトファクターが４の学術誌の被引用回数は、たった８００回だ。つまり、べき分布によれば、インパクトファクターが20と高い学術誌の場合、前２年間に掲載された論文の60％（２００本中１２０本）は、全被引用のうち、たった20％分（４０００回中８００回）しか引用されない。６割の論文は、それぞれ平均７回未満しか引用されないということだ。反対に、インパクトファクターが４と低い学術誌の場合、全被引用の60％（８００回中４８０回）は20％（２００本中40本）の論文が占める。つまり、２割の論文が１本につき平均して約12回引用されたことになる。要するに、高インパクト学術誌に掲載されたなかの６割の論文より、低インパクト学術誌に掲載されたなかの２割の論文のほうが、平均被引用率はだいぶ高いのだ。

『ネイチャー』のインパクトファクターが高くなっているのは、「『ネイチャー』（および関連する出版物）でニュース記事や解説を多く掲載しているから」というのもあるが、それだけでなく、引用分布の偏在を生じさせる同じ要因が働いている。『ネイチャー』の論文が多く引用されるのには、複数の理由がある。「より多くの人の目にふれるから」、「権威ある雑誌と思われているから」、そして「『ネイチャー』の論文を引用すると、重要な問題に取り組んでいると思わせることができるから」といった理由だ。

このように、論文の被引用数は、「どの学術誌で発表されたか」によっても影響を受けるが、これは単純に「高インパクト学術誌のほうが優良な論文を掲載しているから」なのかもしれない。これを確かめるためには、「同一論文の被引用率が、掲載される学術誌によって違うかどうか」を見ればよい。ほぼすべての論文は一つの学術誌のみで発表される。申告せずに重複出版すれば、それは深刻な不正行為とみなされる。しかし例外として、医学雑誌の**白書**がある。白書はできるだけ多くの人に読まれるよう、複数の学術誌で同時に公表されるのだ。たとえば２００７年には、『臨床試験登録――回顧と前進』（Clinical Trial Registration—Looking Back and Moving Ahead）というタイトルの白書が10誌で発表された。それらの学術誌のインパクトファクターは1未満～79とさまざまだ。スチュアート・カントリルによって初めて指摘されたことだが、〈この白書の掲載誌ごとの被引用回数（図23・1）〉は、掲載誌のインパクトファクターと非常に強く相関している（$r^2 = 0.9$）[7]。ほかの重複出版の論文でも、同様の結果が報告されて

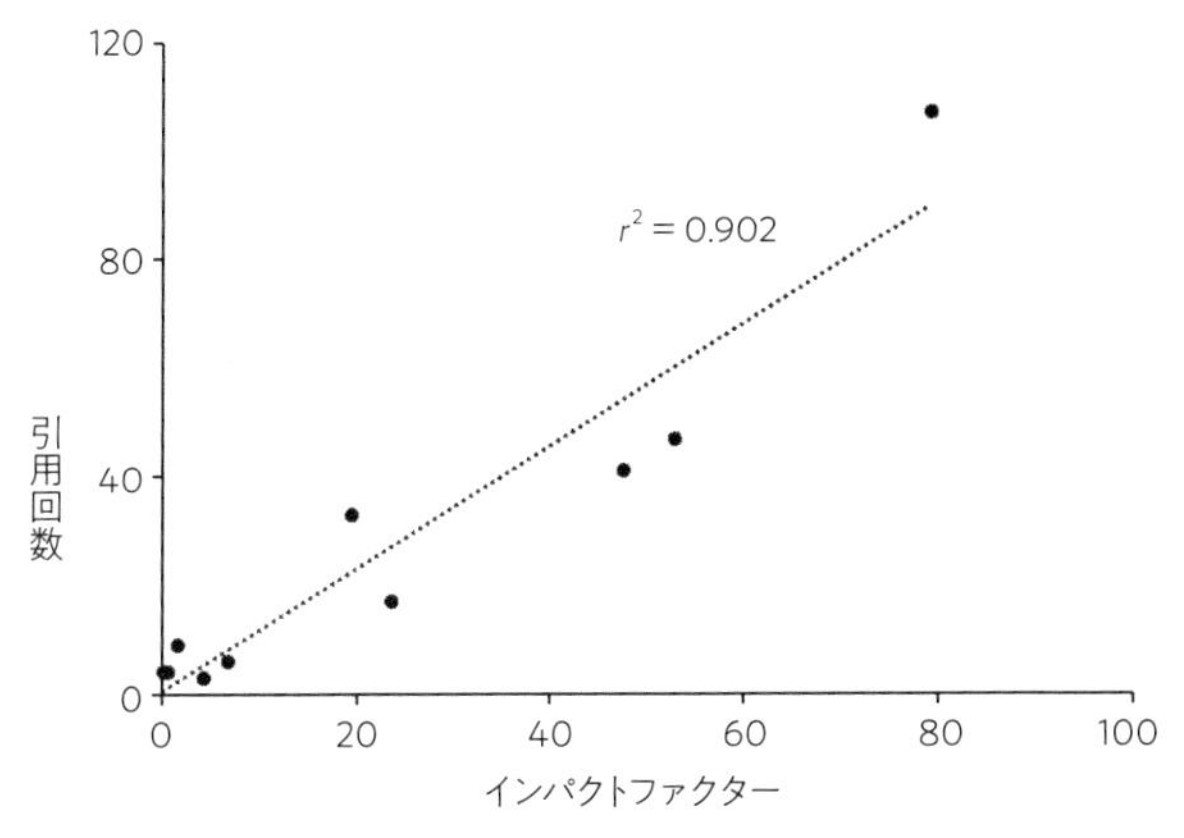

図23.1　単一の論文の被引用回数と、学術誌のインパクトファクターとの関係。"Clinical Trial Registration—Looking Back and Moving Ahead" by C. Laine, R. Horton, C. D. DeAngelis, J. M. Drazen, F. A. Frizelle, F. Godlee, C. Haug, et al., は2007年に『ニューイングランド・ジャーナル・オブ・メディシン 356: 2734-2736』で発表され、ほかにも9誌に掲載された。グラフの直線は線形回帰を示している。引用データは、2019年5月時点のウェブ・オブ・サイエンス引用文献サーチによるもの。インパクトファクターは2018年の数字。

いる。いろいろな説明がなしうるが、明らかなのは一点だ——「各論文の被引用回数は、その論文の質とはなんの関係もない」ということだ。なぜならこの場合、すべてまったく同一の論文だったからだ。[8]

　誤解2：〈被引用率の高い論文〉の多くは高インパクト学術誌に掲載されている。

このことは「その1」で述べたことを次のことに照らして考えればわかる。〈高インパクト学術誌に掲載される論文数〉より〈低インパクト学術誌に掲載される論文数〉のほうがはるかに多いのだ。2012年にウェブ・オブ・サイエンスを用いて〈1902〜2009年に発表されたすべての論文の引用〉を分析する研究が行われた。自然科学と医療科学を併せた全分野の論文の総数は、約3000万本だ。研究者たちは、〈論文の被引用頻度〉と〈論文掲載誌のインパクトファクター〉との関係を調べた[9]。予想通り、これらは有意に相関していた——相関しているのは当然ともいえた。とはいえ、その相関関係は弱かった。r^2の最高値は約0・3にすぎなかった。実際、個々の論文の被引用率を予測するのに、インパクトファクターはほとんど役に立たない指標であることがわかった。そこで研究者たちは、インパクトファクターが上位10%の学術誌を**トップ学術誌**、被引用率が上位10%の論文を**トップ論文**とした。1990年にトップ学術誌に掲載されたのは、トップ論文全体のうち48%だけだった。2009年にはこの割合はさらに44%に減少した。したがって、〈高インパクト学術誌で発表された論文〉は被引用率が高い傾向にあるが、〈被引用率の高い論文〉の多くは、高インパクト学術誌で発表されていない。

誤解3：高インパクト学術誌に掲載された論文は、ほかの低インパクト学術誌に掲載された論文より信頼できる。

これが誤った考えであることを示すエビデンスがある。高インパクト学術誌に掲載された論文のほうが、低インパクト学術誌に掲載された論文より撤回される率が高いのだ。撤回の理由の多くは不正行為である。[10] 単に、「これらの論文のほうが多くの人の目による精査にさらされがちだ」ということによるのかもしれない。しかし、そうとも言い切れない理由は、あとで述べる。一方で、高インパクト学術誌で発表された論文のほうが研究の方法論的な質が高いわけではないことを示すエビデンスは、複数示されている。それどころか、こういった主張もある。**反対のことを示唆するエビデンスは増え続けている。複数の分野における〈研究論文の方法論的な質〉も〈それによって生じる信頼性〉も、学術誌のランクが上がるにつれ低下しているのではないかと考えられる。**[11]

「高インパクト学術誌は査読の基準も高いはずだ」と思われがちだ。だが、化学者のアントワネット・モリニエとジェフリー・ボーデンハウゼンによれば、この考えもまた間違いだ。査読の依頼がきたとき『磁気共鳴学雑誌』(*Journal of Magnetic Resonance*)から依頼された論文よりも、『サイエンス』から依頼された論文のほうを厳密に注意して読むということはない。まったくその逆だ！『サイエンス』が実際にその論文を掲載する可能性は薄そうだから、査読者はさっと読んでうわべだけの評価をしたくなる誘惑に駆られるのだ。もっと悪いケースでは、専門性をもたない学術誌の「万能屋の」編集者がとんちんかんな人に査読の依頼を出すことがある。その結果、『サイエンス』では論証に混乱をきたした〈とんでもない主張の論文〉が散見される。そのような論文が『磁気共鳴学雑誌』に掲載されることは絶対にない！事実、『サイエンス』で発表された論文の多くは非常に短命だ。一方、より根本的で長く読まれる論文は、専門的な学術誌にしか載っていない。[12]

測りすぎ

不適当な点があるにもかかわらず、学術誌のインパクトファクターは研究の質の指標となり、学術機関、研究グループ、助成委員会、昇進委員会から、〈研究だけでなく研究者個人までも評価する基準〉として広く用いられるようになった。その結果、研究者は高インパクト学術誌の期待に応える研究に駆り立てられるようになった。こうして生まれたシステムは２０１４年に、ノーベル賞受賞者シドニー・ブレナーによって、**腐敗**であると露骨に批判された。[13]

ジェリー・ミュラーは著書『測りすぎ――なぜパフォーマンス評価は失敗するのか？』（２０１９年、みすず書房）のなかで、測定基準の不適切な使用がもたらす結果をリストアップしている。[14]

・**目的の誤定義**：定量化できる結果を求めるうちに、測ること自体が目的のようになってしまい、当初の目的がないがしろにされる。学術誌の当初の根本的な目的は、〈方法論的な質の高いオリジナルな研究の発表〉だったはずだ。ところが、被引用率が高くなりそうな論文のみを掲載しようとして、学術誌は質より〈見込まれる被引用率〉を優先するようになった。そのため、〈高い被引用率が期待できる分野〉や〈特定の種類の論文〉を優遇するようになった。もちろん、研究結果を発表して広めるのも学術誌の目的の一つと考えられるので、その点では高インパクトファクターは成功の測定基準とはなる。しかし、研究結果の普及はそれ自体が有益な目的ではなく、目的のための手段にすぎない。普及した情報が最終的な目的にふさわしいものであって初めて、役に立つのだ。

・**目標の置き換え**：測定基準をパフォーマンス評価に用いると、パフォーマンスの向上よりも、点数の向上にエネルギーが費やされてしまう。本来の目標は結果で、点数はその尺度でしかないのに。編集委員会はインパクトファクターを上げることばかりに腐心して、論文の方法論的・分析的厳密性を高めることはおろそかになっている。論文の厳密性を上げるには、査読のプロセスを強化しなくてはならない。論文の却下率が高いことを〈自誌の厳選主義と質の高さの証〉として誇っている学術誌があるとしたら、それは査読の最も重要な役割を見落としている。その役割とは、〈建設的な批評を提供し、著者が論文の質を向上させるための目標を設定しやすくすること〉である。『ネイチャー』と『サイエンス』は査読をせずに多くの論文を却下しているため、科学的活動において建設的な役割はほとんど果たしていないのだ。

ミュラーはこう述べている。測定は判断のかわりにはならない。測定は判断を要求す、、るだけだ。「測定するべきか否か」、「何を測定するべきか」、「測定したものの重要性をどのように評価するか」、「その結果に賞罰を付け加えるべきか」、「測定結果を誰が利用できるようにするか」といった判断が求められる。[15]

研究評価に関するサンフランシスコ宣言

インパクトファクターによる悪影響は、出版社にとっても予想外で意図されたものではなかったため、『ネイチャー』の編集者を含む一部の出版関係者は「インパクトファクターから距離を置こう」と、躍起になった。[16] ２０１２年、編集者グループと出版社が集まって、研究評価に関するサンフランシスコ宣言（ＤＯＲＡ）を表明した。[17] この宣言には、助成機関、学術機関、出版社、研究の評価基準をつくる組織、そして個々の研究者に向けた一連の提言が含まれていた。２０１９年までに、学術誌、学会、大学、慈善団体、英国のすべての研究評議会を含む１０００以上の組織と、１万４０００人以上の個人が、この宣言に署名している。

同宣言では三つのテーマを掲げている。

1. 資金提供、任命、昇進について検討する際、〈学術誌のインパクトファクターのような学術誌ベースの評価基準〉を使用することを、廃絶する必要がある
2. 研究を評価する際は、〈その研究を発表した学術誌〉に基づいて評価するのではなく、研究それ自体の長所に基づいて評価する必要がある
3. 〈オンライン出版によってもたらされる有益性〉を十分に活用する必要がある(たとえば、〈論文の単語数・図表数・引用文献数の不必要な制限〉の緩和や、重要性や影響度を示す新たな指針の検討など)

プランS

現在、〈科学にひそかに浸透してしまっている思いこみ〉を打破するためには、学術出版のシステムを、思い切ってつくり直すことが必要だろう。2018年、ヨーロッパ

10カ国から集まった主要な研究資金提供組織から成る共同体が、まさにそのためのプランを提案した。英国からは、政府の研究会議7部門と、大規模な研究慈善団体ウェルカム・トラストも参加した。

２０１９年５月に**プランS**と名づけられて提案されたこの計画では、〈資金提供を受けたすべての研究〉について、「完全に自由に閲覧可能な（オープンアクセスな）学術誌で発表し、発表後ただちに利用可能にすること」を義務づけている。プランSは、科学者が**ハイブリッドジャーナル**で論文を発表することを禁じている。ハイブリッドジャーナルとは、ほとんどのコンテンツは購読料を払わないと利用できないようになっているが、著者が料金を払うことによって自分の書いた記事を誰でも無料で読めるようにできる学術誌だ。このような学術誌は、「論文をオープンアクセスできるようにする」といって著者に料金を請求しておきながら、図書館には〈その利用者がアクセスできるようにするための使用料〉を請求している。このような（議論を呼ぶ）根拠から、プランSはこうしたハイブリッドジャーナルを禁止しているのだ。それどころか初期段階のプランSのルールでは、〈資金提供を受けた科学者〉が『ネイチャー』や『サイエンス』など、ほとんどすべての既存の学術誌において研究を発表することを禁じようとしていた。[18]

プランSのロジックには次の二つの要素がある。一つ目は、政府や慈善団体出資の研究は公益財なので、その資金が商業的利益のために流用されて、当初の目的であった公共の利益に損失が出ないようにする義務があること。二つ目は、最終的な支払人——税金を払っている国民と、慈善団体に寄付する個人——には「自分たちのお金が何に使われたか」を知る権利があること。

英国では、科学者がプランSのルールから逃れる余地はなさそうだ。大学は7年周期で研究の優秀さについて評価されている。2027年には、大学の論文はプランSに則した評価方法によってのみ評価されることになる。

提案されたとおりのプランが実行されれば、研究の評価方法はがらりと見直されるだろう。どのような影響が出てくるかは予想できない。学究的世界はオープンアクセス出版を幅広く支持してきたが、深刻な問題もいくつかある。一つ目の問題は、「このプランによって専門学会が弱体化してしまうかもしれない」という点だ。学会は学会誌から〈活動のための資金〉を得ており、学会誌は通常、〈学会が属するコミュニティのニーズ〉に厳密かつ密接に順応している。二つ目の問題は、学術誌の大半はオンライン版も出ているが、オープンアクセスの学術誌と定期購読制の学術誌とで、そこまで運営費に違いがない点だ。むしろ「運営費をどれだけ回収できるか」で違いが出てくる。定期購読制の学術誌が学術機関の図書館から効率的にコスト（や利益）を回収できるのに対し、オープンアクセスの学術誌はより効率の悪い方法で、著者たちからコスト（や利益）を回収しなくてはならない（そして今度は著者が、可能であれば、所属する機関や資金提供者からコストや利益を回収しなければならないのだ）。

オープンアクセス・ジャーナル

定期購読制の学術誌は、読者にとって価値のあるものでなければ、収益を得られない。対照的にオープンアクセス・ジャーナルは、著者にとって価値あるものでなければならない。これは重要な違いだ。定期購読制の学術誌は、論文を却下したとしても直接的なコストはほとんどかからないし、そこには最終的に出版する学術誌の質を高めようとする動機もある。しかし、オープンアクセス・ジャーナルの場合は、論文を却下するたびに収益が下がるし、著者たちは自分の論文が受理されて掲載されればそれでよくて、学術誌の質自体はさほど気にしなくなる。したがって、掲載のハードルが下がり、学術誌の質も下がるので、オープンアクセス・ジャーナルの論文の質もまた低くなる恐れがあるのだ。こうして逆説的ではあるが、「編集基準が下がることによってアクセスされにくくなる」という事態が生じる。端的にいえば、オープンアクセス・ジャーナルは、〈読み手のことを考えない単なる自費出版の手段〉になる恐れがあるのだ。

実際最近では、新興の商業出版社から略奪的なオープンアクセス・ジャーナルが乱立している。多くは適切な査読も行っておらず、最低限の制作基準しかもっていない。資金は、経験の浅い著者たちから搾取されている。そういった著者の多くは発展途上国の研究者であり、低額の財政基盤で研究活動の範囲を急速に拡大しようとしている。見識のある専門家ならば、そのような雑誌から論文の査読を依頼されても応じようとはしないだろう。

2013年、ジョン・ボハノンは偽の論文を書いてオープンアクセス・ジャーナル

３０４誌に投稿した。その論文には、見つけやすい大きな欠陥をわざと仕込んでおいた[19]。それでも、ボハノンがそれに関する報告書を書いた時点で、１５７誌が彼の偽論文を受理し、却下したのは98誌だけだった。ボハノンの論文の科学的問題点に一つでも気づいて査読コメントを送ってきたのは３０４誌中36誌にとどまり、そのうち16誌の編集者は査読の結果が否定的なのにもかかわらず論文を受理した。

ボハノンが偽の論文を投稿したのは主にオンライン・ジャーナルで、経験豊富な科学者ならすぐに「ジャンク出版物だ」と気づくようなところばかりだった。それでも、ボハノンが論文を送ったなかには、注目すべき例外として『プロスワン』(*PLoS ONE*)もあった。この学術誌は包括的な批判を返信し、ボハノンの論文を却下した。最近では、プロス社による一連のジャーナルや『イーライフ』(*e-Life*)(ウェルカム・トラストが後援)などのように、優良なオンライン・ジャーナルも多い。これらのジャーナルは理想的なオープンアクセスを提供しようとしながら、科学的な厳密性を推進し、学術誌の商業化によって生じたゆがみを防ごうとしている。しかし、ジャンク・ジャーナルも依然として急増し続けているため、用心していないと罠にはまってしまう人もいる。

オープンアクセス・ジャーナルのなかには、権威ある学会によって運営されているものもある。たとえば、英国生理学会と米国生理学会は共同で『生理学レポート』（*Physiological Reports*）を運営している。『生理学レポート』では、すでに定評のある定期購読制の学術誌（『生理学雑誌』（*Journal of Physiology*）など）に投稿されたものの、「科学的な欠陥はないがインパクトに欠ける（つまり、妥当ではあるが、引用されそうにない）」との認識で却下された論文を掲載している。これも〈インパクトファクターがもたらすゆがみ〉に妥協した対応といえるが、おそらく最悪の結果を防ぐための現実的な対処方法ではあるのだろう。

いずれにせよ、問題はまだいくつもある。「インパクトファクターでは個人の研究者や研究グループをまったく評価できない」と否定したものの、では、「計量書誌学に基づいて研究に資金を配分することは正当化できるのか」というより大きな問題については答えられていないのだ。[20]

計量書誌学の誤用

２０１０年、モリニエとボーデンハウゼンは「大量引用の武器としての計量書誌学」（Bibliometrics as weapons of mass citation）と題した怒りに満ちた論文のなかで、「現代の科学者はしばしば、〈研究論文が多く引用されている〉というだけで、成功していると判断されがちだ」と述べた。[21] 彼らの分析によればこの傾向は、資金提供団体（彼らの仕事は計量書誌学によって格段にシンプルになった）だけでなく、科学者本人たちによっても支持されているようだ。科学者の被引用度に対する関心は、しばしば度を越している。科学者たちのエゴへの執着は、助成機関の怠惰な仕事ぶりよりもはるかに倒錯している。見方によっては、科学者はボディビルダーに似ている。彼らは「体を鍛える」という口実でジムという名の「筋肉の殿堂」に通っているが、実は壁一面の鏡に映った自分の肉体に魅了されているだけかのように見える。

核磁気共鳴の基礎を築いた研究で１９９１年にノーベル化学賞を受賞したリヒャルト・エルンストは、科学者と研究者の品格と創造性を守るための改善策を提案している。

すべての科学者と研究者のための信条を策定しよう。今後一切、科学引用索引を使用しない、引用しない、閲覧もしない！　研究者の誇りと誠実さに訴えて、文献その他の科学的エビデンスの慎重な調査のみによって判断を導き出すようにさせるのだ。計量書誌学的指標の数字に頼って判断するくらいなら、要求に応じないほうがましだ！　この信条を科学者の教育にも取り入れ、そんな「数字遊び」なんて、研究者としての客観性、信頼性、公平性、社会的責任を保つ目的とは相いれないものなのだと教えよう。[22]

次の章では、現在の学術誌出版のカルチャーが科学に与える影響について考える。

第24章

物語の誤謬：よくできた物語が厳密性やバランスを崩す

大まかにプロジェクトの輪郭が見えてきたらすぐ、将来手に入るデータをどの（インパクトファクターの高い）学術誌で発表するか決めなくてはならない。掲載誌が決まったら、次に目を向けるのは「その学術誌の要件」、「掲載されている論文はどのように構成されているか」、「主にどんな**ストーリー**が語られているか」、そして「完全な**ストーリー**が求められている場合、それをつくるためにどのようなテクニックが必要か」ということだ。

こうした分析を抜かりなく行ったあと、一人では完全なストーリーを構築するためのテクニックが足りないので、交渉によって共同研究者を集める。もちろん、一流の科学者が望ましい。可能であれば、目当ての学術誌ですでに論文を発表したことのある科学者がよいだろう。そうすれば、その学術誌での論文発表のチャンスが高まる！

そして、ようやく10～15人の共同研究者たちとともに論文発表の運びとなるが……あなたの個人的研究の質を評価する委員会のメンバーは、ずらりと並んだ共同研究者の署名のうち一人目か二人目、または最後の人の名前くらいしか見ていない！　研究機関にとっては……このような発表の数が多ければ優秀な研究をしているということになり、資金援助や契約も雪だるま式に膨らんでくるのだ。

この善意によるアドバイスは、ある研究所の所長から、別の機関の研究グループのリーダーへと送られたものだ。本書の著者の一人、ガレスが受け取ったレターの文面を、名前だけは伏せて、一字一句引用した。このアドバイスは「実験は結果がわからないときにだけ行うべし」という伝統的な、いまでは時代遅れになってしまった感のある考え方と矛盾している。

「高インパクトの学術誌で論文を発表することが重要だ」といわれると、そうした学術誌に掲載される可能性の低い研究を行っている科学者の意欲はそがれる。これには、これまでに紹介してきたような、〈重要な結果をもたらす可能性のある実験〉の再現性をテストする研究も含まれる。また、新たな分野に科学の範囲を広げるためにしばしば必要になる、**記述的**研究も同様だ。

その一例を以下に挙げる。脳は複雑な構造をしており、独特な働きをするニューロンが集まった、いくつもの異なる領域がある。そのうちいくつかでは多くのことがわかっているが、大半の領域については、ほぼ何もわかっていない。いまはまだ何もわかっていない領域、たとえば乳頭核についての知識を広げたい場合、相当量の記述的研究が必要になるだろう。神経細胞どうしの接続をたどり、それら固有の特性を研究し、生化学的特徴も突き止めなくてはならない。そのうえで、「異なる生理学的環境、実験環境によって、そうした特性がどのように変化するか」を観察し、その作用や特性を操作する方法を考案していく。これこそ、「何が見つかるかわからない」という意味で新規科学であり、すべてが新発見となる。とはいえ、新規科学のリスクはそれほど高くない。すでに定着した技術を用いて疑問を解決するための、実行可能な研究計画を立てることができるのだ。もしかしたら、乳頭核には重要な役割があるかもしれない。その場合、いつの日か乳頭核の重要性を明らかにする実験のもととなるのは、先ほど挙げたような基礎となる詳細な情報だ。だが、このような詳細は高インパクト学術誌には掲載されないだろう。なぜなら、少なくとも掲載当初はこのような論文はあまり引用されないからだ。

ましてや高インパクト学術誌は、否定的な研究の論文は掲載しない。否定的な論文は、「何がうまくいかないか」を教えてくれる重要な文献なのに。〈答えが明らかになっていない問題〉があったときに、〈ある答えが得られた研究〉だけをよしとして、〈別の答えが得られた研究〉は掲載するに値しないと判断するのは正しいことだろうか？　高インパクト学術誌を出す側の人は、ため息交じりに言うだろう――「問われるのは質ではなくて、インパクトなんだよ。否定的な研究も、再現研究も、めったに引用されない。つまり、インパクトが弱いんだ」。しかしこれまでに見てきたように、これらの論文が引用されないのは、科学文献の欠点であり、エビデンスの強さについての誤解が根づいてしまった結果だ。そして、こうした欠陥が悪化するばかりなのは、第一線の学術誌がこれらの研究を掲載せず、ないがしろにしているせいだ。

また、高インパクト学術誌は、科学者が遭遇する変則的な事柄についても発表しないのが常だ。たとえば、解釈に問題を生じさせる事柄や、私たちに考えこませるきっかけを与えるような事柄だ。そうした変則的な結果は、すぐさまゴミ箱行きになるか、よくても**保留ファイル**に入れられる。科学者が保留ファイルを再びのぞくのは、よほど時間が余ったときか、突然、その変則的な結果を説明する発見があったときだけだ。

だが、高インパクト学術誌における最大の問題は、「何を掲載しないか」ではなく、「何を掲載するか」、「なぜそれを掲載するのか」にある。そして、〈それによって科学コミュニティに対して送っているメッセージ〉にあるのだ。

改めて冒頭の引用文を見ると、この文章が高インパクト学術誌の特徴をよくとらえていることがわかる。高インパクト学術誌に掲載されている論文は、特定の方法で書かれる傾向があるようだ。それ自体は驚くことではないかもしれない。しかし、この引用文からは、インパクトファクターの高い学術誌に論文が掲載されるような研究は、ある種の定型に沿って行われているかのような印象を受ける。ここは抵抗を感じるべきところではないだろうか。研究のあり方は、扱う問題のあり方によって決まるはずだ。学術誌のあり方によって決まるはずはない。

誤解かもしれないので、引用文を最後まで読んでみよう。この引用文では、〈目当ての学術誌で以前に論文を発表した経験のある科学者たち〉と、分野の垣根を越えて共同研究することを勧めている。これは、よいアドバイスだと思われる――〈被引用率が高くなる論文の見分け方〉といったハウツー本から、そのまま抜き出したようなアドバイスだけれども。著者が複数いる論文のほうが引用されやすいのには明らかな理由がある。著者が多ければ多いほど、自分の論文を宣伝する人数も多くなるからだ。有名な著者による論文も引用率が高くなるが、それは権威のなせる業だ。これらによって引用の累積的利益は大きくなっていく。「高インパクト学術誌に掲載された論文は優れている」と、実際にそれを読んだことのない人たちから思われている。こうした思いこみは、以下の考えに基づいて生じている。

（a）著者は優秀であるに違いない（高インパクト学術誌に掲載される論文を書いているくらいだから）。

（b）重要な会議での招待講演の内容がその論文についてだった（つまり、著者の一人ないしもう一人が「優秀である」として講演に招待されていたのだ）。

（c）なんといっても結局のところ、高インパクト学術誌に掲載されたのだから。

「引用文のなかで、〈共同研究には交渉が必要〉とほのめかされているのはなぜか」を考えてみなくてはならない。たとえば、その交渉が「Xを実証してくれたら『ネイチャー』で発表する論文の著者の一人になれるよ」というたぐいのものだったら、これはXを実証する強い動機となるだろう。強すぎる動機は危険だ。〈気づかぬうちに科学界をむしばんでいる問題ある慣行〉を助長してしまうかもしれない。

また引用文のなかで「ストーリー」が強調されていることにも注目すべきだ。前にも述べたように、科学はコミュニケーションであり、人間は物語をつくる生き物だ。「〈わかりやすい一連の説明〉を生み出し、読むうちに感情がかき立てられ印象に残るシンプルなストーリー」は、最も記憶されやすく人々に繰り返し語られていく。だが、科学論文を書くときにストーリーを優先させると問題も起こる。科学の公正性をむしばむバイアスを生じさせてしまうのだ。著者は、ストーリーにそぐわないエビデンスを結果の説明から省いてしまうかもしれないし、無理やり問題のある分析をして一致するように見せかけるかもしれない[1]。実験は厳密に調べるためではなく、望ましい物語を支えるために計画されるようになる。考察では、〈支持的なエビデンス〉ばかりが取り上げられ〈矛盾するエビデンス〉は無視されるようになる。〈大胆なストーリー〉が可能性を重要視してつくられ、〈感情に訴えるストーリー〉が不可欠な要素とされるあまり、無批判に許容されてしまうのだ。

この章の冒頭で紹介したアドバイスに従って書かれた論文では、〈さまざまな方法論とさまざまな研究室からもたらされた要素〉が集まって、ストーリーができあがることになるだろう。このようにさまざまな要素が合わさることによって、最終的にできあがるものに権威を与えることができる。そのような理由でこうした慣例は擁護されてきた。これには少なくとも二つの利点があるといわれている。一つ目は、多様な著者が共同で関与することで、「不正行為や、虚偽表示や、誤りが起きにくくなる」と考えられることだ。二つ目は、三角測量の原理により、独立した異なる情報源からのエビデンスが同一の結論に収束する場合、その結論に対する確信は高まるということだ。

これらの根拠はどちらも確実ではない。共同作業が安全性につながるのは、関係が密接なときだけだ。さまざまな研究者が緊密に連絡を取り合いながら研究を進めていなければいけない。専門分野も方法論も異なる人どうしを結びつけるために共同研究が行われる場合、内部批判の働きは限られてしまう。協力関係が緊密ではなく疎遠であった場合、公正性に対する責任を共有する余地はほとんどなくなってしまうのだ。

三角測量の原理が役に立つのは、ある問題に対してそれぞれ独立した方向からアプローチした場合だけだ。さまざまな方法論を鎖の輪として一連のエビデンスをつなげようとする場合は、この限りではない。一つでも弱い輪があれば、エビデンスの鎖全体が弱くなる。わらでできた輪が一つでもあれば、たとえその両側の輪が鉄でできていても、鎖は簡単にちぎれてしまうのだ。

鎖の強さを確かめるには、すべての輪をテストしなくてはいけない。ところが、複合的な技術を寄せ集めて書いた論文の査読者が、すべての要素の正当性を判断するために必要な専門知識をもっているとは考えにくい。おそらく査読者は自分が精通している分野の信頼性だけを確かめて、それ以外の精通していない分野の信頼性については、書かれているままに受け入れるだけだろう。複数の査読者がいて、その人たちがみな共通する専門知識をもっている場合、それぞれの独立した吟味によって、審査された輪の信頼性はほぼ確実になるだろう。だが、同じような専門知識をもっているということは、盲点も同じである可能性が高い。そのため〈高インパクト学術誌に掲載された論文〉には、〈ある特定の分野の専門家から見れば一目でわかるような欠陥〉が残っているケースが多い。

「高インパクト学術誌に掲載された論文は優れている」と誰もが思いこんでいるわけではない。科学者に聞けば、過去にそうした学術誌に掲載された胡散臭い論文の数々をリストアップしてくれるだろう。たとえば、『ランセット』に掲載された不正なワクチン研究、『サイエンス』のヒト胚のクローンに関する誇大な主張、超電導について捏造された『ネイチャー』の7本の論文や『サイエンス』の8本の論文などだ。[2] 高インパクト学術誌では、不正行為が見つかるケースが多い。ただ一概に、「高インパクト学術誌に掲載される論文に、不正な論文が多い」とは限らない。おそらく、高インパクト学術誌には注目も集まるので、不正が見つかる確率も高いのだろう。

「科学界で不正行為はまれである」と考えられているが、それは非常に人間的な理由からだ。科学者は、あらゆる分野の熟練した芸術家と同じように、自分の仕事に自負心を注ぎこんでいる。多くの場合、辛抱に辛抱を重ねて重要な問題を解こうと努力し、多大な時間も、資力も、精神的な冷静さも尽くして、実験により最終的な結果を得ようとしている。それなのに、最後の最後に、軽い気持ちで数字をいじったりするだろうか。

少なくとも、**普通の**学術誌で論文を発表するために、そんなことはしないだろう——でも、『ネイチャー』や『サイエンス』で論文を発表するチャンスとなったら、どうだろうか？

　2009年に、不正行為の横行に関する調査のメタ分析の結果が報告された。それによると、調査に応じた科学者の約2％が1回以上、データの**捏造、改ざん、変更**を行ったことがあり、科学者の約14％は1回以上、ほかの科学者が右記の行為を行うところを見たことがあると答えた。[3]不正行為をさせる動機の一つは、論文の出版プレッシャーによるものだと思われる。2019年に行われたある特定分野の研究では、このように結論が述べられている。**出版プレッシャーは不正行為の最も強力な予測因子だ……出版プレッシャーが大きければ大きいほど、報告される不正行為の数も多くなる。**[4]

　不正行為を主に妨げるのは、発見のリスクではなく（発見のリスクは低い）、「不正行為によって支えられた主張が間違っている」と証明されるリスクである。論文の主張が、**ほぼ事実**のステータスまで上りつめるためにはかなりの努力と困難を伴う。主張のほとんどは、「注目するまでもない」とみなされて無視されるか、公然と反論される。もっと多いのは、科学コミュニティのなかでひそかに疑問視され、欠陥を見出され、忘れ去られる。狭いコミュニティのなかでは、評判を築くのには時間がかかり、最終的にだいたい**正しい**と判断され、もっともな理由があったときに限って、間違っていると判断される場合もある。すべての科学者にとって、評判を守るための最善の策は、公正性を保つことだ。

不正行為よりもっと蔓延していて、最終的な損害がずっと大きいのは、エビデンスとその解釈をゆがめる行為だ。そうした行為は、ひとまとめに**問題ある慣行**と呼ばれている。編集者や査読者は、めったに不正行為を疑わないが、エビデンスの不当表示や、目に余る統計的欠陥を見つけることはよくある。しかし、よほど精通した部分の問題でなければ、発見は困難だろう。

したがって、高インパクト学術誌に掲載されている論文のなかに、信頼性の低い論文があっても不思議ではない。また、ほかの学術誌より信頼性の低い論文が多いことも確かだろう。それに対して、専門的な学術誌に掲載される〈単一の方法論に従った論文〉は、〈その方法論に精通し、その分野とその不確実性を詳細に知り尽くしている査読者〉

によって、細心の注意が払われている可能性が高いのだ。

追記

必要のなせる業は奇妙だ
薄汚いものを貴重なものに変えることができる。
——ウィリアム・シェイクスピア、『リア王』（1967年、新潮社）

学術誌は学術団体に共生生物として加わり、やがて寄生虫に進化して本体をむしばんでしまった。そろそろ駆除作業が必要なのかもしれない。プランSが成功すれば、エルゼビアのような商業出版帝国を崩壊させることができるかもしれない。同時に『ネイチャー』や『サイエンス』の見せかけが剥がれ落ちれば、多くの科学者が窮屈な評判などかなぐり捨てて、街に出て踊り出したくなるかもしれない。だが、これらの学術誌が繁栄しているうちは、科学の構造に対して権勢を振るい続ける。こうした権勢は科学者たちから自発的に付与されたわけでも、なんらかの合理的な根拠に基づいて与えられたわけでもなく、単なる商業的要請から意図せず生じたものだ。科学者たちはそんなものに支配されて活動せざるを得なくなっている。

とはいえ、急ぐと思わぬ結果を招くことがある。腐敗した建築物を取り壊すにしても、そのかわりとなるものを考えなくてはならない。多様性こそが科学の強みだ。危機に際したときは、この多様性が、批判的な自己反省のもとに多様な代替策を提供してくれる。したがって、たとえ善意に基づくものであっても、〈多様性を制限する方向に働く改善措置〉は慎重に検討する必要がある。

〈多様性を強化する改善策〉は、短期的に見れば〈焦点が定まらない方策〉に見えるかもしれないが、より効果的かもしれない。独占企業は大きな力をもっているが、比較的柔軟性に欠け堕落しやすい。そこでまずは、〈科学の独占的支配体制の解体〉を検討しておくのがいいかもしれない。このことは必然的に、〈現在の学術出版モデルの打破〉と、〈科学の質を認識し高めていくための多様なアプローチへの支援〉を伴う。

その議論においては、科学哲学者や科学社会学者が重要な役割を担う。近年、彼らは科学の現場から離れたところにいるように思える。彼らは科学について語ることはあっても、科学者とともに語ることはほとんどない。彼らの洞察は鋭いかもしれないが、科学者たちの心には響かない。なぜなら、「科学者が何をしているのか」、「なぜそれを行っているのか」といったことに関する科学者たち自らの見解に、彼らは具体的に関与していないからだ。〈実験室の壁にとどまって観察するだけだったハエ〉も、そこから離れて科学者と食事をともにするときがきたのではないだろうか。

第25章

学　識

Q209　**ターナー博士**：医学研究審議会（MRC）の科学的未来構想について検討する際、なんらかの費用対効果分析――ほかに適当な言葉が見つからないのですが――は行ったのですか？　というのも、明らかに巨額の投資となるでしょう？　科学における未来への投資のために、どのような選択肢をとれば最も高い効果を得られるとお考えになったのですか？

ロズウェル教授：最も大きな牽引力となったのは、科学的重要性でした。コストの話なんてあまり重要ではなくて、細かい話はまったくといっていいほどしませんでした。最善の科学を実現するにはどうしたらよいか。それだけを第一に、最優先に話し合いを進めてきました。

Q210　**ターナー博士**：実際にあなたがたが最初に検討されたことは、臨床とのつながりとトランスレーショナル・リサーチ[*1]の促進についてですが、実際にこのような連携が最良の結果を生むというエビデンスを示していただけますか？

ノース教授：エビデンスに基づいて科学を前進させるのはかなり難しいことだと思います。なぜならすべての科学が〈公表されたエビデンス〉に基づいて進歩するのであれば、その進歩は実際にはかなり遅いものになるからです。[1]

右記のやりとりは、2005年1月10日に開かれた英国議会科学技術委員会の議事録からの抜粋だ。同委員会のデズモンド・ターナー博士が、ナンシー・ロズウェル教授とアラン・ノース教授に対して質問している。質問の内容は、MRCの国立医学研究所移転の決定に関するものだ。この移転の根拠について、研究所の職員たちからは反対の声が強く上がっていた。

このやりとりには矛盾点がよく現れている。MRCは最善の科学への資金提供を目指しているのに、その科学の質を判断するには、当の科学者たちに尋ねるしかない――もちろん、その科学者たちとは、主にMRCから資金提供を受けている人たちなのだ。それなのに、この会議の場で、彼らは同組織の研究所に属する科学者たちのエビデンスを軽んじるような発言をしている。普通に考えれば、国立医学研究所の場所はどこがいいか、その研究所の人がいちばんよくわかっていそうなのに。

＊1　学術的な基礎研究を現場医療へ実用化することを狙った研究。

こうした場合のエビデンスとしては、たとえば計量書誌学的データが使われる可能性があったが、おそらくその欠陥が知られていたため使われなかったようだ。ただ、科学計量学から明らかなのは、「科学的成果の量は科学者の数と直接的に関連している」という点だ。したがって、〈支援する科学者の数を減らすような介入〉は、必然的に科学の研究成果に影響を与えることになる。このことはMRCの計算には含まれていなかったようだ。このコストは生産性や質の向上によって埋め合わせもできるかもしれない。生産性なら測定可能だし、質もなんらかの基準によって測定することができるだろう。しかし、肝心の生産性の測り方は考えられていないようだった。それだけでなく、質を測るための基準も設定されていなかったし、「すでにあるエビデンスをどのように決定に生かしたのかどうか」も定かではなかった。「今後、彼らの決定がもたらす結果をどのように評価していくのか」についての計画が立てられた気配すらなかった。

それどころか（これはまったくの誤解かもしれないが）、この決定は科学顧問たちの**本能的直感**に基づいてなされたもののように思える。この決定自体は反論の余地はあっても理解できるものであり、そこに至るまでにはこのような方法をとるしかなかったのかもしれない。

それでも、このような決定を下すには、なんらかの客観的な根拠を提示しなければ、理想的な科学の考え方とはいえないだろう。科学研究から得られる教訓の一つは、「基礎科学は大きな経済的利益をもたらすが、利益が出るまでには長い時間がかかり、しかもどんなふうに利益が生じるかは予測がつかない」ということである。もう一つの教訓は、「科学の質には科学における行動様式が深くかかわっている」ということだ。〈科学の文化〉ともいえるこの行動様式とは、懐疑主義、批判、公正性だ。そして三つ目の教訓は、「影響力の大きい論文の量は、主に〈活動している科学者の人数〉に関連している」ということだ。「影響力がどこに現れるか」は予測が難しいが、「〈支援を受けている科学者〉が多ければ多いほど、生じる影響力が大きくなる」というのは容易に見て取れる。このことはもしかしたら、「少数の科学者でより影響力の大きい研究を実現する」とか、「特定の分野の影響力を大きくする」といったことで修正できるのかもしれない。しかし、私たちが出発点として確信することは、「科学の文化と規模が重要である」ということだ。

私たちは、「科学と科学者が誤りを犯しがちである」ということを示すいくつもの事例を示してきたが、その道のりも終わりに近づいている。科学者は〈自らの考えを広めるためのバイアス〉がかかった党派主義者だ。彼らはそのためにエビデンスを選り好みし、エビデンスやデータを柔軟に解釈し、出典を選択的に引用することによって論証を組み立てている。科学者は理不尽な測定基準に翻弄され、商業的な学術誌は科学を内側からむしばんで厳密性を低下させた。統計的検定は合理的な基盤をなくし、美辞麗句にすぎないものになっていた。見方によれば、学術論文はいかさまだらけになっている。ある意味、最近発表された研究結果のなかには、確かに虚偽といえるものも多いかもしれない。

「だったら、なんとかしなければ！」と憤慨して思い切った改善措置をとろうとする前に、落ち着いて考えなくてはいけない。そうやって焦ると、病そのものよりはるかに危険な治療法に走ってしまう場合が多いのだ。なぜなら、科学はすでに繁栄している。医学によって、私たちの健康や長寿への展望は一変した。広い目で見れば、科学は過去の人々が思いもよらないほど、あらゆる面で世界を昔よりはるかによくしてきた。直接的に科学のおかげであるとはっきり認識できなかったとしても、科学によって生じた娯楽、富、教育、健康による利益は多い。世界には深刻な問題があり，その一部は科学に起因している。しかしそれを解決するにも科学に頼らざるを得ないのだ。

科学のほぼすべての分野でその進歩は一目瞭然だ。しかし、その過程では一進一退を繰り返し、ときにはおかしな間違いが起こっている。科学の進歩は単調なものではないが、私たちの理解の深化は確実に進んでいる。だから、〈科学のもつ病とその治療法〉をあれこれ考える前に、「どんな治療法も常に意図しない結果をもたらす」ということを理解したうえで、「何が科学を機能させているか」をよく考えてみるのが得策なのだ。

科学の情熱

科学を発展させているのは科学者で、科学者は人間だ。この賢くて才能あふれる人たちを突き動かしているのは、製薬会社のアメでもなく、資金提供者のムチでもなく、「理解したい」という彼ら自身の情熱だ。もちろん、科学者にも偏見はある。しかし、その偏見も主に情熱から生まれたものだ。自分のアイデアに個人的に投資しているからこそ、偏見は生まれる。すべての科学者にとって、研究はごく私的な活動だ。自分で選んだ考え方を擁護し、はぐくみ、ときにはそれを守るために闘う。

「科学にそんな私情を挟んではいけない」という意見もあるだろう。個人的な感情に流されないようにすればバイアスを防げるし、論争を長引かせずにすむし、進歩も速くなるはずだ。これは古くからあった〈理性と情熱を対立させる考え方〉だ。理性には秩序を、情熱にはカオスをあてはめる、いわゆるアポロン対ディオニソスの戦いだ。しかし、私たちがこれまでに見てきたいくつもの逸話は、まったく逆のことを示唆している。

科学の成功は、私たちの情熱と深く結びついているのではないだろうか？　ザッカーマンという壁がなかったら、ハリスはあそこまで厳密なアイデアを生み出せただろうか？　トレワヴァスは、あくまでも変化に抵抗する守旧派がいたからこそ、あんなにも必死に自分のアイデアを追求できたのではないだろうか？　若い世代の研究者の気概は、〈教条主義の克服〉という思いから生まれたものだったのではないだろうか？

革命的な科学には信念が必要だ。「この研究は重要で、興味深く、実行可能である」という信念だ。ほとんどの研究者が、同じ気持ちを抱いていたはずだ。とりわけ研究者としてのキャリアをスタートしたばかりのころ、人生を捧げる価値のあるアイデアを探していたころはそうだったはずだ。このような研究者として駆け出しの時期は、まだ論文や引用による評判も築いておらず、資金提供者からも相手にしてもらえないので、不確かで漠然としたアイデアに長い時間を注ぎこむことになる。そのアイデアに価値を見出しているのは、ほとんどの場合、若い研究者本人だけだ。相当の動機がなければ、研究がうまくいかなくなったとき、問題が複雑すぎて解決できないと思われたとき、信念が揺らぎ始めたときに挫折してしまう。一流の科学者たちから懐疑的な見方をされても、自分のアイデアを守り通すすべを学ばなければならない。当初はそのアイデアに価値を見出しているのが自分一人だけだったとしても、ほかの人たちを説得して価値を認めさせる技を身につけなければならない。自分のしている研究がどういったもので、どうやったらうまくいくか、説得力のある新しい一つの物語を構築できて初めて、成功の可能性が生まれるのだ。

ポパーは、「科学には想像力と、大胆な着想と、推察が必要だ」と述べていた。「そのような大胆な着想を通じてこそ、科学はいかなる意味においても進歩しうるのだ」と考えていた。しかし同時にポパーは、「大胆な着想には反対派も必要だ」とも考えていた。手ごわい反対派をもつには、自分の着想に忠実で、いかなる反論を受けてもその着想を守り、多少の困難ではその着想を捨てようとはしない人たちの存在が必要だ。そのような人たちは、〈さまざまな流行の移り変わり〉を目の当たりにしてきたため、「〈その分野で生じるナンセンスな潮流〉を見極め排除することができる〈洗練した洞察力〉」をもち合わせており、〈自分が大事にはぐくんできた着想〉をかたくなに守ろうとする。

こうした信念が固くなりすぎると、別の仮説をまったく受け入れなくなったり、現行の技術を疑ったり、ほかの人の研究の価値を否定したり、論争相手の発見を無視したりするようになる可能性がある。つまり、私たちの情熱は諸刃の剣なのだ。しかし、情熱を捨てるわけにはいかない。研究者は自分たちの研究を大切にし、既成概念や新たな着想に挑戦する気概や、自分自身を守る強さをもつべきだ。そして何にも増して、批判的な議論を闘わせるべきなのだ。

情熱だけでは十分ではない。科学者にとっては知的誠実さも重要だ。しかし、実際にはこれは不完全なものであることも確かだ。これまで述べてきたように、科学者は「他人を意図的にだます」というよりむしろ、「自分自身を欺いてしまう」という場合が多いからだ。そのため、支持してきた理論がエビデンスによって否定されたとき、理論の欠落を指摘されたとき、主張の論理的整合性が崩れたときは、このことを思い出して、どんなに痛烈な批判でも、それが妥当な批判なら受け入れなくてはならない。

ハリスがザッカーマンとの論争に勝てたのは、ザッカーマンの主張の欠陥を明らかにして、ほかの人たちを納得させられたからだったが、同時に、まだ開拓されていない新たな研究領域の展望を示せたからでもあった。トレワヴァスの場合も同様だ。どちらの科学者も、開放的で広がりを予感させる新しい物語をつくることができた。このような物語を構築し、擁護し、守り抜いた情熱あふれる科学者たちから、ほかの科学者もあとに続くよう刺激を受けたのだ。

大胆なアイデアは多くの場合失敗する。セオドシスとキャスリンの逸話は、科学の最善の姿を示している。二人ともアイデアを断固として厳密にテストし、「間違っているかもしれない」とわかったとき、潔くそれを認めた。ずっと大事にしてきた発想や物語が終焉を迎えたとき、それを認めるのはとても難しいことだ。一方、スティーヴ・ヒラーのケースでは、せっかくの大胆な発想が支持されずに埋もれてしまっていた。その主な理由は、情報がうまく伝わらず、その着想を擁護し育てていく人が出てこなかったからだった。

こうした資質——合理性、情熱、誠実さ——は科学という共同の試みにとって必要不可欠だ。こうした資質は十分に備わっているように思えるが、科学者が理想的な振舞いから逸脱してしまうケースも多い。説得力のある新しい物語をつくろうとして、エビデンスをゆがめたり、以前の研究を無視したりする場合があるのだ。生物医学文献における引用バイアスや出版バイアスの蔓延、統計的検定の不適切な使用の広がりも、科学者がエビデンスを構築し、過去の研究を利用する方法に問題があることを示している。これらを放置しておくと、知見の正当性や議論の合理性、助言の健全性が損なわれる恐れがある。

このような問題を非難しつつも、私たちは科学者も人間であることを忘れてはいけない。科学者も完璧ではなく、誤りも犯すが、彼らはいつもベストを尽くしているのだ。それに、通常これらの問題は、個人の欠陥ではなく社会システムによって生じるものだ。引用の連鎖、出版刊行、教育の失敗、欠陥のある報酬構造、連帯責任の欠如などが連なって起こる。

科学は複雑で、絶えず変動している

科学は、無数の、ときには互いに競合する〈方法、理論、観察〉から構成されている。科学的活動〈理論、データ、方法〉の三位一体で成り立っており、時間をかけて進化した複雑な共生関係となっている。その結果、科学者が理論を説明し、検証する方法も時間とともに変化してきた。研究方法も進化を遂げ、データの解釈の仕方すら変化してきた。これらは、科学者自身が決定することであって、自然によって決定されるものではない。ポパーは、このように述べている。

私たちは経験につまずくわけでもなければ、流れに身を任せているわけでもない。むしろ、私たちは能動的にならざるを得ない。つまり私たちは経験を「起こす」のだ。自然に問うべき問いを立てるのは、常に私たちだ……そして最終的に答えを出すのもまた私たちである。厳密な吟味の末に、〈自然に対して突きつけた問いへの答え〉を決めるのは私たち自身なのだ。[2]

オキシトシン、**飽和脂肪**、**知性**、**機能**、**ストレス**といった用語のさまざまな意味の違いを理解するには、「その用語がなんのために使われているか」を認識しておかねばならない。それだけでなく、その用語が現在のように理解されるまでに生じた疑問、関心、技術の歴史についても把握しておかなくてはならないだろう。

そうしなくては、知識の成長の予測不可能性を理解することはできない。どんな研究分野においても、進歩を予測するのは非常に難しい。オキシトシン研究の例からも明らかなように、研究の主題がまたたく間に、ある分野から別の分野へと移ってしまう場合がある。新たな分野の研究者たちは、まったく異なる技術、背景知識、関心をもっている。そのため、その主題の知識も予測のつかない方向へ成長していく可能性があるのだ。

それぞれの研究がもつ影響力も予測がつかない。グリーンバーグが示唆したとおり、バイアスのかかったエビデンスの選択から信念が生まれ、引用の連鎖によってその信念が強化されることがある。引用バイアスは広範囲に及んでいる。ときには、〈なんらかの理由で人気が出た論文〉によるバイアスが生じることもある。引用がゆがめられるケースもあり、たとえ論文の被引用率が高かったとしても、研究者が意図したメッセージとはまったく違うことを読者が信じている場合もある。ジックとポーターのレターの内容はゆがめられて麻薬の使用を支持しているかのように引用され、シュタングはある方法を批判的に評価していたにもかかわらず、なぜかその方法を支持しているかのように引用された。これらの例からは、研究の意味がほかの論文によって歪曲されてしまう恐れがあることがわかる。ある研究や研究グループで信じられていることは、必ずしもその内部で確立するとは限らず、元の内容を再構築したり、選択的に強調されたり、ゆがめたりする引用の連鎖によって確立されるのだ。

科学は集団力学に支配されている。引用の連鎖、論文出版の指数関数的成長、特定のテーマでの生産活動の落ちこみといった、一時的な流行の影響を受ける。こうした再現性の危機や宣伝バイアスを目の当たりにすると、「科学の正当性は固いエビデンスの基盤の上にあり、エビデンスを利用する科学者たちによって監視されている」と信じている人たちは狼狽するだろう。しかし、このようなシステムだからこそ流動的で、自治や自己組織化が可能なのだ。新たな関心、技術、理論、観察結果にも柔軟に対応できる。そして、アイデアやデータや方法をまたたく間にコミュニティ全体に広げることを可能にする一方で、誤りも増幅しやすいという弱点をもったシステムだ。

よりよい方向性をもった科学?

「科学をよりよい方向へ進歩させるべきだ」というのは自然な考え方だ。米国での生物医学支援の配分は、疾病負担と整合していない。この点については2019年の総説論文で**生物医学のニーズと資金援助とのあいだの系統的不均衡と指摘され、さらなる監**

視、インセンティブ、フィードバックが必要であると述べられた。[3] この総説の著者たちは、「科学者が研究の方向性を決める際には、伝統と革新との緊張関係が影響している」と書いている。伝統を重んじる科学者は、重点的研究課題を推進する論文を多く発表するが、それでは新しいアイデアを切り開くチャンスをつかむ能力は限られてしまう。著者たちが主張することによれば、〈ハイリスクで革新的な研究〉がまれであるのは、論文発表に失敗したときにそれを補う報酬が得られないからだ。「そこでこのリスクの軽減のためには、資金提供機関は積極的に〈未解明の仮説を検証するリスクの高いプロジェクト〉に出資するべきだ」というのが著者たちの提案である。

ここでイノベーションの意味について考えなくてはならない。イノベーションとは、「新たな分野に既存の手段や理解の仕方を適用すること」、または、「新しい手段や新しい理解の仕方を開発することだ」とされている。既存の方法論を新たな分野に拡大適用するのは価値のあることだが、必ずしもリスクがあるとはいえない。それどころか、すぐに一連の論文を出すことができるかもしれない。そのような研究のリスクといえば、「誰にも興味をもってもらえない恐れがある」という点だけだ。発表されたばかりの論文は、その新しい分野が軌道に乗るまでは、あまり引用されない場合が多いのだ。一方、科学を推進する重要な役割を担っているのは、新しい方法論の開発だ。神経科学では、生物のゲノムを編集して、特定の細胞を実験制御する方法が開発された。光遺伝学や化学的遺伝学の技術を用いて、細胞活性を光パルスやデザイナードラッグでコントロールするのだ。こうしたイノベーションは、既存の技術の限界によって理解の道が閉ざされてしまったようなときに必要になる。研究者にとって、より安全な研究と並行してイノベーションを進められるだけの資金が得られれば、思い切ってイノベーションに取り組むことが可能になる。新しい方法論は、多くの場合、確立したモデル・システムのもとで開発するのがいちばんだ。確立したモデル・システムがあれば、問題点が明確に浮かび上がり、新しい方法をすぐに有効活用してくれる研究者のコミュニティもすでにある。

科学におけるリスク

　ハイリスク研究は、当然ながら失敗するリスクも高い。しかし、科学者のキャリアも、将来、資金提供を受けられるかどうかも、論文の出版状況にかかっている。〈その科学者たちが責任をもって育てている学生や、若い研究者たちの将来〉も同様だ。ハイリスク研究へ資金提供をする際は、彼らを守るための方策を立てなくてはならない。ハイリスク研究に従事する若い研究者に早期に終身在職権を与え、論文の出版状況に関係なく継続して研究費を提供するのも一つの手だ。かつて一流大学ではこのようなモデルが採用されていたが、いまでは廃れてしまった。

　フレデリック・サンガー（1918～2013）は、ノーベル化学賞を一度ならず二度も受賞した人物だ。2014年、シドニー・ブレナーはケンブリッジ大学でかつてともに研究していたサンガーの功績を振り返って、こう述べている。

　フレッド（フレデリック）・サンガーのような人物が、現在の科学界で生き残っていくのは無理だろう。現在のように絶えず報告と評価を行う状況では、「長いあいだ論文を発表していない」と委員会が口を出すからだ。サンガーは1952年にインスリンの論文を書いたあと、1967年にRNA配列の最初の論文を出すまでのあいだ、重要な論文をほとんど発表していなかった。そのあとも長い空白のあとに、ようやく1977年にDNA配列の論文を発表した。現在なら、サンガーは非生産的研究者の烙印を押され、ささやかな個人的支援すら打ち切られていただろう。現在の科学界には、〈長期的な――今日の視点では極めてリスクが高いと考えられるような――プロジェクト〉に乗り出す個人を支える文化はもはやない。[4]

科学者自身がつくり出す問題

科学における問題の多くは、科学者自身がつくり出したものだ。〈代用的な評価基準による不合理な評価〉、〈学術誌のインパクトに対する過大評価〉、〈インパクトに対する過大な要求〉を科学者自身が黙認してきたからだ。彼らはまた、研究資金の集中化にも加担してきた。このシステムにより、もともと多くの資金があるところに、より多くの資金が集まるようになってしまっている。そのため、〈これまで研究室で評判を築いてきた科学者〉が、管理者の役割をやらざるを得なくなってしまった。しかし、そもそもそのような科学者は、こうした役割に慣れておらず、だいたい向いてもいないことが多いものだ。若い科学者がまだキャリアが不安定なときにこのようなプロセスを踏むと、最も革新的な科学者でさえ、不思議と保守的になってしまう。自分が管理する科学者のキャリアを守るために、〈表面的には革新的であるが実はがっかりするくらい無難なプロジェクト〉を彼らに与えるようになる。また懐疑的な査読を避けてもっともらしいストーリーを構築し、インパクト重視の論文を製造することに腐心するようになる。

こういった状況は、〈科学者のキャリアが理不尽なほど不安定であること〉からきている。一般的に若い科学者は、短期間で職場が次から次へと変わる働き方を強いられている。こんな持久戦のような状況は、女性にとって不利なケースが多い。そして、「よい管理者に当たるかそうでないか」、「育成されるか搾取されるか」、「よい経験ができるか、悪い経験をするか」、「不満がたまるばかりか、よいインスピレーションを受けられるか」ということが、くじ引きのように運に左右される。最高の思想家といわれる人たちの多くは、若いときに偉大な仕事を成し遂げている。アインシュタインは、**驚異の年**といわれる1905年のとき、まだ25歳だった。この本でも紹介した人たちの例を挙げれば、エイヤーは『言語・真理・論理』(1955年、岩波書店)を書いたときは24歳で、ポパーは『科学的発見の論理』(1971年、恒星社厚生閣)を32歳で出版、ラトゥールは『ラボラトリー・ライフ』を出版したとき32歳、同様に、ハリスも、トレワヴァスも、ヨアニディスも、プライスも、クーンもみな、定説に挑むための基盤を30代のうちに築いていた。リスクをあえて冒してイノベーションをもたらす人材を育てるためには、「リスクをとって成功するか失敗するかは、リスクをとる人の資質とはまったく関係がない」ということを受け入れなければならない。だから、あえてリスクをとろうとする人のために、保護手段を用意しておく必要がある。そして、〈最も厳しい目をもつ人たちが擁護する、教義ともとれるような定説〉にまだあまり投資していない若い科学者を支援していく必要がある。

　これまで若い科学者を支援してこなかったのは、「誤った選択の結果、〈無能で想像力の欠けた者〉、〈燃え尽きた者〉、〈時代遅れの技術しかもたない者〉によって科学が負担を強いられるのではないか」と恐れたためだ。だが科学界には、革新者や異端者、懐疑論者や夢想家、技術者、著述家や詩人、支援者や管理者もいなくてはならないし、何より、教育者と学生が必要だ。そしてまた、謙虚さをもった管理者も必要だ。管理者の資質として必要なことは、「科学とは集団で行う活動でありながら、本質的には個人的な活動である」と理解していること、「科学者が物質的な利益よりも、むしろ情熱によって突き動かされる存在である」と理解していること、「彼らが〈物質的な利益そのものよりもリスペクトの表れとしての利益〉を求めている」と理解していることだ。さらに管理者は、「〈科学に必要とされるこれらの属性のすべてを個々の科学者に求めること〉は愚かであり、自らの仕事はランの花を育てることではなく生態系を維持することである」と承知していることが求められる。多くの科学者が研究を行っている大学には、さまざまな才能を発揮する余地がある。科学者一人ひとりのキャリアにおけるさまざまなステージに応じて、その才能を発揮する余地を見出す手助けをするのが、管理者の役割なのだ。

同僚評価とコミュニティ

科学は一枚岩ではない。科学者はごく少数の人たちと密にコミュニケーションをとっているが、そうでなければならないのだろうか？　科学者がよく話す相手は、〈自分の研究とよく似通った研究をしている少人数の人たち〉だ。その人たちとなら、本質的な進歩も、問題点も理解し合えるからだ。その人たちなら、〈有名な学術誌で論文を発表するために、そして論文を深く読みこまない人たちに感銘を与えるために必要だと考えられている大げさなレトリック〉を見抜くことができるだろう。このような小さなコミュニティは、正しい理解を守るための検査官、つまり番人として常に有効に機能するわけではないが、通常はうまく働いている。そして長い目で見れば、〈迷走することによって欠陥が暴かれること〉をコミュニティ自体が恐れることによって、自浄作用が働くことが期待できる。

解決策の中核を成すのは、科学の最も重要な特質である〈組織的懐疑主義と積極的な内省〉でなければならない。多くの科学者が、「査読制度は破綻しかけている」と考えている。確かに、査読プロセスにも弱点はあるが、これは科学の基礎を成すものだ。明らかな欠陥が見えにくくしているが、査読制度には長所がある。査読制度の強みは、〈査読者による批判そのものによって学術論文の質が向上すること〉にあるのではなく、「批判を未然に防ぎたい」と思わせるところにある。査読制度は組織的屈辱と言い表されたことすらある。[5] もちろん、〈悪意に満ちた罵りのごとき批判〉は、とりわけ匿名で行われた場合は受け入れがたい。だが、そうした例は珍しく、むしろ〈的確で鋭い批判〉のほうが恐れられている。〈方法論や論理的思考の弱点〉を突くそうした批判は、論文と〈それを書いた科学者の自尊心〉を正々堂々と攻撃するからだ。

科学者は〈同等の立場にあるほかの科学者〉からの敬意を得るために努力している。だから、屈辱的な批判を受けないよう、自身の主張やデータを見直し、「厳しい批判に耐えうる」との自信を得て、初めて学術誌に論文の原稿を提出する。

査読者が根拠のない批判をすることはめったにない。正確な批判なら、それだけで価値がある。不正確な批判であっても、それはしばしばそうであるように、著者たちが自分の主張を明確に伝えることができなかったせいなのだ。ただし、査読者はよく見落としをする。優秀な査読者は、「すみずみまで正確に読んで建設的なアドバイスをしよう」と努力しているが、査読しなければならない論文や助成金の量があまりにも多くなれば、依頼された仕事に対応しきれずに断るケースが多くなる。

科学をもっとよくすることはできるはずだし、よりよくしていくべきだ。おそらく、昔はまだよかった。かつては、〈学会が運営する学術誌〉が優勢であり、その専門的な学術誌には、〈科学コミュニティの欠点も可能性も知り尽くし、学会と学会誌の構造的重要性を理解した編集者〉がいた。そのころはまだ、インパクトファクターによる害悪が垂れ流されていなかった。コミュニティの結束が固く、研究成果の質に対して共同で責任を負っていた。

では、科学のなかから質の悪いものだけを取り除くことなどできるのだろうか？　その場合、どうやって質の悪いものを見分ければいいのだろうか？　「低インパクト学術誌を購読せず、論文の被引用数が少ない科学者を首にすればいい」と言う人がいるかもしれない。そういうことを言う前に、「〈学術誌にインパクトファクターを与える引用〉、〈科学者にh指数[*2]を与える引用〉がどこからきているか」を考えてみたほうがいい。引用は圧倒的に、〈低インパクト学術誌の論文や被引用数の少ない科学者による論文〉によってなされているのだ。では、なぜこれらの学術誌はインパクトファクターが低く、これらの科学者の論文はあまり引用されないのだろうか？　決して、これらの学術誌に質の悪い科学論文が掲載されているからでも、これらの科学者が質の悪い実験を行っているからでもない。こうした学術誌や科学者は、被引用回数の多かった論文の結果をチェックし、改善し、拡張し、テストしているのだ。〈低インパクト学術誌や被引用数の少ない科学者〉こそ、科学の番人として、一時的な流行と信頼できる主張とを分けている。彼らの論文のほうが、高インパクト学術誌の論文より信頼できることが多いのだ。科学においては、本当に重要なのは最初に出た論文ではなく、そのあとに続く何百もの論文なのだ。それなのに、最初の論文ばかりがもてはやされ、先取権を与えられ

＊2　論文の被引用数に基づいた研究者の評価指数。

る。しかし、最初の研究が最良であることはまれで、しばしば誤りを含んでいて、効果を誇張して報告している場合も多い。

以前に、**私がはるか彼方を見ることができたとしたら、それは巨人の肩の上に立っていたおかげだ**というニュートンの言葉を引用した。ロバート・マートンは、その学識や機知に富んだ著作のなかでこの引用句を12世紀までたどり、さまざまなバリエーションを調べた。[6] もともとこの言葉は、「小人が巨人の肩の上に立てばいかに遠くを見晴らせるか」という格言だったらしい。「そもそも小人はどうやって巨人の肩の上に登るのか」と疑問を抱く人もいた、とマートンは述べている。科学の世界に置き換えると、「巨人は肩の上に小人をたくさん乗せているからこそ巨人である」といえるとも考えられる。そして、「小人たちが巨人を押しつぶしてしまう」ということも考えられる。引用の巨人、すなわち**古典的な引用論文**は、**小人たち**がそれをテストし、改良し、装飾し、修正し、解釈し、宣伝しているからこそ巨人でいられるのだ。

計量書誌学は誤った使い方をされる場合もあるが、引用ネットワークによって浮かび上がった科学の構造は、科学の弱点だけでなく、創造性を物語っている。その点に、私たちは光を見出すべきだ。高い被引用率論文の多くは、〈高インパクト学術誌の定型フォーマット〉にのっとってつくられたわけではなく、〈科学者たち自身によってその論文が発見され、宣伝されること〉によって被引用率が高まったのだ。このような影響力の民主化が、科学に回復力を与えている。そして、ネットワーク内に存在する拠点と権威が、小さなグループ内で生まれたアイデアを、より広いコミュニティに伝える役に立っている。それに続く成長は、いかなる分野であれ、散発的で予測できないが、こうした成長の勢いはたとえ見当違いであっても、科学に活力と創造性を与える。ビッグサイエンスには、技術に長けた科学者から成る〈大規模で統制のとれたチーム〉が必要かもしれない。ただ、新しいアイデアは主に小さな集団の小さな科学から生まれてくるのだ。

学識の重要性

では、ほかに足りないものはなんだろう？　科学には、科学哲学者や科学社会学者も必要だ。エビデンスを評価し、解釈するには学識が必要になる。学識とは、「ある学術分野での教育、研究、実践を発展させるための厳格な探究のプロセスである」と定義してもよいだろう。そのためには、その分野で用いられている手法を技術的に理解することも必要だし、それぞれの方法の強みや限界も、系統的探査やメタ分析に関することも把握しておかなくてはならない。同時に、その分野で用いられている科学的方法を哲学的に理解することも不可欠であり、科学における社会的背景も認識して、それがどのように科学の発展や重要性の認識に影響を与えるかも理解しておかなくてはならない。これまで、〈特に注意を要する科学論文の特性〉――出版バイアス、選択バイアス、確証バイアス、それに〈統計的分析でよく見られる問題点〉といった、〈科学における一般的諸問題〉――について見てきた。

こうした問題と闘うために〈学識のある人〉、つまり学者が必要になる。各自のネットワークで優れた実践を広め、事態が間違った方向へ進みそうになったときは警鐘を鳴らしてくれる人だ。ジョン・ヨアニディスは、科学における統計的な弱点に関して、このことが可能であることを示している。ヨアニディスは現状に満足していた人たちに衝撃を与えたが、彼の真の影響力はその被引用数から生じたものではない。確かに引用の数もすさまじかったが、真の影響力は、それよりあとに起こる教育や科学的実践の変化に表れるだろう。その変化は科学機関からの指導によってではなく、主に科学者たちの自尊心によって生じていくはずだ。

かつて学識は大学の根幹を成す特徴と考えられていた。大学教育は学識の教育そのものだった。しかし、しだいに学識は軽んじられるようになっていった。大学が自らの役割として研究と講義に主眼を置き始めたのだ。「学識という学問は学究的世界の**象牙の塔**だけで行われている」と考えられるようになった。あたかも、研究室や講堂といった現実世界とはかけ離れたものであるかのように。しかし、学識は科学の公正性にとっても、科学の効果的な応用にとっても重要であり、いまなお優れた大学教育には欠かせないものだ。もしそれが本当に象牙の塔のなかで行われ、そのおかげで、政策や流行による気まぐれから守られているのであれば、いまこそその塔をもう一度建て直すときが来ているのかもしれない。

注

第1章　科学の規範と構造

1 Stephen Jay Gould, “Nurturing Nature,” in *An Urchin in the Storm*（New York: W. W. Norton & Company, 1988）, 150.

2 Gareth Leng, *The Heart of the Brain: The Hypothalamus and Its Hormones*（Cambridge, MA: MIT Press, 2018）.

3 Thomas S. Kuhn, “Postscript,” in *The Structure of Scientific Revolutions*, 2nd ed.（Chicago: University of Chicago Press, 1970［1962］）; Derek J. de Solla Price and Donald Beaver, “Collaboration in an Invisible College,” *American Psychologist* 21（1966）: 1011–1018. 科学的知識の形成における共同体の役割については、クーンの後書きを参照。

4 Robert K. Merton, “The Normative Structure of Science,” in *The Sociology of Science: Theoretical and Empirical Investigations*（Chicago: University of Chicago Press, 1973［1942］）.

5 Henry S. Pritchett, “Introduction,” in *Medical Education in the United States and Canada*, ed. Abraham Flexner（New York: Carnegie Foundation for the Advancement of Teaching, 2002）, xiii.

6 “Hansard（1976）, Written Answers（Commons）, Education and Science,” HC Deb 29 March 1976 vol. 908 c371W, https://api.parliament.uk/ historic-hansard/written-answers/1976/mar/29/school-leavers; P. Bolton,“Education: Historical Statistics,” *Commons Briefing Papers. Standard Note: SN/SG/4252*（2012）.

7 Edward Sharpey-Schafer, “History of the Physiological Society During its First Fifty Years, 1876–1926: Part 1,” *Journal of Physiology* 64, no. 3（suppl.）（1927）: 1–76.

8 Sharpey-Schafer, “History of the Physiological Society.”

9 Sharpey-Schafer, “History of the Physiological Society.”

10 Arthur Hugh Clough, “Say not the Struggle nought Availeth”

11 D. Fanelli, "How Many Scientists Fabricate and Falsify Research? A Systematic Review and Meta-analysis of Survey Data," *PLoS ONE* 4, no. 5 (2009) : e5738.

第2章　ポパーとクーンが考える、科学とは何か

1 Peter B. Medawar, *Advice to a Young Scientist*, Sloan Foundation Science Series (New York: Basic Books, 1981 [1979]), 39. 引用は新版による。

2 D. L. Schacter, "The Seven Sins of Memory: Insights from Psychology and Cognitive Neuroscience," *American Psychologist* 54 (1999) : 182–203.

3 Stephen Jay Gould, *An Urchin in the Storm: Essays about Books and Ideas* (New York: W. W. Norton, 1987), 150.

4 Karl Popper, *The Logic of Scientific Discovery* (London: Routledge, 2000 [1959]). An English translation of *Logik der Forschung. Zur Erkenntnistheorie der modernen Naturwissenschaft* (1934).

5 Karl Popper, *The Poverty of Historicism* (London: Routledge, 2002 [1957]), 124.

6 Popper, *The Logic of Scientific Discovery*, 4.

7 David Hume, *A Treatise of Human Nature*, Oxford Philosophical Texts, ed. D. F. Norton and M. J. Norton, (Oxford: Oxford University Press, 2002 [1738]).

8 Popper, *The Logic of Scientific Discovery*, 316.

9 Popper, *The Logic of Scientific Discovery*, 94.

10 ポパーの思想で見落とされがちなのが、彼が科学的想像力を重視していた点である。「大胆な着想、根拠のない予想、推測的な思考は、自然を読み解くための唯一の手段であり、自然を把握するための唯一の感覚器官、道具なのである」Popper, *The Logic of Scientific Discovery*, 280, 邦訳下巻p.347.

11 Kuhn, *The Structure of Scientific Revolutions*.

12 Armand M. Leroi, *The Lagoon: How Aristotle Invented Science* (London: Bloomsbury Publishing, 2014).

13 Thomas Aquinus, *Commentary on Aristotle's Physics* (New Haven,

CT: Yale University Press, 1963), 136–137.

14 I. E. Drabkin, "Notes on the Laws of Motion in Aristotle," *American Journal of Philology* 59 (1938): 60–84.

15 C. Rovelli, "Aristotle's Physics: A Physicist's Look," *Journal of the American Philosophical Association* 1 (2015): 23–40.

16 Kuhn, *The Structure of Scientific Revolutions*, 原著17.「博物学を解釈するためには、少なくとも、選択や評価、批判を許容する〈理論と方法論の絡み合った暗黙の信念〉が存在しなければならない」

17 クーンによれば、科学の論争は、既存のパラダイムが「変則事象」、すなわち〈既存の理論的見解と矛盾する、あるいは説明できない事例〉に遭遇したときに生じる。しかしながら、クーンは続けて〈変則事象の存在それ自体では、科学的立場を否定するのには十分ではない〉としている。むしろ既存の見解の支持者たちは、「明らかになった矛盾を排除するための、〈さまざまな表現とその場しのぎの修正〉を考案する。[……]彼らは信念を失い始めても、また代替案を検討し始めたとしても、自分たちを危機に陥れたパラダイムを放棄することはないのだ」原著新版78、邦訳88.

18 クーンは、「科学理論はそれに代わる候補がある場合にのみ無効とされる」とし、この代替案は、「対立する科学活動の形態から離脱した永続的な支持者を引きつける」ことを可能にするものでなければならない。そして同時に、「十分に開放的であらゆる種類の問題の再定義を実践者集団に委ねる」ことができ、変則事象を十分に説明できなければならないと主張した。

19 Kuhn, *The Structure of Scientific Revolutions*, 151, quoting Max Planck, *Scientific Autobiography and Other Papers*, trans. F. Gaynor (New York: Philosophical Library, 1949), 33–34.

第3章 『ラボラトリー・ライフ』：ブルーノ・ラトゥールと科学におけるレトリック

1 Paul Feyerabend, *Against Method: Outline of an Anarchistic Theory*

of *Knowledge*, 4th ed.（New York: Verso Books, 2010）, 43–44.
2 Feyerabend, *Against Method*.
3 Bruno Latour and Steve Woolgar, *Laboratory Life: The Construction of Scientific Facts*（Princeton, NJ: Princeton University Press, 1979）.
4 Latour and Woolgar, *Laboratory Life*, 27–28.
5 Latour and Woolgar, *Laboratory Life*, 88.

第4章　虚偽の学術論文とは？　仮説の役割とその反証

1 T. E. Starzl “Peter Brian Medawar: Father of Transplantation,” *Journal of the American College of Surgeons* 180: 332–336.
2 Peter B. Medawar, “Is the Scientific Paper a Fraud?” *The Listener* 70（1963）: 377–378.
3 S. M. Howitt and A. N. Wilson, “Revisiting ‘Is the Scientific Paper a Fraud?’” *EMBO Reports* 15（2014）: 481–484.
4 D. T. Theodosis, D. A. Poulain, and J. D. Vincent, “Possible Morphological Bases for Synchronisation of Neuronal Firing in the Rat Supraoptic Nucleus During Lactation,” *Neuroscience* 6（1981）: 919–929.
5 Literature search performed on Web of Science’s Core Collection in 2018.
6 S. Monlezun, S. Ouali, D. A. Poulain, and D. T. Theodosis, “Polysialic Acid Is Required for Active Phases of Morphological Plasticity of Neurosecretory Axons and Their Glia,” *Molecular and Cellular Neuroscience* 29（2005）: 516–524.
7 G. Catheline, B. Touquet, M. C. Lombard, D. A. Poulain, and D. T. Theodosis, “A Study of the Role of Neuro-glial Remodeling in the Oxytocin System at Lactation,” *Neuroscience* 137（2006）: 309–316.
8 Catheline et al., “Neuro-glial Remodeling.”
9 D. Fanelli, “‘Positive’ Results Increase down the Hierarchy of the Sciences,” *PLoS ONE* 5, no.4（2010）: e10068, quotation on p. 5. See also D. Fanelli, “Negative Results Are Disappearing from

Most Disciplines and Countries," *Scientometrics* 90 (2012): 891–904.

第5章　神経内分泌学と伝説的偉業の誕生：パラダイム変化の事例研究

1 Bruno Latour and Steve Woolgar, *Laboratory Life: The Construction of Scientific Facts* (Princeton, NJ: Princeton University Press, 1979), 54.
2 Geoffrey W. Harris, *Neural Control of the Pituitary Gland* (London: Edward Arnold, 1955).
3 Latour and Woolgar, *Laboratory Life*, 54.
4 F. L. Hisaw, "Development of the Graafian Follicle and Ovulation,"*Physiological Reviews* 27 (1947): 95–119.
5 Harris, *Neural Control of the Pituitary Gland*.
6 Harris, *Neural Control of the Pituitary Gland*, 46.
7 Geoffrey W. Harris and D. Jacobsohn, "Functional grafts of the anterior pituitary gland," *Proceedings of the Royal Society of London B Biological Sciences* 139 (1952): 263–276.
8 Popper, *The Logic of Scientific Discovery*, 280.
9 Alun Chalfont, "Obituary: Lord Zuckerman," *Independent*, April 2, 1993, https://www.independent.co.uk/news/people/obituary-lord-zuckerman-1452840.html.
10 John Peyton, *Solly Zuckerman: A Scientist Out of the Ordinary*, (London: John Murray, 2001).
11 Frederick Dainton, "Lord Zuckerman (30 May 1904–1 April 1993),"*Proceedings of the American Philosophical Society* 139 (1995): 212–217.
12 S. Reichlin, "60 Years of Neuroendocrinology: Memoir: Working in the 'Huts' with the Professor: The First Maudsley Years," *Journal of Endocrinology* 226 (2015): E7–E11.
13 A. P. Thomson and S. Zuckerman, "The Effect of Pituitary-Stalk Section on Light-Induced Oestrus in Ferrets," *Proceedings of the Royal Society of London B* 142 (1954): 437–451.

14 B. T. Donovan and Geoffrey W. Harris, "Effect of Pituitary Stalk Section Light-Induced Oestrus in the Ferret," *Nature* 174（1954）: 503–504.

15 Reichlin, "60 Years of Neuroendocrinology."

16 A. P. Thomson and S. Zuckerman, "Anterior Pituitary Hypothalamic Relations in the Ferret," *Nature* 175（1955）: 74–76.

17 S. Zuckerman, "A Sceptical Neuroendocrinologist," in *Pioneers in Neuroendocrinology II*, ed. J. Meites, B. T. Donovan, and S. M. McCann（New York: Plenum Press, 1978）, 403–411.

18 神経内分泌学者のコミュニティにとって、ソリー卿の断固とした宣言の理不尽さは、〈ガリレオが唱えた太陽と地球の関係に対する拒絶〉と同様のものである。（Reichlin, "60 Years of Neuroendocrinology," E10.）

19 N. Wade, *The Nobel Duel: Two Scientists' 21-Year Race to Win the World's Most Coveted Prize*（Garden City, NY: Anchor Press/Doubleday, 1981）.

20 B. A. Cross, "Chairman's introductory remarks," in *The Neurohypophysis: Structure, Function and Control*, ed. G. Leng and B. A. Cross, *Progress in Brain Research* 60（1982）: xi–xii.

21 Thomas S. Kuhn, "Postscript," in *The Structure of Scientific Revolutions*, 2nd ed.（Chicago: University of Chicago Press, 1970 [1962]）, 10.

22 Kuhn, *The Structure of Scientific Revolutions*, 27.

23 Kuhn, 19.

24 Kuhn, 25.

25 National Center for Chronic Disease Prevention and Health Promotion, "Assisted Reproductive Technology 2015, National Summary Report," https://www.cdc.gov/art/pdf/2015-report/ART-2015-National-Summary-Report.pdf.

26 Kuhn, *The Structure of Scientific Revolutions*, 77.

27 Kuhn, 77.

28 N. Wade, "Guillemin and Schally: A Race Spurred by Rivalry," *Sci-*

ence 200 (1978) : 510–513.

29 R. Guillemin, "Peptides in the Brain: The New Endocrinology of the Neuron," *Science* 202 (1978) : 390–402.

30 "Most intelligent people won't do isolation work . . ." Quoted in Wade, "Guillemin and Schally," 510–513.

31 Robert K. Merton, "Science and Democratic Social Structure," in *Social Theory and Social Structure*, enlarged revised ed. (New York: Free Press, 1968 [1957]) , 605

32 Latour and Woolgar, *Laboratory Life*, 88

第6章　危機と論争の言語、パラダイム変化の手段

1 S. Zuckerman, "Control of Pituitary Function," *Nature* 178 (1956) : 442–443.

2 Zuckerman, "Control of Pituitary Function," 442–443.

3 A. J. Trewavas, "How Do Plant Growth Substances Work?" *Plant, Cell, and Environment* 4 (1981) : 203–228.

4 Trewavas, "Plant Growth Substances," 203.

5 M. R. Knight, A. K. Campbell, S. M. Smith, and A. J. Trewavas, "Transgenic Plant Aequorin Reports the Effects of Touch and Cold-Shock and Elicitors on Cytoplasmic Calcium," *Nature* 352 (1991) : 524–526.

6 Trewavas, "Plant Growth Substances."

7 A. J. Trewavas, "Profile of Anthony Trewavas," *Molecular Plant* 8 (2015) : 345–351.

8 A. J. Trewavas and R. E. Cleland, "Is Plant Development Regulated by Changes in the Concentration of Growth Substances or by Changes in the Sensitivity to Growth Substances?" *Trends in Biochemical Sciences* 8 (1983) : 354–357.

9 Knight et al., "Transgenic Plant Aequorin."

10 J. D. B. Weyers and N. W. Paterson, "Quantitative Assessment of Hormone Sensitivity Changes with Reference to Stomatal Responses to Abscisic Acid," in *Progress in Plant Growth Regulation. Current Plant Science and Biotechnology in Agriculture*,

vol. 13, ed. C. M. Karssen, L. C. van Loon, and D. Vreugdenhil（Dordrecht, The Netherlands: Springer, 1992）, 226–236.

第7章　論理実証主義：実証の困難

1 Voltaire, *Oeuvres complètes de Voltaire*, vol. 66, 418.
2 ヒュームは、「人間の理性や探求の対象は、当然ながら、アイデアの関連性と事実の問題の2種類に分けることができる」と主張した。前者に属するのが数理科学であり、その命題は「思考の働きのみによって発見できる」ものであった。「事実の問題」は、純粋な理性では立証できないものである。（*A Treatise of Human Nature*, 35）
3 Alfred Jules Ayer, *Language, Truth, and Logic*（London: Penguin Books, 2001 [1936]）, 18.
4 Quoted in Eric Pace, “A. J. Ayer Dead in Britain at 78; Philosopher of Logical Positivism,” *New York Times*, June 29, 1989, https://nyti.ms/ 29yqeHX.
5 J. Passmore, “Logical Positivism,” in *The Encyclopedia of Philosophy* 5, ed. P. Edwards（New York: Macmillan, 1967）, 52–57.
6 Schlick, Moritz（1915）, quoted in M. Friedman, “The Re-evaluation of Logical Positivism,” *Journal of Philosophy* 88（1991）: 505–519.
7 H. Hans, Otto Neurath, and R. Carnap, “Wissenschaftliche Weltauffassung. Der Wiener Kreis” [The Scientific Conception of the World: The Vienna Circle], in *The Emergence of Logical Empiricism: from 1900 to the Vienna Circle*, ed. Sahotra Sarkar（New York: Garland Publishing, 1996 [1929]）, 321–340.
8 Ayer, *Language, Truth, and Logic*, 18. Ayer, however, articulated this position to exemplify a view that he attributes to Moritz Schlick, but did not himself share this view.
9 Robert K. Merton, *The Sociology of Science: Theoretical and Empirical Investigations*（Chicago: University of Chicago Press, 1973）, 270.
10 ウィーン学団のメンバーのあいだでは、プロトコル命題に関していくつかの異なる概念化がなされていた。ノイラート自身の立場は、シュリックのアプローチ(例:「いまここに赤い丸がある」)と、カルナップのアプローチ(例:「いまここに赤い丸が見える」)との問題点を解決しようとするものだった。ある意味で、論理実証主義はシュリック、カルナップ、ノイラートの3人が対立したことで分裂し始めた。Thomas E. Uebel, *Overcoming Logical Positivism from Within: The Emergence of Neurath's Naturalism in the Vienna Circle's Protocol Sentence Debate*, (Amsterdam: Rodopi, 1992)参照。

11 Passmore, *Logical Positivism*.

12 これは、ウィトゲンシュタインがのちに言語ゲームに関する著作で述べた立場である。「多くの場合—すべてではないが—意味という言葉を使う場合、次のように説明することができる。言葉の意味とは、その言語における使用である。Ludwig Wittgenstein, *Philosophical Investigations*, 4th ed., ed. P. M. S. Hacker and J. Schulte (Hoboken, NJ: Wiley-Blackwell, 2009 [1953]), 25. Note参照。ただし、これは1921年に彼が『論理哲学論考』(*Tractatus Logico-Philosophicus*)で提唱し、ウィーン学団、特にエイヤーに大きな影響を与えた立場とは正反対のものであることに注意。

13 C. G. Hempel, "Studies in the Logic of Confirmation (I.)," *Mind* 54 (1945): 1–26.

14 Ayer, *Language, Truth, and Logic*, 18.

15 Alfred Jules Ayer, interview by Bryan Magee, "Men of Ideas," BBC, 1978, https://youtu.be/4cnRJGsO8hE.

第8章　科学用語のあいまいさ

1 E. M. Forster, *Aspects of the Novel* (London: Edward Arnold, 1927), 39.

2 A. J. Trewavas, "Green Plants as Intelligent Organisms," *Trends in Plant Sciences* 10 (2005): 413–419.

3 Trewavas, "Green Plants as Intelligent Organisms."

4 Gareth Leng, *The Heart of the Brain: the Hypothalamus and its*

Hormones（Cambridge, MA: MIT Press, 2018）.

5 Otto Neurath, "Protocol Statements," in *Neurath Philosophical Papers 1913–1946: with a Bibliography of Neurath in English*, Vienna Circle Collection, ed. R. S. Cohen and M. Neurath（Dordrecht, The Netherlands: Springer, 1983［1932］）, 92.

6 Richard P. Feynman, "New Textbooks for the 'New' Mathematics," *Engineering and Science* 28（1965）: 9–15.

7 心筋梗塞の定義は時代とともに変化している。現在の「第4次心筋梗塞の普遍的定義（2018年）」によれば、「［心筋梗塞］は、アテローム血栓性冠動脈疾患（CAD）に起因するものとされ、通常、アテローム血栓性プラークの崩壊（破裂または侵食）により発症するものを1型［心筋梗塞］としている。

8 Medical Research Council, "Controlled Trial of Soya-bean Oil in Myocardial Infarction," *Lancet* 292（1968）: 693–700; P. Leren, "The Effect of Plasma-Cholesterol-Lowering Diet in Male Survivors of Myocardial Infarction. A Controlled Clinical Trial," *Acta Medica Scandinavica Supplement* 466（1966）: 1–92.

9 K. Thygesen, J. S. Alpert, A. S. Jaffe, B. R. Chaitman, J. J. Bax, D. A. Morrow, et al. "Fourth Universal Definition of Myocardial Infarction（2018）," *Global Heart* 13（2018）: 305–338.

10 L. W. Kinsell, J. Partridge, L. Boling, S. Margen, and G. Michaels, "Dietary Modification of Serum Cholesterol and Phospholipid Levels," *Journal of Clinical Endocrinology* 12（1952）: 909–913.

11 A. Keys, J. T. Anderson, and F. Grande, "Prediction of Serum-Cholesterol Responses of Man to Changes in Fats in the Diet," *Lancet* 273（1957）: 959–966; E. H. Ahrens, W. Insull, R. Blomstrand, J. Hirsch,T. Tsaltas, and M. L. Peterson, "The Influence of Dietary Fats on Serum- Lipid Levels in Man," *Lancet* 272（1957）: 943–953.

12 H. L. Månsson, "Fatty Acids in Bovine Milk Fat," *Food & Nutrition Research* 52（2008）, https://doi.org/10.3402/fnr.v52i0.1821.

13 O. Paul, M. H. Lepper, W. H. Phelan, W. G. Dupertuis, A. Mac-millan, H. Mckean, and H. Park, "A Longitudinal Study of

Coronary Heart Disease," *Circulation* 28 (1963) : 20–31; T. Gordon, A. Kagan, M. Garcia-Palmieri, W. B. Kannel, W. J. Zukel, J. Tillotson, et al. "Diet and Its Relation to Coronary Heart Disease and Death in Three Populations," *Circulation* 63 (1981) : 500–515.

14 Select Committee on Nutrition and Human Needs, *Dietary Goals for the United States* (Washington, DC: US Government Printing Office, 1977).

15 R. Reiser, "Saturated Fat in the Diet and Serum Cholesterol Concentration: A Critical Examination of the Literature," *American Journal of Clinical Nutrition* 26 (1973) : 524–555.

16 D. Schleifer, "The Perfect Solution: How Trans Fats Became the Healthy Replacement for Saturated Fats," *Technology and Culture* 53 (2012) : 94–119.

17 Food and Nutrition Board, Institute of Medicine of the National Academies, *Dietary Reference Intakes for Energy, Carbohydrate, Fiber, Fat, Fatty Acids, Cholesterol, Protein, and Amino Acids (Macronutrients)* (Washington, DC: National Academies Press, 2005), 504.

18 A. D. Sokal, "Transgressing the Boundaries: Towards a Transformative Hermeneutics of Quantum Gravity," *Social Text* 46–47 (1995) : 217–252. この論文がでっちあげであることは、A. D. Sokal, "A Physicist Experiments with Cultural Studies," *Lingua Franca* 6 (1996) : 62– 64. において明かされた。また、その解説はA. D. Sokal, "Transgressing the Boundaries: An Afterword," *Dissent* 43 (1996) : 93– 99. にてなされた。

19 Harry M. Collins, "Stages in the Empirical Programme of Relativism," *Social Studies of Science* 11 (1981) : 3–10.

20 査読制度の欠陥についての考察は以下を参照。R. Smith, "Peer Review: A Flawed Process at the Heart of Science and Journals," *Journal of the Royal Society of Medicine* 99 (2006) : 178–182. For a commentary on postpublication review, see G. I. Peterson, "Postpublication Peer Review: A Crucial Tool," *Science* 359

(2018): 1225–1226.

21 Barry Barnes, "On Social Constructivist Accounts of the Natural Sciences," in *Knowledge and the World: Challenges Beyond the Science Wars*, The Frontiers Collection, ed. Martin Carrier, Johannes Roggenhofer, Günter Küppers, and Philippe Blanchard (Berlin: Springer, 2004).

22 A. D. Sokal, "Commentary on Professor Barnes's Paper 'On Social Constructivist Accounts of the Natural Sciences,'" in *Knowledge and the World: Challenges Beyond the Science Wars*, ed. Martin Carrier, Johannes Roggenhofer, Günter Küppers, and Philippe Blanchard (Berlin: Springer-Verlag, 2004), 128–136.

23 Darien Graham-Smith, "The History of the Tube Map," *Londonist*, last modified April 6, 2018, https://londonist.com/2016/05/the-history-of-the-tube-map.

第9章　エビデンスの全体性：異なるタイプのエビデンスを比較する

1 H. L. Ho, "The Legal Concept of Evidence," *The Stanford Encyclopedia of Philosophy* (Winter 2015): https://plato.stanford.edu/archives/win2015/ entries/evidence-legal/.

2 A. E. Silverstone, P. Rosenbaum, F. Rosenbaum, R. S. Weinstock, S. M. Bartell, H. R. Foushee, C. Shelton, and M. Pavuk, "Polychlorinated Biphenyl (PCB) Exposure and Diabetes: Results from the Anniston Community Health Survey," *Environmental Health Perspectives* 120 (2012): 727–732; S-L Wang, P-C Tsai, C-Y Yang, L. G. Yueliang, "Increased Risk of Diabetes and Polychlorinated Biphenyls and Dioxins; A 24-year Follow-up Study of the Yucheng Cohort," *Diabetes Care* 31 (2008): 1574–1579; M. Tang, K. Chen, F. Yang, W. Liu, "Exposure to Organochlorine Pollutants and Type 2 Diabetes: A Systematic Review and Meta-analysis," *PLoS ONE* 9, no. 10 (2014): e85556; P. Xun, K. He, "Fish Consumption and Incidence of Diabetes. Meta-analysis of Data from 438,000

Individuals in 12 Independent Prospective Cohorts with an Average 11-year Follow-up," *Diabetes Care* 35 (2012): 930–938; L. Marushka, X. Hu, M. Batal, T. Sadik, H. Schwartz, A. Ing, K. Fediuk, et al. "The Relationship between Persistent Organic Pollutants Exposure and Type 2 Diabetes among First Nations in Ontario and Manitoba, Canada: A Difference In Difference Analysis," *International Journal of Environmental Research and Public Health* 15, no. 3 (2018): E539.

3 Kyle Stanford, "Underdetermination of Scientific Theory," *The Stanford Encyclopedia of Philosophy* (Winter 2017): https://plato.stanford.edu/ entries/scientific-underdetermination/.

4 Pierre Duhem, *The Aim and Structure of Physical Theory*, trans. P. W. Wiener (Princeton, NJ: Princeton University Press, 1954); Originally published as *La théorie physique: Son objet et sa structure* (Paris: Marcel Riviera & Cie, 1914). Quoted in Stanford, "Underdetermination of Scientific Theory."

5 Willard Van Orman Quine, "Two Dogmas of Empiricism," reprinted in *From a Logical Point of View*, 2nd ed. (Cambridge, MA: Harvard University Press, 1951), 20–46. Quoted in Marushka et al., "The Relationship between Persistent Organic Pollutants and Type 2 Diabetes."

6 N. D. Mermin, "The Science of Science: A Physicist Reads Barnes, Bloor, and Henry," *Social Studies of Science* 28 (1998): 603–662.

第10章　誇張された主張、意味の柔軟性、ナンセンス

1 David Hume, *An Enquiry Concerning Human Understanding: And Other Writings*, Cambridge Texts in the History of Philosophy (Cambridge, England: Cambridge University Press, 2007), 101.

2 Ewan Birney, "Interviewee: Ewan Birney. How many genes are in the human genome?" *DNA Learning Centre*, https://www.dnalc.org/view/ 15295-How-many-genes-are-in-the-human-genome-Ewan-Birney.html.

3 M. Pertea and S. L. Salzberg, "Between a Chicken and a Grape: Estimating the Number of Human Genes," *Genome Biology* 11, no. 5 (2010) : 206.
4 Pertea and Salzberg, "Between a Chicken and a Grape."
5 S. Ohno, "So Much 'Junk' DNA in Our Genome," in *Evolution of Genetic Systems,* Brookhaven Symposia in Biology, No. 23, ed. H. H. Smith (New York: Gordon and Breach, 1972) , 366–370.
6 Ohno, "So Much 'Junk' DNA in Our Genome."
7 The Encyclopedia of DNA Elements (ENCODE) Consortium, "Project Overview," (2019) , https://www.ensembl.org/info/website/tutorials/ encode.html.
8 A. G. Diehl and A. P. Boyle, "Deciphering ENCODE," *Trends in Genetics* 32 (2016) : 238–249.
9 E. Pennisi, "ENCODE Project Writes Eulogy for Junk DNA," *Science*337 (2012) : 1159–1161.
10 D. Graur, Y. Zheng, N. Price, R. B. R. Azevedo, R. A. Zufall, and E. Elhaik, "On the Immortality of Television Sets: 'Function' in the Human Genome According to the Evolution-Free Gospel of ENCODE," *Genome Biology and Evolution* 5 (2013) : 578–590.
11 S. R. Eddy, "The ENCODE Project: Missteps Overshadowing a Success," *Current Biology* 23 (2013) : R259–261.
12 National Human Genome Research Institute, "The Cost of Sequencing a Human Genome," https://www.genome.gov/27565109/the-cost-of-sequencing-a-human-genome/. The cost cited here is less than the often quoted cost of $3 billion, which is the estimated cost of the entire project including many associated activities.
13 Genomics England, "The 100,000 Genomes Project" (2019) , https:// www.genomicsengland.co.uk/about-genomics-england/the-100000-genomes-project/.
14 "Pareidolia," Merriam-Webster's online dictionary, https://www.merriam-webster.com/dictionary/pareidolia.
15 Michel Gauquelin, *Written in The Stars* [*L'influence des astres*] ,

trans. Hans Eysenck (New York: HarperCollins, 1988 [1955]).

16 P. Kurtz, M. Zelen, and G. Abell, "Results of the US Test of the 'Mars Effect' are Negative," *Skeptical Inquirer* 4, no. 2 (Winter 1979/80): 19– 26; Claude Benski, *The "Mars Effect": A French Test of Over 1,000 Sports Champions* (Amherst, NY: Prometheus Books, 1996).

17 K. E. Peace, J. Yin, H. Rochani, S. Pandeya, and S. Young, "A Serious Flaw in Nutrition Epidemiology: A Meta-analysis Study," *International Journal of Biostatistics* 14, no. 2 (2018), 1.

18 Peace et al., "A Serious Flaw in Nutrition Epidemiology."

19 S. P. David, F. Naudet, J. Laude, J. Radua, P. Fusar-Poli, I. Chu, M. L. Stefanick, and J. P. A. Ioannidis, "Potential Reporting Bias in Neuroimaging Studies of Sex Differences," *Science Reports* 8, no. 1 (2018): 6082, https://doi.org/10.1038/s41598-018-23976-1.

20 C. Fine, "Is There Neurosexism in Functional Neuroimaging Investigations of Sex Differences?" *Neuroethics* 6 (2014): 369–409. See also C. Fine, "His Brain, Her Brain?" *Science* 346 (2014): 915–916.

21 David et al., "Potential Reporting Bias."

22 Barry Barnes, David Bloor, and John Henry, *Scientific Knowledge: A Sociological Analysis* (London: Athlone Press; Chicago: University of Chicago Press, 1996), 141.

23 J. Giles, "Statistical Flaw Trips Up Study of Bad Stats," *Nature* 443 (2006): 379.

24 Hans Eysenck and David Nias, *Astrology—Science or Superstition?* (CITY: Temple Smith, 1982); R. A. Crowe, "Astrology and the Scientific Method," *Psychological Reports* 67 (1990): 163–191; P. Hartmann, M. Reuter, and H. Nyborg, "The Relationship between Date of Birth and Individual Differences in Personality and General Intelligence: A Large-Scale Study," *Personality and Individual Differences* 40 (2006): 1349–1362.

25 Dorothy L. Sayers, *Gaudy Night: Lord Peter Wimsey, Book 12*,

(London: Hodder Paperbacks, 1935), 391.

26 Leon J. Kamin, *The Science and Politics of IQ* (Potomac, MD: Lawrence Erlbaum Associates, 1974); W. H. Tucker, "Re-reconsidering Burt: Beyond a Reasonable Doubt," *Journal of the History of the Behavioral Sciences* 33 (1997): 145–162.

27 Nicholas Mackintosh, ed., *Cyril Burt: Fraud or Framed?* (New York: Oxford University Press, 1995)

28 A. J. Pelosi, "Personality and Fatal Diseases: Revisiting a Scientific Scandal," *Journal of Health Psychology* 24 (2019): 421–439.

29 D. F. Marks, "The Hans Eysenck Affair: Time to Correct the Scientific Record," *Journal of Health Psychology* 24 (2019): 409–420.

第11章　複雑性および、因果関係を語る際に生じる問題

1 Edward N. Lorenz, "Deterministic Nonperiodic Flow," *Journal of Atmospheric Science* 20 (1963): 130–141.

2 Edward N. Lorenz, "Predictability: Does the Flap of a Butterfly's Wings in Brazil Set Off a Tornado in Texas?" (address given at the 139th Annual Meeting of the American Association for the Advancement of Science, Boston, MA, December 29, 1972).

3 Gareth Leng, "Butterflies, Grasshoppers, and Editors," *Journal of Neuroendocrinology* 16 (2004): 1–2.

4 W. S. Franklin, "Review of P. Duhem, *Traité Elementaire de Méchanique Chimique fondée sur la Thermodynamique*, Two Volumes. Paris, 1897," *Physical Review* 6 (1898): 170–175.

5 Thomas Hobbes, *De Cive* [*On the Citizen*] (London: Printed by J.C. for R. Royston, at the Angel in Ivie-Lane, 1651), 4. A version can be found online here: http://www.public-library.uk/ebooks/27/57.pdf.

6 Quoted in Lee Dye, "Nobel Physicist R. P. Feynman of Caltech Dies," *Los Angeles Times*, February 16, 1988, https://www.latimes.com/ archives/la-xpm-1988-02-16-mn-42968-story.html.

第12章　論文の発表と引用：複雑なシステム

1 Michel Foucault, *Archaeology of Knowledge*, 2nd ed.（London: Routledge, 1969）, 26–27.

2 A. F. J. Van Raan, "Sleeping Beauties in Science," *Scientometrics* 59（2004）: 467–472; Derek J. de Solla Price, "Networks of Scientific Papers," *Science* 149（1965）: 510–515.

3 M. V. Simkin and V. P. Roychowdhury, "Read Before You Cite!" *Complex Systems* 14（2003）: 269–274.

4 Henry H. Bauer, *Scientific Literacy and the Myth of the Scientific Method*（Chicago: University of Illinois Press, 1992）.

5 Logan Wilson, *The Academic Man: A Study in the Sociology of a Profession*（New Brunswick, NJ: Transaction Publishers, 1995 [1942]）, 195.

6 Karl Popper, *The Open Society and Its Enemies*（Princeton, NJ: Princeton University Press, 2013 [1945]）, 426.

7 E. M. Forster, *Aspects of the Novel*, first electronic edition（New York: Rosetta Books, 2002）, 72.

8 J. R. Cole and S. Cole, *Social Stratification in Science*（Chicago: University of Chicago Press, 1973）.

9 L. Bornmann and H. D. Daniel, "What Do Citation Counts Measure? A Review of Studies on Citing Behavior," *Journal of Documentation* 61（2006）: 45–80.

10 G. N. Gilbert, "Referencing as Persuasion," *Social Studies of Science* 7（1977）: 113–122; Bruno Latour, *Science in Action: How to Follow Scientists and Engineers through Society*（Milton Keynes, UK: Open University Press, 1987）; D. Edge, "Quantitative Measures of Communication in Science: A Critical Overview," *History of Science* 17（1979）: 102–134.

11 G. Wolfgang, T. Bart and S. Balázs, "A Bibliometric Approach to the Role of Author Self-citations in Scientific Communication," *Scientometrics* 59（2004）, 63–77.

12 M. W. King, C. T. Bergstrom, S. J. Correll, J. Jacquet, and J. D. West, "Men Set Their Own Cites High: Gender and Self-citation

across Fields and over Time," *Socius* 3 (2017) : 1–22.

13 B. Johnson and C. Oppenheim, "How Socially Connected Are Citers to Those That They Cite?" *Journal of Documentation* 63 (2007) : 609–637;M. Wallace, V. Larivière, and Y. Gingras, "A Small World of Citations? The Influence of Collaboration Networks on Citation Practices," *PLoS ONE* 7 (2012) : e33339, https://doi.org/10.1371/journal.pone.0033339.

14 Robert K. Merton, "Priorities in Scientific Discovery," *American Sociological Review* 22 (1957) : 635–659.

15 Barry Barnes, David Bloor, and John Henry, "Words and the World," in *Scientific Knowledge: A Sociological Analysis* (London: Athlone Press; Chicago: University of Chicago Press, 1996) , 46–80.

16 Gareth Leng, *The Heart of the Brain: the Hypothalamus and Its Hormones* (Cambridge, MA: MIT Press, 2018) .

17 しかしながらこれは分野に依存しており、また最近の傾向としては引用文献の年代がやや古くなっている傾向にあるようだ。See V. Larivière, É Archambault, and Y Gingras, "Long-Term Variations in the Aging of Scientific Literature: From Exponential Growth to Steady- State Science (1900–2004) ," *Journal of the American Society of Information Science* 59 (2008) : 288–296; P. D. B. Parolo, R. K. Pan, R. Ghosh, B. A. Huberman, K. Kaski, and S. Fortunato, "Attention Decay in Science," *Journal of Infometrics* 9 (2015) : 734–745.

18 C. Chorus and L. Waltman, "A Large-Scale Analysis of Impact Factor Biased Journal Self-citations," *PLoS ONE* 11, no. 8 (2016) : 0161021, https://doi.org/10.1371/journal.pone.0161021.

19 Robert K. Merton, "The Matthew Effect in science," *Science* 159 (1968) : 56–63; Derek J. de Solla Price, "A general theory of bibliometric and other cumulative advantage processes," *Journal of the American Society of Information Science* 27 (1976) : 292–306.

20 M. Callaham, R. L. Wears, E. Weber, "Journal Prestige, Publica-

tion Bias, and Other Characteristics Associated with Citation of Published Studies in Peer-Reviewed Journals," *JAMA* 287, no. 21 (2002): 2847–2850.

21 Popper, *The Open Society and Its Enemies*, 426.

22 I. Newton, "Letter from Sir Isaac Newton to Robert Hooke," Historical Society of Pennsylvania, *1675*, https://discover.hsp.org/Record/ dc-9792/Description.

23 Eugene Garfield, *Citation Indexing: Its Theory and Application in Science, Technology, and Humanities* (New York: Wiley, 1979), 23–24.

24 Derek J. de Solla Price, *Little Science, Big Science . . . and Beyond* (New York: Columbia University Press, 1986 [1963]); E. Garfield, I. H. Sher, R. J. Torpie, *The Use of Citation Data in Writing the History of Science* (Philadelphia: Institute for Scientific Information, 1964); E. Garfield, "Citation Indexes for Science," *Science* 122 (1955): 108–111; M. M. Kessler, "Comparison of the Results of Bibliographic Coupling and Analytic Subject Indexing," *American Documentation* 16 (1965): 223–233.

25 B. Cronin, "A Hundred Million Acts of Whimsy?" *Current Science* 89 (2005): 1505–1509.

26 Bruno Latour, *Science in Action: How to Follow Scientists and Engineers through Society* (Milton Keynes, UK: Open University Press, 1987), 37–38.

27 Latour, *Science in Action*, 40.

28 Price, *Little Science, Big Science*, xv.

29 Price, "Quantitative Measures of the Development of Science,"*Archives Internationales d'Histoire des Sciences* 4 (1951): 86–93.

30 L. Bornmann and R. Mutz, "Growth Rates of Modern Science: A Bibliometric Analysis Based On the Number of Publications and Cited References," *Journal of the Association of Information Science and Technology* 66 (2015): 2215–2222.

31 D. Fanelli and V. Larivière, "Researchers' Individual Publication

Rate Has Not Increased in a Century," *PLoS ONE* 11 (2016): e0149504.

32 Price, "Networks of Scientific Papers."

33 P. Albarrán, J. A. Crespo, I. Ortuño, and J. Ruiz-Castillo, "The Skewness Of Science in 219 Sub-fields and a Number of Aggregates," *Scientometrics* 88 (2011): 385–397; Michal Brzezinski, "Power Laws in Citation Distributions: Evidence from Scopus," *Scientometrics* 103 (2015): 213– 228; M. Golosovsky, "Power-Law Citation Distributions Are Not Scale- Free," *Physical Review E* 96 (2017): 032306.

34 Price, "Bibliometric and Other Cumulative Advantage Processes."

35 Merton, "The Matthew Effect in Science," 58.

36 Merton, 59.

37 Price, "Bibliometric and Other Cumulative Advantage Processes," 293.

38 Price, 293.

第13章　発展中の分野の事例研究：オキシトシン、その起源から作用まで

1 Ludwik Fleck, *Genesis and Development of a Scientific Fact* (Chicago: University of Chicago Press, 1979). Originally published as *Enstehung und Entwicklung einer wissenschaftlichen Tatsache: Einführung in die Lehre vom Denkstil und Denkkollektiv* (Basel: Benno Schwabe & Co., 1935).

2 J. S. Liu, L. Y. Y. Lu, "An Integrated Approach for Main Path Analysis: Development of the Hirsch Index as an Example," *Journal of the American Society for Information Science* 63 (2012): 528–542.

3 ウェブ・オブ・サイエンスは、文献収集データベースである。我々はその「コアコレクション」(訳注：各分野の影響力の高い学術誌を選択的に集めたデータベース)からタイトルに「オキシトシン」が含まれる論文を探し、そのなかから〈国際的な査読付き学術誌〉に英語で掲載された一次研究論文を

選んだ。結果は、ウェブ・オブ・サイエンスによって特定されない論文を除外するためにフィルタリングされた。1回目の検索は、2018年5月に実施し、ガレスが手作業で分析した。2回目の検索は2019年5月に実施し、追加の分析データを収集した。

4 H. H. Dale, "On Some Physiological Actions of Ergot," *Journal of Physiology* 34（1906）: 163–206. Ergot is the product of a small fungus, *Claviceps purpurea*, which grows on rye. Like many herbal remedies, ergot is not benign: see J. W. Bennett and R. Bentley, "Pride and Prejudice: The Story of Ergot," *Perspectives in Biology and Medicine* 42（1999）: 333–355.

5 W. B. Bell, "The Pituitary Body and the Therapeutic Value of the Infundibular Extract in Shock, Uterine Atony, and Intestinal Paresis," *British Medical Journal* 2（1909）: 1609–1613.

6 B. P. Watson, "Pituitary Extract in Obstetrical Practice," *Canadian Medical Association Journal* 3（1913）: 739–758.

7 O. Kamm, "The Dialysis of Pituitary Extracts," *Science* 67（1928）: 199–200. Pitocin is a trademark, now used by Parke-Davis for synthetic oxytocin.

8 D. Llewellyn-Jones, "The Place of Oxytocin in Labour," *British Medical Journal* 2（1955）: 1364–1366.

9 M. Bodanszky and V. Du Vigneaud, "A Method of Synthesis of Long Peptide Chains Using a Synthesis of Oxytocin as an Example," *Journal of the American Chemical Society* 81（1959）: 5688–5691.

10 G. Leng, R. Pineda, N. Sabatier, and M. Ludwig, "60 Years of Neuroendocrinology: The Posterior Pituitary, from Geoffrey Harris to Our Present Understanding," *Journal of Endocrinology* 226（2015）: T173–185.

11 D. B. Hope, V. V. Murti, and V. Du Vigneaud, "A Highly Potent Analogue of Oxytocin, Desamino-oxytocin," *Journal of Biological Chemistry* 237（1962）: 1563–1566.

12 R. M. Buijs, "Intra- and Extrahypothalamic Vasopressin and Oxy-

tocin Pathways in the Rat. Pathways to the Limbic System, Medulla Oblongata, and Spinal Cord," *Cell and Tissue Research* 192（1978）: 423–435.

13 Buijs, "Vasopressin and Oxytocin Pathways in the Rat."

14 J. B. Wakerley and D. W. Lincoln, "The Milk-Ejection Reflex of the Rat: A 20-to 40-fold Acceleration in the Firing of Paraventricular Neurones During Oxytocin Release," *Journal of Endocrinology* 57（1973）: 477–493.

15 C. A. Pedersen, J. A. Ascher, Y. L. Monroe, and A. J. Prange Jr., "Oxytocin Induces Maternal Behavior in Virgin Female Rats," *Science* 216（1982）: 648–650.

16 K. M. Kendrick, E. B. Keverne, and B. A. Baldwin, "Intracerebroventricular Oxytocin Stimulates Maternal Behaviour in the Sheep," *Neuroendocrinology* 46（1987）: 56–61.

17 T. R. Insel, "Oxytocin and the Neurobiology of Attachment," *Behavioral Brain Sciences* 15（1992）: 515–516.

18 M. Kosfeld, M. Heinrichs, P. J. Zak, U. Fischbacher, and E. Fehr, "Oxytocin Increases Trust in Humans," *Nature* 435（2005）: 673–676.

19 R. T. Hoover, "Intranasal Oxytocin in Eighteen Hundred Patients. A Study on Its Safety as Used in a Community Hospital," *American Journal of Obstetrics and Gynecology* 110（1971）: 788–794.

20 図5では、一次研究論文の被引用数のみを調査している。一般に被引用数が高く、近年さらに高くなる傾向にある総説論文は除外している。

21 C. F. Blanford, "Impact Factors, Citation Distributions, and Journal Stratification," *Journal of Materials Science* 51（2016）: 10319–10322.

第14章　事実はどこにあるのか？

1 Ludwik Fleck, *Genesis and Development of a Scientific Fact*,（Chicago: University of Chicago Press, 1979）. Originally

published as *Enstehung und Entwicklung einer wissenschaftlichen Tatsache: Einführung in die Lehre vom Denkstil und Denkkollektiv* (Basel: Benno Schwabe & Co., 1935), 42.

2 *Encyclopedia Britannica Online*, s.v. "Oxytocin," https://www.britannica.com/science/oxytocin/.

3 *Wikipedia*, s.v. "Oxytocin," https://en.wikipedia.org/wiki/Oxytocin.

4 Henry Hallett Dale, *Adventures in Physiology* (London: Wellcome Trust, 1953), 52. デールは、「下垂体抽出物のオキシトシン作用は、昇圧作用をもたらすものと同じ物質による特性である」と信じていたが、1920年になってほかの研究者が昇圧作用とオキシトシン作用は分離可能であることを示した。

5 *Wikipedia*, "Oxytocin."

6 H. H. Dale, "The Action of Extracts of the Pituitary Body," *Biochemical Journal* 4 (1909): 427–447.

7 W. B. Bell and P. Hick, "Report CXII. Observations on the Physiology of the Female Genital Organs," *British Medical Journal* 1 (1909): 777–783.

8 *Wikipedia*, "Oxytocin."

9 G. Leng and N. Sabatier, "Measuring Oxytocin and Vasopressin: Bioassays, Immunoassays and Random Numbers," *Journal of Neuroendocrinology* 28, no. 10 (2016), https://doi.org/10.1111/jne.12413.

10 V. Breuil, E. Fontas, R. Chapurlat, P. Panaia-Ferrari, H. B. Yahia,S. Faure, L. Euller-Ziegler, et al. "Oxytocin and Bone Status in Men: Analysis of the MINOS Cohort," *Osteoporosis International* 26 (2015): 2877–2882.

11 O. Weisman, O. Zagoory-Sharon, I. Schneiderman, I. Gordon, and R. Feldman R, "Plasma Oxytocin Distributions in a Large Cohort of Women and Men and Their Gender-Specific Associations with Anxiety," *Psychoneuroendocrinology* 38 (2013): 694–701.

12 Leng and Sabatier, "Measuring Oxytocin and Vasopressin."

13 Abridged and modified, with permission, from G. Leng, "Editorial:

The Dogs That Don't Bark," *Journal of Neuroendocrinology* 15 (2003): 1103–1104.

14 Karl Popper, *The Logic of Scientific Discovery* (London: Routledge, 2000 [1959]), 479.

第15章　科学における組織的懐疑主義

1 Forster, *Aspects of the Novel*.

2 G. Nave, C. Camerer, and M. McCullough, "Does Oxytocin Increase Trust in Humans? A Critical Review of Research," *Perspectives in Psychological Sciences* 10, no. 6 (2015): 772–789.

3 Nave et al., "Does Oxytocin Increase Trust," 772.

4 H. Walum, I. D. Waldman, and L. J. Young, "Statistical and Methodological Considerations for the Interpretation of Intranasal Oxytocin Studies," *Biological Psychiatry* 79 (2016): 251–257.

5 G. Leng and M. Ludwig, "Intranasal Oxytocin: Myths and Delusions," *Biological Psychiatry* 79 (2016): 243–250.

6 例外はある。医学の分野では、臨床試験の結果は必然的に*カテゴリカル*ではなく、*確率的*なものになる。臨床試験は、実験室研究のように交絡因子を制御するようにデザインすることはできない。人間は、実験動物にはない遺伝的多様性をもっている。それらは多様な環境の産物であり、さまざまな方法による試験要件に従う一貫性をもち合わせていない。試験の再現は、異なる試験環境や異なる患者集団で同じ結果が得られるかどうかを確認するために不可欠である。小規模の試験は、一般的に信頼性が低く肯定的な結果はしばしば偽陽性である。そして文献に発表される効果量の大きさは、一般に大規模な試験で最終的に見出されるものよりも大きいものである。

7 G. Leng, S. Maclean, and R. I. Leng, "The Vasopressin–Memory Hypothesis: A Citation Network Analysis of a Debate," *Annals of the New York Academy of Sciences* (2019), in press.

8 W. B. Mens, A. Witter, T. B. van Wimersma Greidanus, "Penetration of Neurohypophyseal Hormones from Plasma into

Cerebrospinal Fluid (CSF): Half-times of Disappearance of These Neuropeptides from CSF," *Brain Research* 262 (1983): 143–149.

9 Harry M. Collins, "Stages in the Empirical Programme of Relativism,"*Social Studies of Science* 11 (1981): 3–10.

10 Richard Van Noorden, Brendan Maher, and Regina Nuzzo, "The Top 100 Papers," *Nature* 514 (2014): 550–553.

第16章　信用の網：引用ネットワーク

1 J. Secord, "Knowledge in Transit," *Isis* 95 (2004): 654–672.

2 S. A. Greenberg, "How Citation Distortions Create Unfounded Authority: Analysis of a Citation Network," *BMJ* 339 (2009): b2680, 1–14.

3 Greenberg, "How Citation Distortions Create Unfounded Authority," 2.

4 Greenberg, 3.

5 Greenberg, 4.

6 引用バイアスは現在、文献上では二つの意味で使用されている。(1)〈ある特定の傾向の結果を報告した論文〉と、〈反対の傾向の結果を報告した論文〉の引用数を比較して、統計的に有意な差があること。(2)矛盾するデータを完全に排除する偏った引用バイアス(または「選択的引用」)。グリーンバーグの研究では、主に後者の引用バイアスが検出されたが、次章では、後者の引用バイアスが検出された研究を紹介する。次章では、主に前者を報告した研究を紹介する。

7 S. A. Greenberg, "Understanding Belief Using Citation Networks,"*Journal of Evaluation in Clinical Practice* 17 (2011): 389–393.

8 Greenberg, "Understanding Belief Using Citation Networks."

9 R. I. Leng, "A Network Analysis of the Propagation of Evidence Regarding the Effectiveness of Fat-Controlled Diets in the Secondary Prevention of Coronary Heart Disease (CHD): Selective Citation in Reviews," *PLoS ONE* 13, no. 5 (2018):

e0197716.

10 L. Trinquart, D. M. Johns, and S. Galea, "Why Do We Think We Know What We Know? A Metaknowledge Analysis of the Salt Controversy," *International Journal of Epidemiology* 45 (2016): 251–260.

11 Trinquart et al., "Why Do We Think We Know," 257.

第17章　意図せぬ結果：出版バイアスと引用バイアス

1 Francis Bacon, *The Advancement of Learning*, (1605). 邦訳該当箇所：服部栄次郎・多田英次訳『学問の進歩』岩波書店 1974, 240-241.

2 R. Rosenthal, "The 'File Drawer Problem' and Tolerance for Null Results," *Psychological Bulletin* 86 (1979): 638–641.

3 K. Dickersin, S. Chan, T. C. Chalmers, H. S. Sacks, and H. Smith Jr., "Publication Bias and Clinical Trials," *Controlled Clinical Trials* 8 (1987): 343–353.

4 F. Song, S. Parekh, L. Hooper, Y. K. Loke, J. Ryder, A. J. Sutton, C. Hing, et al., "Dissemination and Publication of Research Findings: An Updated Review of Related Biases," *Health Technology Assessment* 14, no. 8 (2010).

5 M. Kicinski, D. A. Springate, and E. Kontopantelis, "Publication Bias in Meta-analyses from the Cochrane Database of Systematic Reviews," *Statistics in Medicine* 34 (2015): 2781–2793.

6 P. C. Gøtzsche, "Reference Bias in Reports of Drug Trials," *British Medical Journal* 295 (1987): 654–656.

7 U. Ravnskov, "Cholesterol Lowering Trials in Coronary Heart Disease: Frequency of Citation and Outcome," *British Medical Journal* 305 (1992): 15–19.

8 A. S. Jannot, T. Agoritsas, A. Gayet-Ageron, and T. V. Perneger, "Citation Bias Favoring Statistically Significant Studies Was Present in Medical Research," *Journal of Clinical Epidemiology* 66 (2013): 296–301.

9 B. Duyx, M. J. E. Urlings, G. H. M. Swaen, L. M. Bouter, and M. P.

Zeegers, "Scientific citations Favor Positive Results: A Systematic Review and Meta-analysis," *Journal of the American Society of Information Science* 88 (2017) : 92–101.

10 B. Duyx, M. J. E. Urlings, G. M. H. Swaen, L. M. Bouter, and M. P. Zeegers, "Selective Citation in the Literature on the Hygiene Hypothesis: A Citation Analysis on the Association between Infections and Rhinitis," *BMJ Open* 9 (2019) : e026518.

11 B. G. Hutchison, A. D. Oxman, S. Lloyd, "Comprehensiveness and Bias in Reporting Clinical Trials. Study of Reviews of Pneumococcal Vaccine Effectiveness," *Medecin de Famille Canadien* 41 (1995) : 1356–1360.

12 Jannot et al., "Citation Bias Favoring Statistically Significant Studies."

13 S. A. Greenberg, "How Citation Distortions Create Unfounded Authority: Analysis of a Citation Network," *BMJ* 339 (2009) : b2680.

14 J. Porter and H. Jick, "Addiction Rare in Patients Treated with Narcotics," *New England Journal of Medicine* 302 (1980) : 123.

15 P. T. M. Leung, E. M. Macdonald, M. B. Stanbrook, I. A. Dhalla, and D. N. Juurlink, "A 1980 Letter on the Risk of Opioid Addiction," *New England Journal of Medicine* 376 (2017) : 2194–2195.

16 Anne-Wil Harzing with Pieter Kroonenberg, "The Mystery of the Phantom Reference," Harzing.com (personal website) , October 26, 2017, last updated August 7, 2019, https://harzing.com/publications/white-papers/the-mystery-of-the-phantom-reference.

17 K. A. Robinson and S. N. Goodman, "A Systematic Examination of the Citation of Prior Research in Reports of Randomized, Controlled Trials," *Annals of Internal Medicine* 154 (2011) : 50–55.

18 D. L. Sacket, "Bias in Analytic Research," *Journal of Chronic Diseases* 32 (1979) : 51–63; R. I. Leng, "A Network Analysis of the Propagation of Evidence Regarding the Effectiveness of Fat-

Controlled Diets in the Secondary Prevention of Coronary Heart Disease (CHD): Selective Citation in Reviews," *PLoS ONE* 13, no. 5 (2018): e0197716.

第18章　影響力の大きい論文：引用率、引用のゆがみ、誤った引用

1 Richard Van Noorden, Brendan Maher, and Regina Nuzzo, "The Top 100 Papers," *Nature* 514 (2014): 550–553, https://doi.org/10.1038/ 514550a.
2 O. H. Lowry, N. J. Rosebrough, A. L. Farr, and R. J. Randall, "Protein Measurement with the Folin Phenol Reagent," *Journal of Biological Chemistry* 193 (1951): 265–275.
3 R. C. Oldfield, "The Assessment and Analysis of Handedness: The Edinburgh Inventory," *Neuropsychologia* 9 (1971): 97–113.
4 J. P. A. Ioannidis, "Massive Citations to Misleading Methods and Research Tools: Matthew Effect, Quotation Error and Citation Copying," *European Journal of Epidemiology* 33 (2018):1021–1023.
5 A. Stang, "Critical Evaluation of the Newcastle–Ottawa Scale for the Assessment of the Quality of Nonrandomized Studies in Meta-analyses," *European Journal of Epidemiology* 25 (2010): 603–605.
6 A. Stang, S. Jonas, and C. Poole, "Case Study in Major Quotation Errors: A Critical Commentary of the Newcastle–Ottawa Scale," *European Journal of Epidemiology* 33 (2018): 1025–1031.
7 M. V. Simkin and V. P. Roychowdhury, "Read Before You Cite!" *Complex Systems* 14 (2003): 269–274.
8 H. Jergas and C. Baethge, "Quotation Accuracy in Medical Journal Articles—A Systematic Review and Meta-analysis," *PeerJ* 3 (2015): e1364.
9 C. K. Kramer, B. Zinman, and R. Retnakaran, "Are Metabolically Healthy Overweight and Obesity Benign Conditions? A Systematic Review and Meta-analysis," *Annals of Internal*

Medicine 159 (2013) : 758–769.

10 Global BMI Mortality Collaboration, “Body-Mass Index and All-Cause Mortality: Individual-Participant-Data Meta-analysis of 239 Prospective Studies in Four Continents,” *Lancet* 388 (2016) : 776–786.

11 D. Berrigan, R. P. Troiano, and B. I. Graubard, “BMI and Mortality: The Limits of Epidemiological Evidence,” *Lancet* 388 (2016) : 734–6.

12 K. M. Flegal, J. P. A. Ioannidis, and W. Doehner, “Flawed Methods and Inappropriate Conclusions for Health Policy on Overweight and Obesity: The Global BMI Mortality Collaboration Meta-analysis,” *Journal of Cachexia Sarcopenia and Muscle* 10 (2019) : 9–13.

13 S. W. Yi, H. Ohrr, S. A. Shin, and J. J. Yi, “Sex-Age-Specific Association of Body Mass Index with All-Cause Mortality among 12.8 Million Korean Adults: A Prospective Cohort Study,” *International Journal of Epidemiology* 44 (2015) : 1696–1705.

14 P. I. Pacy, I. Webster, and I. S. Garrow, “Exercise and Obesity,” *Sports Medicine* 3 (1986) : 89–113.

15 N. Trefethen, “A New BMI” (letter to the editor), *Economist*, January 5, 2013.

第19章　発表された研究結果のほとんどは誤りか？　実験計画法と結果分析の弱点

1 J. P. A. Ioannidis, “Why Most Published Research Findings Are False,”*PLoS Medicine* 2 (2005) : e124.

2 N. L. Kerr, “HARKing: Hypothesizing after the Results Are Known,”*Personality and Social Psychology Reviews* 2 (1998) : 196–217.

3 E. J. Masicampo and D. R. Lalande, “A Peculiar Prevalence of *p* Values Just Below .05,” *Quarterly Journal of Experimental Psychology* 65 (2012) : 2271–2279.

4 A. Gelman and H. Stern, “The Difference between “Significant”

and "Not Significant" Is Not Itself Statistically Significant," *American Statistician* 60 (2006) : 328–331.

5 B. C. Martinson, S. A. Anderson, and R. de Vries, "Scientists Behaving Badly," *Nature* 435 (2005) : 737–738.

6 H. Nakaoka and I. Inoue, "Meta-analysis of Genetic Association Studies: Methodologies, Between-Study Heterogeneity and Winner's Curse," *Journal of Human Genetics* 54 (2009) : 615–623; J. P. A. Ioannidis, T. A. Trikalinos, E. E. Ntzani, and D. G. Contopoulos-Ioannidis, "Genetic Associations in Large versus Small Studies: An Empirical Assessment," *Lancet* 361 (2003) : 567–571.

7 K. S. Button, J. P. A. Ioannidis, C. Mokrysz, B. A. Nosek, J. Flint, E. S. Robinson, and M. R. Munafò, "Power Failure: Why Small Sample Size Undermines the Reliability of Neuroscience," *Nature Reviews Neuroscience* 14 (2013) : 365–376.

8 F. Mathews, P. J. Johnson, and A. Neil, "You Are What Your Mother Eats: Evidence for Maternal Preconception Diet Influencing Foetal Sex in Humans," *Proceedings of the Royal Society B* 275 (2008) : 1661–1668.

9 S. S. Young, H. Bang, and K. Oktay, "Cereal-induced Gender Selection? Most Likely a Multiple Testing False Positive," *Proceedings of the Royal Society B* 276 (2009) : 1211–1212.

10 J. S. Cramer and L. H. Lumey, "Maternal Preconception Diet and the Sex Ratio," *Human Biology* 82 (2010) : 103–107.

11 J. P. Simmons, L. D. Nelson, and U. Simonsohn, "False-Positive Psychology: Undisclosed Flexibility in Data Collection and Analysis Allows Presenting Anything as Significant," *Psychological Science* 22 (2011) : 1359–1366.

12 J. P. A. Ioannidis, "The Importance of Predefined Rules and Pre-specified Statistical Analyses: Do Not Abandon Significance," *JAMA* 321 (2019) : 2067–2068.

13 P. Janiaud, I. A. Cristea, and J. P. A. Ioannidis, "Industry-Funded versus Non-Profit-Funded Critical Care Research: A Meta-

epidemiological Overview," *Intensive Care Medicine* 44（2018）: 1613–1627.
14 S. Heres, J. Davis, K. Maino, E. Jetzinger, W. Kissling, and S. Leucht, "Why Olanzapine Beats Risperidone, Risperidone Beats Quetiapine, and Quetiapine Beats Olanzapine: An Exploratory Analysis of Head-to-Head Comparison Studies of Second-Generation Antipsychotics," *American Journal of Psychiatry* 163（2006）: 185–194.
15 M. Bes-Rastrollo, M. B. Schulze, M. Ruiz-Canela, and M. A. Martinez-Gonzalez, "Financial Conflicts of Interest and Reporting Bias Regarding the Association between Sugar-Sweetened Beverages and Weight Gain: A Systematic Review of Systematic Reviews," *PLoS Medicine* 10, no. 12（2013）: e1001578.
16 A. Ronald Fisher, *The Design of Experiments*（Edinburgh and London: Oliver and Boyd, 1935）, 1–2.
17 D. Trafimow and M. Marks, "Editorial," *Basic and Applied Social Psychology* 37（2015）: 1–2.
18 Ioannidis, "The Importance of Predefined Rules."

第20章　基礎研究の社会的、経済的影響

1 Gareth Leng, *The Heart of the Brain: The Hypothalamus and Its Hormones*（Cambridge, MA: MIT Press, 2018）.
2 M. Widmer, G. Piaggio, T. M. H. Nguyen, A. Osoti, O. O. Owa, S. Misra, A. Coomarasamy, et al. "Heat-Stable Carbetocin versus Oxytocin to Prevent Hemorrhage after Vaginal Birth," *New England Journal of Medicine* 379（2018）: 743–752.
3 Arthur Hugh Clough, "Say not the Struggle nought Availeth."
4 A. Flexner, "The Usefulness of Useless Knowledge," *Harper's Magazine*179（1939）: 344–352.
5 A. Flexner, *The American College: A Criticism*（New York: The Century Company, 1908）.
6 A. Flexner, *Medical Education in the United States and Canada*（Washington, DC: Science and Health Publications, Inc., 1910）.

7 Flexner, *Medical Education in the United States and Canada*, 19.
8 Flexner, 55.
9 T. P. Duffy, "The Flexner Report—100 Years Later," *Yale Journal of Biology and Medicine* 84 (2011) : 269–276.
10 A. Flexner, *Medical Education: A Comparative Study* (New York: Macmillan, 1925).
11 Health Economics Research Group, Office of Health Economics, and RAND Europe, *Medical Research: What's It Worth? Estimating the Economic Benefits from Medical Research in the United Kingdom* (London: UK Evaluation Forum, 2008).
12 L. Rosenberg, "Exceptional Economic Returns on Investments in Medical Research," *Medical Journal of Australia* 177 (2002) : 368–371.
13 Health Economics Research Group, Office of Health Economics, and RAND Europe, *Medical Research*.
14 J. Grant and M. J. Buxton, "Economic Returns to Medical Research Funding," *BMJ Open* 8, no. 9 (2018) : e022131.
15 G. Guise, "Margaret Thatcher's Influence on British Science," *Notes and Records of the Royal Society of London* 68 (2014) : 301–309.
16 E. Garfield, "Shame on You Mrs Thatcher," *Scientist*, March 9, 1987.
17 R. S. Williams, S. Lotia, A. K. Holloway, and A. R. Pico, "From Scientific Discovery to Cures: Bright Stars Within a Galaxy," *Cell* 163 (2015) : 21–23.
18 Williams et al., "From Scientific Discovery to Cures," 22.
19 Flexner, "The Usefulness of Useless Knowledge."

第21章　引用の迷路

1 V. B. Mahesh and R. B. Greenblatt, "Physiology and Pathogenesis of the Stein–Leventhal Syndrome," *Nature* 191 (1961) : 888–890.
2 S. G. Hillier, G. V. Groom, A. R. Boyns, and E. H. D. Cameron,

"Development of Polycystic Ovaries in Rats Actively Immunised against T-3-BSA," *Nature* 250 (1974): 433–434.

第22章　科学における確信、期待、不確実性

1 Karl Popper, *The Logic of Scientific Discovery* (London: Routledge, 2000 [1959]), 280.
2 Stephen Jay Gould, *The Mismeasure of Man* (New York: Norton & Company, 1981).
3 David Joravsky, *The Lysenko Affair* (Chicago: University of Chicago Press, 2010).
4 Christopher Badcock, "The Lasting Lesson of Lysenko," *Psychology Today*, January 11, 2014, https://www.psychologytoday.com/us/blog/ the-imprinted-brain/201401/the-lasting-lesson-lysenko.
5 Quoted in P. Bateson, "Haldane at 125: The Cleverest Man I Never Met," *Journal of Genetics* 96 (2017): 801–804.
6 J. B. S. Haldane, "Lysenko and Genetics," *Science and Society* IV, no. 4 (Fall 1940).
7 D. Medina, "Of Mice and Women: A Short History of Mouse Mammary Cancer Research with an Emphasis on the Paradigms Inspired by the Transplantation Method," *Cold Spring Harbor Perspectives in Biology* 2, no. 10 (2010): a004523.
8 J. B. S. Haldane, "Lysenko and Genetics."
9 Y. Liu, B. Li, and Q. Wang, "Science and Politics," *EMBO Reports* 10 (2009): 938–939.
10 Ben Goldacre, *Bad Pharma: How Medicine is Broken, and How We Can Fix It* (New York: HarperCollins, 2013).
11 R. Smith, "Editorial: The Cochrane Collaboration at 20," *BMJ* 347 (2013): f7383.
12 Goldacre, *Bad Pharma*, 1.
13 F. T. Bourgeois, S. Murthy, and K. D. Mandl, "Outcome Reporting among Drug Trials Registered in ClinicalTrials.gov," *Annals of Internal Medicine* 153 (2010): 158–166.

14 Bourgeois et al., "Outcome Reporting among Drug Trials," 159–160.
15 J. Lexchin, L. A. Bero, B. Djulbegovic, and O. Clark, "Pharmaceutical Industry Sponsorship and Research Outcome and Quality: Systematic Review," *British Medical Journal* 326（2003）: 1167.
16 P. H. Thibodeau, R. K. Hendricks, and L. Boroditsky, "How Linguistic Metaphor Scaffolds Reasoning," *Trends in Cognitive Sciences* 21（2017）: 852–863; P. H. Thibodeau and L. Boroditsky, "Metaphors We Think With: The Role of Metaphor in Reasoning," *PLoS ONE*（2011）: https:// doi.org/10.1371/journal.pone.0016782.
17 K. E. Stanovich and M. E. Toplak, "The Need for Intellectual Diversity in Psychological Science: Our Own Studies of Actively Open-Minded Thinking as a Case Study," *Cognition* 187（2019）: 156–166.

第23章　学術誌とインパクトファクターの科学に対する不健全な影響

1 Forster, Aspects of the Novel.
2 *Robert Maxwell（1923–1991）was a business tycoon who built a media empire that included the Daily Mirror* Group in the United Kingdom and the *New York Daily News*. His flamboyant lifestyle, combined with his ill-fated ventures in newspaper publishing, contributed to increasing debts, and after his death his empire collapsed into bankruptcy. Obituary in the *Guardian*: https://www.theguardian.com/politics/1991/nov/ 06/obituaries.
3 S. Buranyi, "Is the Staggeringly Profitable Business of Scientific Publishing Bad for Science?" *Guardian*, June 27, 2017, https://www.theguardian.com/science/2017/jun/27/profitable-business-scientific-publishing-bad-for-science?.
4 RELX Group, "RELX—Results for the Year to December 2018," press release, retrieved April 30, 2019. https://www.relx.com/media/ press-releases/year-2019/relx-2018-results.

5 J. D. Watson and F. H. C. Crick, "A Structure for Deoxyribose Nucleic Acid," *Nature* 171 (1953) : 737–738.

6 M. E. Falagas and V. G. Alexiou, "The Top-Ten in Journal Impact Factor Manipulation," *Archivum Immunologiae et Therapiae Experimentalis* 56 (2008) : 223–226.

7 S. Cantrill, "Imperfect Impact. Chemical Connections," stuartcantrill. com (blog) , January 23, 2016, https://stuartcantrill.com/2016/01/23/ imperfect-impact/. Cited in D. R. Shanahan, "Auto-correlation of Journal Impact Factor for Consensus Research Reporting Statements: A Cohort Study," *PeerJ* 4 (2016) : e1887, https://doi.org/10.7717/peerj.1887.

8 V. Larivière, V. Kiermer, C. J. MacCallum, M. McNutt, M. Patterson,B. Pulverer, S. Swaminathan, S. Taylor, and S. Curry, "A Simple Proposal for the Publication of Journal Citation Distributions," *bioRxiv* (July 5, 2016) , https://doi.org/10.1101/062109.

9 G. A. Lozano, V. Larivière, and Y. Gingras, "The Weakening Relationship between the Impact Factor and Papers' Citations in the Digital Age," *Journal of the Association for Information Science and Technology* 63 (2012) : 2140–2145.

10 F. C. Fang and A. Casadevall, "Retracted Science and the Retraction Index," *Infection and Immunity* 79 (2011) : 3855–3859; F. C. Fang, R. G. Steen, and A. Casadevall, "Misconduct Accounts for the Majority of Retracted Scientific Publications," *Proceedings of the National Academy of Sciences USA* 109 (2012) : 17028–17033.

11 B. Brembs, "Prestigious Science Journals Struggle to Reach Even Average Reliability," *Frontiers in Human Neuroscience* 12 (2018) : 37, https://doi.org/10.3389/fnhum.2018.00037.

12 A. Molinié and G. Bodenhausen, "Bibliometrics as Weapons of Mass Citation" [*La bibliométrie comme arme de citation massive*] , *Chimia* 64 (2010) : 78–89.

13 E. Dzeng, "How Academia and Publishing Are Destroying

Scientific Innovation: A Conversation with Sydney Brenner," *King's Review*, February 24, 2014, http://kingsreview.co.uk/articles/how-academia-and-publishing-are-destroying-scientific-innovation-a-conversation-with-sydney-brenner/.

14 Jerry Z. Muller, *The Tyranny of Metrics* (Princeton, NJ: Princeton University Press, 2018).

15 Muller, *The Tyranny of Metrics*, 176–177.

16 E. Callaway, "Beat It, Impact Factor! Publishing Elite Turns against Controversial Metric," *Nature* 535 (July 8, 2016): 210–211.

17 "San Francisco Declaration on Research Assessment," https://sfdora.org/.

18 Holly Else, "Radical Open-Access Plan Could Spell End to Journal Subscriptions," *Nature* 561 (September 4, 2018): 17–18; Plan S, making full and immediate open access a reality: https://www.coalition-s.org/.

19 J. Bohannon, "Who's Afraid of Peer Review?" *Science* 342 (2013): 60–65.

20 S. Moore, C. Neylon, M. P. Eve, D. P. O'Donnell, and D. Pattinson, "'Excellence R Us': University Research and the Fetishisation of Excellence," *Palgrave Communications* 3:17010.

21 Molinié and Bodenhausen, "Bibliometrics as Weapons of Mass Citation."

22 R. R. Ernst, "The Follies of Citation Indices and Academic Ranking Lists. A Brief Commentary to 'Bibliometrics as Weapons of Mass Citation,'" *Chimia* 64 (2010): 90, https://doi.org/10.2533/chimia.2010.90.

第24章 物語の誤謬：よくできた物語が厳密性やバランスを崩す

1 J. J. Ware and M. R. Munafò, "Significance Chasing In Research Practice: Causes, Consequences and Possible Solutions," *Addiction* 110 (2015): 4–8; J. M. Wicherts, "The Weak Spots in Contemporary Science (and How to Fix Them)," *Animals*

(*Basel*) 7, no. 12 (2017), https://doi.org/10.3390/ani7120090; A. Carmona-Bayonas, P. Jimenez-Fonseca, A. Fernández-Somoano, F. Álvarez-Manceñido, E. Castañón, A. Custodio,F. A. de la Peña, R. M. Payo, and L. P. Valiente, "Top Ten Errors of Statistical Analysis in Observational Studies for Cancer Research," *Clinical Translational Oncology* 20 (2018): 954–965; P. De Boeck and M. Jeon, "Perceived Crisis and Reforms: Issues, Explanations, and Remedies," *Psychological Bulletin* 144 (2018): 757–777; P. E. Shrout and J. L. Rodgers, "Psychology, Science, and Knowledge Construction: Broadening Perspectives from the Replication Crisis," *Annual Reviews in Psychology* 69 (2018): 487–510.

2 M. J. Müller, B. Landsberg, and J. Ried, "Fraud in Science: A Plea for a New Culture in Research" *European Journal of Clinical Nutrition* 68 (2014): 411–415.

3 D. Fanelli, "How Many Scientists Fabricate and Falsify Research? A Systematic Review and Meta-analysis of Survey Data," *PLoS ONE* 4, no. 5 (2009): e5738.

4 L. Maggio, T. Dong, E. Driessen, and A. Artino Jr., "Factors Associated with Scientific Misconduct and Questionable Research Practices in Health Professions Education," *Perspectives in Medical Education* 8 (2019): 74–82.

第25章　学　識

1 "Minutes of Evidence (10 Jan 2005) of the UK Parliament's Select Committee on Science and Technology," https://publications.parliament.uk/pa/cm200405/cmselect/cmsctech/6/5011003.htm.

2 Karl Popper, *The Logic of Scientific Discovery* (London: Routledge, 2000 [1959]), 280.

3 S. Fortunato, C. T. Bergstrom, K. Börner, J. A. Evans, D. Helbing, S. Milojević, A. M. Petersen, et al., "Science of Science," *Science* 359, no. 6379 (2018).

4 S. Brenner, "Frederick Sanger (1918–2013)," *Science* 343 (2018) : 262.
5 D. R. Comer and M. Schwartz, "The Problem of Humiliation in Peer Review," *Ethics and Education* 9 (2014) : 141–156.
6 Robert K. Merton, *On the Shoulders of Giants* (New York: Harcourt Brace Jovanovich, 1965).

著者　ガレス・レン（Gareth Leng）

エディンバラ大学実験生理学教授。エディンバラ王立協会のフェロー。国際神経内分泌連盟および *The Journal of Neuroendocrinology* の編集長を歴任。視床下部がホルモン分泌を調節する仕組みや食欲を調節する仕組みの多様な側面を主な研究テーマとした、３００を超える論文やレビューを発表している。著書には『*The Heart of the Brain: the hypothalamus and its hormones*（脳の心臓、視床下部とそのホルモン）』（MIT Press）などがある。

著者　ロードリ・レン（Rhodri Ivor Leng）

エディンバラ大学科学技術イノベーション研究科博士研究員。グラスゴー大学で政治学の優等学位、ヨーク大学で法学・政治理論の修士号、エディンバラ大学で科学技術研究の修士号と博士号を取得。引用ネットワーク、普及バイアス、科学的知識の社会的形成に関する論文を多数発表している。研究以外では、エディンバラ大学での研究成果に対してEUSA award for teaching excellenceを受賞するなど、指導者としても活躍している。学問の世界に戻る前は、下院とスコットランド議会で報道・政策アドバイザーとして活動していた。

監訳者　塚本浩司（つかもと　こうじ）

千葉科学大学総合学習・日本語支援センター教授、東京理科大学大学院理数教育専攻修士課程、神戸大学大学院総合人間科学研究科博士課程修了。博士（学術）。千葉県公立高校教諭を経て２０１６年より千葉科学大学教職課程教授、同教職・学芸員センター長などを経て現職。専門は科学教育学、主に科学教育史および仮説実験授業の実践・研究に従事。共著に『科学開講！　京大コレクションにみる教育事始め』（ＬＩＸＩＬ出版）、『衝突の力学』（仮説社）などがある。

訳者　多田桃子（ただ　ももこ）

明治大学農学部農学科動物生産学専修卒業。主な訳書に『患者を置き去りにするがん治療の不都合な真実』（ＩＭＫブックス）、『トカゲ大全』（エムピージェー）、『神話の遺伝子』（オークラ出版）などがある。

サイエンス・ファクト
科学的根拠が信頼できない訳

二〇二三年二月二十日発行

著者　ガレス・レン、ロードリ・レン
監訳者　塚本浩司
訳者　多田桃子
監訳協力　江崎貴裕、根本直人
編集協力　株式会社オフィスバンズ
翻訳協力　株式会社トランネット
https://www.trannet.co.jp
編集　道地恵介、目黒真弥子
表紙デザイン　株式会社ライラック
発行者　高森康雄
発行所　株式会社ニュートンプレス
〒一一二-〇〇一二
東京都文京区大塚三-十一-六
https://www.newtonpress.co.jp

ISBN　978-4-315-52665-3
カバー、表紙画像：pixelrobot/stock.adobe.com